新・解きながら学ぶ C言語

第2版

『新・明解C言語 入門編 第2版』全演習問題収録

[監修・著]
柴田望洋

[著]
由梨かおる

SB Creative

本文中の商品名は、一般に各社の商標または登録商標です。
本文中に、TM、®マークは明記しておりません。

© 2022　本書のプログラムを含むすべての内容は著作権法上の保護を受けています。
　　　　著者・発行者の許諾を得ず、無断で複写・複製をすることは禁じられております。

はじめに

こんにちは。

本書は、数多くの問題を解きながら学習を進めていくC言語の入門書です。

さて、その『解きながら』学習を進める、ということは、みなさんも行ってきたはずです。

たとえば、数の学習を始めたときです。1本1本の指を折りながらやっていた、1桁どうしの整数の足し算も、反復練習したり、応用的な問題を解いているうちに、自然と身についたのではないでしょうか。

おそらく、英語などの語学の学習も同様です。文の中の単語を一つだけ入れかえることで、よく似た別の文を作ったり、同じ意味を表すための、異なる言い回しで文を作ったりして、理解を深めたのではないでしょうか。

もちろん、問題の数をこなすだけではだめなのですが、みなさんがこれまで身につけてきた算数力、英語力の少なからぬ部分は、地道な学習の積み重ねや、反復的なトレーニングによるものだと考えられます。

基礎レベルのC言語力を身につけようとする、みなさんに贈る本書では、全部で1436問という数多くの問題を解きながら、学習を進めていきます。

算数や英語の問題集と同様に、よく似た問題や、少々ひねった問題もありますが、コツコツと解いていきましょう。本書の問題は、実際の教育の現場において、学習効果が確認されたものばかりです。

すべての問題をスラスラと解けるようになったら、胸をはって《初心者レベル》を卒業できるはずです。

なお、本書は、拙著『新・明解C言語 入門編 第2版』の全演習問題が含まれており、その補助テキストあるいは解答集としても利用できます。

本書が、みなさんのC言語トレーニングの一助となれば幸いです。

2022 年 1 月

柴田 望洋

本書を読み進めるために

　本書は、次に示す全13章の構成です。基本的なところから始まって少しずつ難しくなっていきます。各章を確実に学習してから、次の章へと進むようにしましょう。

> 第 1 章　まずは慣れよう
> 第 2 章　演算と型
> 第 3 章　プログラムの流れの分岐
> 第 4 章　プログラムの流れの繰返し
> 第 5 章　配　列
> 第 6 章　関　数
> 第 7 章　基本型
> 第 8 章　いろいろなプログラムを作ってみよう
> 第 9 章　文字列の基本
> 第10章　ポインタ
> 第11章　文字列とポインタ
> 第12章　構造体
> 第13章　ファイル処理

　すべての章は、《プログラム作成問題》と《錬成問題》とで構成されます。

▪ プログラム作成問題 … 184 問

　プログラムを作成する問題であって、解答プログラムと、その解説を読みながら学習を進めていきます。本書のオリジナル問題と、『新・明解C言語入門編 第2版』（柴田望洋，ＳＢクリエイティブ，2021／以降『明解』と呼びます）に掲載された演習問題とがあります。

▪ 錬成問題 … 1252 問

　概念や用語に関する知識を問う問題や、プログラムの空欄を埋める形式の問題であり、各章の章末に置かれています。《プログラム作成問題》よりも難易度の高い問題も含まれています。
　錬成問題の解答は、巻末にまとめて示しています。

＊

　これらの問題には、『明解』の学習内容や演習問題を応用した問題も含まれます。そのため、同著と比べると難易度も高くなっており、《言語そのもの》よりも《プログラミング》に重点をおいて学習を進めていくことになります。
　ちなみに、いわゆる中級者・上級者と呼ばれるすべての人々が、本書に示すような問題を解いて学習を進めてきたわけではありません。とはいえ、そのような人々が、本書に示す程度の問題をいとも簡単に解ける、というのも事実です。

本書の内容を難しく感じられるようでしたら、『明解』とあわせてお読みいただけると幸いです。同著では、プログラミング言語であるC言語そのものと、それを用いたプログラミングの両方をバランスよく解説しています。

　以下、本書を読み進める上で、知っておくべきことや注意すべきことをまとめています。

▪ 数字文字ゼロの表記について

　数字のゼロは、中に斜線が入った文字 "∅" で表記して、アルファベット大文字のオーを "O" と表記することによって、両者を識別しやすくしています（ただし、章・節・ページなどの番号や年月表示などのゼロは、斜線のない 0 で表記しています）。

　なお、数字の 1、小文字の ℓ、大文字の I、記号文字の | も、見分けの付きやすい文字を使って表記しています。

▪ ふりがな（ルビ）について

　C言語の規格である JIS 規格の用語が漢字表記であるものの、英語をカタカナ読みしたものが一般的に多用されている用語には、カタカナのルビをふっています。

> ▶ 　たとえば、増分や有効範囲などです。JIS 規格の用語は、『増分』『有効範囲』ですが、一般的には『インクリメント』『スコープ』が使われることが多いようです。もちろん、いずれか一方だけでなく、両方の用語を知っておく必要があります。

▪ 標準ライブラリ関数の解説について

　本書に示すプログラムでは、`printf` 関数、`puts` 関数、`scanf` 関数などの、数多くのC言語の標準ライブラリ関数を使っています。これらの関数については、重要な事項のみを解説しています。詳細かつ完全な仕様は、下記のサイトで公開しています。

柴田望洋後援会オフィシャルホームページ　https://www.bohyoh.com/

　なお、このサイトでは、C言語の FAQ（よく聞かれる質問と、その答え）を含め、プログラミングや情報処理技術者試験などに関する膨大な情報を提供しています。

▪ 索引について

　私の他の書籍と同様に、充実した索引を用意しています。たとえば、『空ポインタ定数』は、次のいずれでも引けるようにしています。

く	空ポインタ	て	定数	ほ	ポインタ
	〜定数		空ポインタ〜		空〜定数

　また、『アドレス演算子 &』といった項目は、記号からも日本語からも引けます。

　※上記のサイトでは、本書の『索引』を PDF 形式の文書ファイルとして公開しています。おもちのプリンタで印刷してお手元に置いていただくと、本書内の調べものなどがスムーズに行えます（本文と索引を行き来するためにページをめくらなくてすみます）。

目次

第 1 章	まずは慣れよう	1
第 2 章	演算と型	19
第 3 章	プログラムの流れの分岐	39
第 4 章	プログラムの流れの繰返し	65
第 5 章	配　列	109
第 6 章	関　数	133
第 7 章	基本型	163
第 8 章	いろいろなプログラムを作ってみよう	197
第 9 章	文字列の基本	225
第 10 章	ポインタ	243
第 11 章	文字列とポインタ	261
第 12 章	構造体	287
第 13 章	ファイル処理	303

錬成問題の解答 …………………………………………331

参考文献 ……………………………………………………341

索引 …………………………………………………………342

謝辞 …………………………………………………………355

著者紹介 ……………………………………………………357

第1章

まずは慣れよう

問題 1-1

整数値 15 から 37 を引いた値を計算して、その結果を表示するプログラムを作成せよ。

```
/*
    整数値15から37を引いた結果を表示
*/

#include <stdio.h>

int main(void)
{
    printf("%d", 15 - 37);  // 整数値15から37を引いた結果を10進数で表示

    return 0;
}
```

実行結果
```
-22
```

プログラムのコンパイルと実行

私たち人間が**文字の並び**として作るのが**ソースプログラム**（source program）で、それを格納したファイルが**ソースファイル**（source file）です。

▶ source は、『もとになるもの』という意味であり、ソースプログラムは**原始プログラム**とも呼ばれます。なお、文字を保存したファイルは、**テキスト形式**と呼ばれることを覚えておきましょう（コンピュータの世界での**テキスト**は、**文字データ**のことです）。

慣習として、C言語のソースファイルには **.c** という**拡張子**を与えます。chap01 という名前のフォルダを第1章用に作って、その中に ex0101.c という名前で保存しましょう。

さて、文字の並びにすぎないソースプログラムから、コンピュータが理解できる**ビットの並び**（0と1の並び）である**実行プログラム**に変換するには、**翻訳＝コンパイル**や**結合＝リンク**などの作業が必要です（具体的な操作手順は処理系によって異なりますので、みなさんが利用している処理系のマニュアルを参照しましょう）。

なお、プログラムに綴り間違いなどがあると、**診断メッセージ**（diagnostic message）によってエラーが通知されます。その際は、プログラムのミスを取り除いた上で、再度コンパイルを試みます。

注釈（コメント）

プログラムの『**/* から */** まで』と『**// から行末**まで』は、**注釈＝コメント**（comment）です。作成者を含めた読み手に伝えたいことを、日本語や英語などの簡潔な言葉で書き込みます。

なお、注釈の有無や、その内容によって、プログラムの動作が変わることは**ありません**。

- **伝統的コメント** … /*と*/とで囲んで記述します。**好きな場所に置ける**（開始と終了が、行の先頭や末尾でなくてよい）。**開始と終了は同一行になくてもよい**（複数行にまたがることが可能）。**注釈を閉じる */ を、書き忘れる、あるいは /* に書き間違えるとエラーにつながる**。といった特徴があります。

- **行末コメント** … //から、その行の終端までがコメントです。**好きな場所に置ける**（開始は行の先頭でなくてよい）。**コメントの終了を書く必要がない**（手短なコメントの記述に好適）。といった特徴があります。

問題 1-2

15から37を引いた値を計算して『15から37を引いた値は-22です。』と表示するプログラムを作成せよ。

▶『明解』演習 1-1 (p.9)

```c
// 整数値15から37を引いた結果を丁寧に表示
#include <stdio.h>

int main(void)
{
    printf("15から37を引いた値は%dです。\n", 15 - 37);   // 表示後に改行

    return 0;
}
```

実行結果
15から37を引いた値は-22です。

printf 関数 … 書式化して表示を行う

前問と本問のプログラムは、計算結果の出力の処理を、画面への表示を行う printf 関数にゆだねています。

▶ printf は、一般にプリントエフと発音します（末尾のfは、書式＝formatに由来します）。

C言語は、数多くの関数（function）を提供します。それらをうまく利用すると、プログラムが素早く作れます。

関数に対して《処理の依頼》を行うのが、関数呼出し（function call）です。

その際の《補助的な指示》は、関数名の後ろに置く ( ) の中に、実引数（argument）として（複数個の場合はコンマ , で区切った上で）与えます。

printf 関数に与える先頭の実引数は、書式文字列（format string）です。

図に示すように、書式文字列の中の %d は、変換指定（conversion specification）と呼ばれ、次のように書式の指示を行います。

続く実引数の値を 10 進数で表示せよ。

なお、書式文字列中の変換指定以外の文字は、（基本的には）そのまま出力されます。

前問と本問のプログラムでは、減算（引き算）の結果を表示しています。負の値の表示では、先頭にマイナス記号が付きます。

▶ "%d" の d は、10 進数という意味の decimal に由来します。なお、書式文字列中の \n については、次ページで学習します。

問題 1-3

▶『明解』演習 1-2 (p.11)

右に示す表示を行うプログラムを作成せよ。ただし、printf 関数の呼出しは、プログラム中 1 回限りとする。

```
守
破
離
```

```c
// 守破離を１行に１文字ずつ表示
#include <stdio.h>
int main(void)
{
    printf("守\n破\n離\n");        // 途中と最後で改行

    return 0;
}
```

文字列リテラル

"ABC" や "こんにちは。" のように、一連の文字を二重引用符 " で囲んだものは、**文字列リテラル**（string literal）と呼ばれ、文字の並びを表します。

▶ リテラルとは、『文字どおりの』『文字で表された』という意味です。本書では、文字列リテラルを "少し薄い色の文字" で表記します。

\n … 改行文字を表す拡張表記

さて、printf 関数に与える書式文字列の中に置かれている **\n** は、**改行**（new line）を表す特別な表記です。

▶ 環境によっては、逆斜線文字 \ の代わりに、円記号 ¥ を使います（p.7）。

右図が、出力の様子です。改行を出力すると、続く表示は、次の行の先頭から始まります。

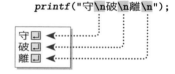

▶ 図中の ⏎ は、改行のイメージです。目に見える文字としては表示されません。

なお、**\n** のように、逆斜線文字 **** を先頭にした複数個の文字の並びによって「1個の文字」を表す特別な表記は、**拡張表記**（escape sequence）と呼ばれます（詳細は p.218 で学習します）。

プログラム最後の表示における改行の必要性

printf 関数の呼出しの末尾の \n を除去して、『printf("守\n破\n離");』に書きかえて実行してみましょう。

右図に示すように、最後の文字「離」の直後にプロンプトがくっついて表示されます（そうならない実行環境もあります）。

```
▷ex0103 ⏎
守
破
離▷
```

『プログラムの最後に出力する文字は、改行文字とする。』という方針を採用しておけば、このような事態が避けられます。

▶ この例では、実行プログラム名が **ex0103** であると仮定しています。なお、▷は、オペレーティングシステムのプロンプトです。多くの環境では、**>** や **%** などの記号や、カレントディレクトリ、すなわち作業中のフォルダのパス名などが表示されます。

問題 1-4

右に示す表示を行うプログラムを作成せよ。ただし、printf 関数の呼出しは、プログラム中 1 回限りとする。

```
こんにちは。
お元気ですか。

さようなら。
```

```
// 挨拶を表示（途中に空行を表示）
#include <stdio.h>

int main(void)
{
    printf("こんにちは。\nお元気ですか。\n\nさようなら。\n");

    return 0;
}
```

空行の出力

前問の応用です。いったん改行した後に \n を出力することで、空の行を表示します。

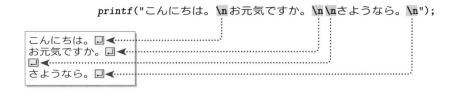

前問と本問は、書式化すべき値がありませんでした。そのような場合は、printf 関数に与える実引数は**書式文字列だけ**とします（その中には、**%d** などの変換指定を含めません）。

なお、printf 関数の呼出しを 1 回に限らないのであれば、次のように実現できます。

```
printf("こんにちは。\n");
printf("お元気ですか。\n\n");
printf("さようなら。\n");
```

```
printf("こんにちは。\nお元気ですか。\n");
printf("\nさようなら。\n");
```

文とセミコロン

これまでのすべてのプログラムがそうですが、printf 関数の呼出しと、『return 0;』のいずれも、末尾が**セミコロン ;** となっています。

このセミコロン ; は、日本語の句点。に相当します。末尾に句点を置くことで日本語として正しい文になるように、末尾にセミコロンを置くことでC言語の**文**（statement）となります。

問題 1-5

右に示すように、『警報!! 警報!!』と表示しながら、警報を 2 回発する
プログラムを作成せよ。

`警報!!♪警報!!♪`

```c
// 警報を2回発する
#include <stdio.h>

int main(void)
{
    printf("警報!!\a警報!!\a\n");        // 表示とともに警報を発する

    return 0;
}
```

\a … 警報を表す拡張表記

本プログラムでは、**警報**（alert）を表す拡張表記 **\a** を使って、警報を発しています。

▶ 本書の実行結果では、警報を♪と表記します。

なお、プログラムを実行する環境によっては、警報（音でなく視覚的なものであることもありますが、多くの場合はビープ音です）が鳴らないことや、別々に出力した 2 個の警報が一つにまとまって鳴ることもあります。

プログラムの構造

これまでのプログラムは、すべて下図の構造です。各パーツの意味は、後の章で少しずつ学習していきます。

```c
#include <stdio.h>

int main(void)
{
    /* … */

    return 0;
}
```

- #include は、第 6 章で学習します。
- main 関数は、第 6 章で学習します。
- 複合文 {} は、第 3 章で学習します。
- return 文は、第 6 章で学習します。

Column 1-1	翻訳フェーズとコンパイル

C 言語のプログラムを実行させるには、理論上は 8 段階もの**翻訳フェーズ**（translation phase）を経ます。なお、ソースプログラムを実行させるために必要なソフトウェアのことを**処理系**（implementation）と呼びます（たとえば、Visual C++ などの処理系があります）。

C 言語の処理系では、多くの場合、ソースプログラムをコンピュータが直接理解・実行できる形式に翻訳する**コンパイル方式**（本文で解説した方式です）が採用されていますが、プログラムを 1 行ずつ解釈しながら実行する**インタプリタ方式**（実行速度は遅くなる傾向にあります）などもあります。

記号文字の読み方

　C言語のソースプログラムでは、数多くの記号文字が使われます。下表は、記号文字の読み方を、俗称も含めてまとめたものです。

記号	読み方
+	プラス符号、正符号、プラス、たす
-	マイナス符号、負符号、ハイフン、マイナス、ひく
*	アステリスク、アスタリスク、アスター、スター、かけ、こめ、ほし
/	スラッシュ、スラ、わる
\	逆斜線、バックスラッシュ、バックスラ、バック　　※JISコードでは¥
¥	円記号、円、円マーク
%	パーセント
.	ピリオド、小数点文字、ドット、てん
,	コンマ、カンマ
:	コロン、ダブルドット
;	セミコロン
'	単一引用符、一重引用符、引用符、シングルクォーテーション
"	二重引用符、ダブルクォーテーション
(	左括弧、開き括弧、左丸括弧、始め丸括弧、左小括弧、始め小括弧、左パーレン
)	右括弧、閉じ括弧、右丸括弧、終り丸括弧、右小括弧、終り小括弧、右パーレン
{	左波括弧、左中括弧、始め中括弧、左ブレイス、左カーリーブラケット、左カール
}	右波括弧、右中括弧、終り中括弧、右ブレイス、右カーリーブラケット、右カール
[	左角括弧、始め角括弧、左大括弧、始め大括弧、左ブラケット
]	右角括弧、終り角括弧、右大括弧、終り大括弧、右ブラケット
<	小なり、左アングル括弧、左向き不等号
>	大なり、右アングル括弧、右向き不等号
?	疑問符、はてな、クエッション、クエスチョン
!	感嘆符、エクスクラメーション、びっくりマーク、びっくり、ノット
&	アンド、アンパサンド
~	チルダ、チルド、なみ、にょろ　　※JISコードでは ̄（オーバライン）
̄	オーバライン、上線、アッパライン
^	アクサンシルコンフレックス、ハット、カレット、キャレット
#	番号記号、ナンバー、ハッシュ、スクエア、オクトソープ、ダブルクロス、井桁
_	下線、アンダライン、アンダバー、アンダスコア
=	等号、イクオール、イコール
|	縦線、バーチカルライン

▶　日本で多くのパソコンに採用されているJISコードという文字体系では、逆斜線記号文字 \ の代わりに、円記号文字¥を使います。もし、みなさんの環境が¥を使う環境であれば、本書のすべての \ を¥と読みかえましょう。

問題 1-6

int 型変数 n に整数値 15 を代入して表示するプログラムと、int 型変数 n を整数値 15 で初期化して表示するプログラムを作成せよ。

```
// 変数に整数値を代入して表示
#include <stdio.h>

int main(void)
{
    int n;              // nはint型の変数
    n = 15;             // nに15を代入       ←1
    printf("nの値は%dです。\n", n);   // nの値を表示
    return 0;
}
```

実行結果
nの値は15です。

```
// 変数を整数値で初期化して表示
#include <stdio.h>

int main(void)
{
    int n = 15;         // nはint型の変数（15で初期化）  ←2
    printf("nの値は%dです。\n", n);   // nの値を表示
    return 0;
}
```

実行結果
nの値は15です。

変数

プログラムに埋め込まれた 15 や 37 などの**定数**（constant）とは異なり、**変数**（variable）に対しては、自由に値を出し入れできます。

数値や文字などを格納する**箱**ともいえる**変数**を使う際は、**型**と**名前**を明確にするために、

```
int n;      // 型がintで名前がnの変数の宣言
```

といった**宣言**（declaration）が事前に必要です。この宣言は、n という名前の変数（箱）を1個用意します。作られた変数 n は、『**int 型**』と呼ばれます。

▶ int は、整数という意味の integer に由来し、一般にはイントと呼ばれます。

・整数値を格納する
・いつでも値を出し入れできる
・名前が与えられている

int という型から作られた変数

代入

1 で使っている記号 = は、『右側の値を左側の変数に代入せよ。』という指示です。そのため、整数値 15 が変数 n に**代入**されます。

▶ 数学のように、『n と 15 が等しい。』といっているのではありません。

問題 1-7

▶『明解』演習 1-4 (p.15)

int 型変数の宣言に実数値の初期化子（たとえば 3.14 や 5.7 など）を与えるとどうなるだろうか。プログラムを作成して確認せよ。

```c
// 二つの変数を初期化して表示
#include <stdio.h>

int main(void)
{
    int x = 3.14;           // xはint型の変数（3.14で初期化？）
    int y = 5.7;            // yはint型の変数（5.7で初期化？）

    printf("xの値は%dです。\n", x);    // xの値を表示
    printf("yの値は%dです。\n", y);    // yの値を表示

    return 0;
}
```

実行結果
xの値は3です。
yの値は5です。

初期化

変数が生成される際は、**不定値**すなわち**ゴミの値**が入れられます。そのため、変数に入れる値が事前に分かっている場合は、その値を最初から変数に入れておくべきです。

▶ 値が設定されていない変数から値を取り出すと、思いもよらぬ結果となります（実行時にエラーが発生して、プログラムの実行が中断される場合もあります）。

前問のプログラムの❷は、変数 n を 15 で**初期化**（initialize）する宣言です。なお、変数生成時に入れる値を指定するための、記号 = 以降の部分は**初期化子**（initializer）と呼ばれます。

下図をよく見て、代入と初期化の違いをしっかりと理解しましょう。

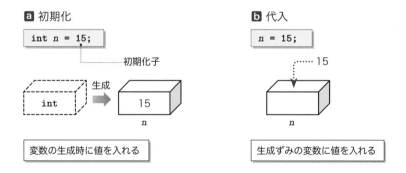

本問では、整数だけを扱える int 型の変数 x と y に対して、実数値の初期化子を与えています。

このような初期化では、**小数部は切り捨てられます**。**初期化子の値が、そのまま変数の初期値になるとは限らない**ことが、本プログラムから分かりました。

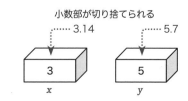

▶ 小数部は切り捨てられるのであって、四捨五入されるのではないことに注意します。なお、小数部の切捨ては、初期化だけではなく、代入の際にも行われます。

問題 1-8

右に示すように、読み込んだ整数値に 13 を加えた値を表示するプログラムを作成せよ。

▶『明解』演習 1-5 (p.17)

```
整数を入力してください：56⏎
56に13を加えると69です。
```

```c
// 読み込んだ整数値に13を加えた値を表示
#include <stdio.h>

int main(void)
{
    int no;

    printf("整数を入力してください：");
    scanf("%d", &no);                          // 整数値を読み込む

    printf("%dに13を加えると", no);
    printf("%dです。\n",       no + 13);

    return 0;
}
```

scanf 関数 … 読込みを行う

本プログラムでは、キーボードから数値を読み込むために scanf 関数を使っています（scanf は、一般にスキャンエフと発音します）。

第1引数は書式文字列であり、その中の変換指定 %d は 10 進数の指定です（printf 関数と同じです）。すなわち、この関数呼出しは、

キーボードから 10 進数を読み込んで、その値を変数 no に格納してください。

という依頼です。

なお、scanf 関数を呼び出す際に、実引数として与える（第2引数以降の）変数名の前には、& を置く必要があります（この点は、printf 関数とは異なります）。

▶ & の意味は第 10 章で学習します。なお、int 型が格納できる数値は有限ですので、大きな正値や小さな負値の読込みは行えません（第 7 章で学習します）。

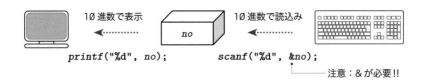

プログラムでは、まず「整数を入力してください：」と表示して、整数値の入力を促します。scanf 関数による読込みが完了すると、『*** に 13 を加えると $$$ です。』と加算結果を表示します（変数 no に読み込んだ値と、それに 13 を加えた値が *** と $$$ の部分に表示されます）。

▶ 本書の解説では、次のように「 」と『 』を使い分けています。
「ＡＢＣ」と表示 … 画面に ABC と表示します。
『ＡＢＣ』と表示 … 画面に ABC と表示した後に改行します（改行文字を出力します）。

問題 1-9

▶『明解』演習 1-6 (p.17)

右に示すように、読み込んだ整数値から7を減じた値を表示するプログラムを作成せよ。

```
整数を入力してください：58⏎
58から7を減じると51です。
```

```c
// 読み込んだ整数値から7を減じた値を表示

#include <stdio.h>

int main(void)
{
    int no;

    printf("整数を入力してください：");
    scanf("%d", &no);                      // 整数値を読み込む

    printf("%dから7を減じると", no);
    printf("%dです。\n",        no - 7);

    return 0;
}
```

減算と乗算

前問は加算でしたが、本問は減算です。

これら二つの演算の違いの一つが、加算 *no* + 13 は、順序を逆にした 13 + *no* がOKであるのに対して、減算 *no* - 7 は、順序を逆にした 7 - *no* にはできないことです。

なお、表示の箇所を次のコードに置きかえると、*no* を6倍した値が表示されます。

```c
printf("%dを6倍すると", no);
printf("%dです。\n",     no * 6);
```

アステリスク＊は、乗算（掛け算）の記号です。

▶ 前問と本問では、計算結果の表示を2回に分けて行っています。書式文字列の中には、複数の変換指定を置くことも可能です（詳細は次章で学習します）。

それを利用すると、前問と本問の表示は、次のように実現できます。

```c
printf("%dに13を加えると%dです。\n", no, no + 13);   // 前問の別解
printf("%dから7を減じると%dです。\n", no, no - 7);     // 本問の別解
```

Column 1-2 ┃ **C言語の歴史① … C言語の誕生**

C言語は、1972 年頃に Dennis M. Ritchie 氏によって開発されました。Ritchie 氏は当時、Ken Thompson 氏らと共同で、ミニコンピュータのオペレーティングシステムである UNIX の開発に携わっていました。この OS は、初期の段階ではアセンブリ言語を用いて開発されましたが、その後、C言語で書き直されることになります。

初期の UNIX を移植するために開発されたのがC言語ですから、ある意味では

「C言語は UNIX の副産物である。」

ということになります。

その UNIX 本体だけでなく、その上で動作する多くのアプリケーションも、C言語で開発されることになります。そのため、C言語は、まず UNIX の世界で広まりました。しかし、その勢いはとどまらず、次第に大型コンピュータやパーソナルコンピュータの世界にも普及していったのです。

問題 1-10

▶『明解』演習 1-7 (p.19)

『守』『破』『離』と表示するプログラムを作成せよ。表示には printf 関数ではなく puts 関数を利用すること。

```c
// 守破離を１行に１文字ずつ表示
#include <stdio.h>

int main(void)
{
    puts("守\n破\n離");       // 途中で改行（最後は自動的に改行）

    return 0;
}
```

実行結果
守
破
離

puts 関数 … 表示を行う

puts 関数は、初めて利用する関数です（末尾の s は string に由来し、一般にプットエスと発音します）。

この関数は、実引数として与えられた文字の並びを出力した上で、改行文字を出力します。すなわち、『puts("…")』は、『printf("…\n")』とほぼ同じです。

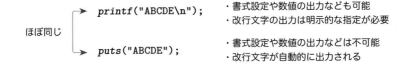

- 書式設定や数値の出力なども可能
- 改行文字の出力は明示的な指定が必要

- 書式設定や数値の出力などは不可能
- 改行文字が自動的に出力される

Column 1-3 C言語の歴史② … C言語の普及と発展

Ritchie 氏は Brian W. Kernighan 氏とともに、C言語の解説書である

　　"The C Programming Language", Prentice-Hall, 1978

を著しました。C言語の設計者が自ら著したこの書は、C言語のバイブルとして多くの人々に読まれることになります。そして、著者のイニシャルに由来して、"K&R" という愛称で親しまれます。

K&R の巻末には、C言語の言語仕様を規定した "Reference Manual（参照マニュアル）" が付録として採録されています。ここに記された言語仕様が、C言語の標準的な仕様であると考えられることになりました。

しかし、K&R の "参照マニュアル" に規定されている言語仕様は、曖昧で紛らわしい部分や不完全な部分が少なからずありました。そして、C言語の普及とともに、多くの『方言』が生まれ、独自の拡張機能をもつC言語が氾濫することになります。

本来のC言語は、可搬性が高いこと、すなわち、あるコンピュータ用にC言語で作ったプログラムを、他のコンピュータ用に移植しやすいということを大きな特長としていました。しかし、方言の発生と相まって、満足な可搬性が維持できなくなってきます。

当然の流れとして、C言語の世界的な "標準規格" を定めようという動きが起こります。言語の仕様を全世界で共通化しようとするのですから、その作業はとても慎重なものとなりました。

```
問題 1-11                                          ▶『明解』演習 1-8 (p.19)
```
読み込んだ二つの整数値の積を表示するプログラムを作成せよ。

```
// 読み込んだ二つの整数値の積（乗算結果）を変数に格納して表示

#include <stdio.h>
                              ┌─────────────────────────┐
int main(void)                │          実行例          │
{                             ├─────────────────────────┤
    int n1, n2;               │二つの整数を入力してください。│
                              │整数n1：27 ⏎              │
    puts("二つの整数を入力してください。 "); │整数n2：35 ⏎              │
    printf("整数n1：");    scanf("%d", &n1); │それらの積は945です。      │
    printf("整数n2：");    scanf("%d", &n2); └─────────────────────────┘

    int seki = n1 * n2;                    // n1とn2の積でsekiを初期化

    printf("それらの積は%dです。\n", seki);    // 積を表示

    return 0;
}
```

複数の変数の宣言

　本プログラムでは、二つの **int** 型変数 *n1* と *n2* を、コンマ記号 **,** で区切って一度に宣言して
います。もちろん、次に示すように、二つの変数を個別に宣言しても構いません。

```
int n1;      // n1はint型の変数
int n2;      // n2はint型の変数
```

　▶　各行に一つずつ宣言を書くと、宣言に対する注釈が記入しやすくなって、宣言の追加や削除も
　　容易になります。ただし、プログラムの行数が増えますので、臨機応変に使い分けましょう。

計算結果を覚えるための変数

　本プログラムでは、変数 *seki* に乗算結果を入れています（二つの整数値 *n1* と *n2* を読み込
んだ後で、変数を宣言するとともに、乗算結果で初期化しています）。

　▶　本プログラムから、**{** と **}** のあいだに**宣言**と**文**が混在できることが分かります（詳細は、第 6 章
　　で学習します）。

　もっとも、いったん値を入れた後に、*seki* の値を使っているのは 1 回きりです。値を読み取っ
て表示するだけであって、値を書き込んで更新することもありません。
　そのため、次のように実現したほうが、簡潔になります。

```
int n1, n2;

puts("二つの整数を入力してください。 ");
printf("整数n1：");    scanf("%d", &n1);
printf("整数n2：");    scanf("%d", &n2);

printf("それらの積は%dです。\n", n1 * n2);        // 積を表示
```

　変数 *seki* を導入するメリットは、ほとんどありません。

　▶　ただし、乗算した値をもとにして、さらに次の計算を行うようなプログラムでは、変数を導入す
　　るメリットが生まれます。

```
問題 1-12                                              ▶『明解』演習 1-9 (p.19)
    読み込んだ三つの整数値の和を表示するプログラムを作成せよ。
```

```c
// 読み込んだ三つの整数値の和（加算結果）を変数に格納して表示

#include <stdio.h>

int main(void)
{
    int n1, n2, n3;

    puts("三つの整数を入力してください。");
    printf("整数n1：");    scanf("%d", &n1);
    printf("整数n2：");    scanf("%d", &n2);
    printf("整数n3：");    scanf("%d", &n3);

    int wa = n1 + n2 + n3;              // n1とn2とn3の和でwaを初期化

    printf("それらの和は%dです。\n", wa);    // 和を表示

    return 0;
}
```

```
                実行例
三つの整数を入力してください。
整数n1：7↵
整数n2：15↵
整数n3：23↵
それらの和は45です。
```

3値の和

　本問のプログラムの構造は、前問と同じです。変数が2個から3個になって、求めるのが
積ではなく和となっているだけです。当然、printf 関数の呼出しを次のコードに置きかえれば、
変数 wa は不要になります。

```c
printf("それらの和は%dです。\n", n1 + n2 + n3);   // 和を表示
```

▶　ただし、和に加えて平均も表示するのであれば、変数 wa が必要です。

```c
int wa = n1 + n2 + n3;                      // n1とn2とn3の和でwaを初期化
printf("それらの和　は%dです。\n", wa);        // 和を表示
printf("それらの平均は%dです。\n", wa / 3);    // 平均を表示
```

　　ここで使っている / は、除算の商を求める記号です（次章で学習します）。

Column 1-4　　C言語の歴史③ … 標準Cの制定

　標準化の作業は、**国際標準化機構 ISO**（International Organization for Standardization）と**米国
国家規格協会 ANSI**（American National Standards Institute）の協力によって行われました。

　1989 年 12 月に、米国内の規格である "ANSI X3.159–1989：Programming Language–C" が制
定され、1990 年 12 月に、世界規格である "ISO/IEC 9889：1990(E) Programming Languages–C" が
制定されました。これらは、体裁は違うものの、内容としては同一のものです。

　さらに、日本では、**日本工業規格 JIS**（Japanese Industrial Standards ／現在の日本産業規格）によっ
て、同一の内容をもつ規格である『JIS X3010–1993：プログラム言語C』が 1993 年に制定されま
した。これらの規格によるC言語は、**標準C**と呼ばれています。

　標準Cの規格制定後も、『第2版』、『第3版』、『第4版』と改訂された規格が制定されました。

　※　JIS による日本語版の標準Cは、第1版と第2版のみが出版されており、第3版以降は、本書執
　　筆時点では出版されていません。

錬成問題

※ 空欄部を埋めてください（次章以降の錬成問題も同様です）。

1 まずは慣れよう

- 文字の並びとして作成する ⬚(1)⬚ プログラムを、コンピュータが理解できる 0 と 1 の並び、すなわち ⬚(2)⬚ の並びへと変換するには、一般に、 ⬚(3)⬚ などの作業が必要である。なお、プログラム中に綴り間違いなどがあると ⬚(3)⬚ 時にエラーが発生する。

- 作成者を含めた読み手に伝えたいことを、簡潔な言葉としてプログラムに書き込まれたものが、 ⬚(4)⬚ すなわちコメントである。 ⬚(5)⬚ で始まって ⬚(6)⬚ で終了するコメントと、 ⬚(7)⬚ から行末までのコメントとがある。なお、 ⬚(4)⬚ の有無や内容によって、プログラムの動作が変わることは ⬚(8)⬚ 。
  ※ ⬚(8)⬚ の選択肢 … (a) ある　(b) ない

- C言語には、多くの ⬚(9)⬚ が用意されており、それらをうまく利用することで素早くプログラムが作れるようになっている。 ⬚(9)⬚ に処理をゆだねる依頼ともいえる ⬚(9)⬚ 呼出しにおいて必要な補助的な指示は、（）の中に ⬚(10)⬚ として与える。

- 表示を行う ⬚(9)⬚ として、*printf* や *puts* などがある。*printf* に渡す最初の ⬚(10)⬚ は、 ⬚(11)⬚ と呼ばれ、その中には、続く ⬚(10)⬚ の出力書式を指定するための ⬚(12)⬚ を含むことができ、整数値を 10 進数で出力するための ⬚(12)⬚ は、 ⬚(13)⬚ である。
  なお、*printf* による表示では、出力の最後に自動的に改行が ⬚(14)⬚ 。また、*puts* による表示では、出力の最後に自動的に改行が ⬚(15)⬚ 。
  ※ ⬚(14)⬚ と ⬚(15)⬚ の選択肢 … (a) 行われる　(b) 行われない

- \n は ⬚(16)⬚ を表す拡張表記であり、\a は ⬚(17)⬚ を表す拡張表記である。

- 整数を格納する *n* という名前の変数を使うには、次の宣言が必要である。
  ⬚(18)⬚ *n*;

- 加算（足し算）を行うための記号は + であり、減算（引き算）を行うための記号は - であり、乗算（掛け算）を行うための記号は ⬚(19)⬚ である。

- 以下に示すのは、『C言語』と表示するプログラムである。

```
  (20)   <stdio.h>

  (21)   (22) ( (23) )
{
    printf("  (24)  ");

      (25)   0;
}
```

C言語

▪ 以下に示すのは、いずれも1行に1文字ずつ『C』『言』『語』と表示するプログラムである。

```c
#include <stdio.h>

int main(void)
{
    printf("C (26) ");
    printf("言 (26) ");
    printf("語 (26) ");

    return 0;
}
```

```
C
言
語
```

```c
#include <stdio.h>

int main(void)
{
    printf(" (27) ");

    return 0;
}
```

```
C
言
語
```

▪ 以下に示すのは、警報を2回発するプログラムである。

```c
#include <stdio.h>

int main(void)
{
    printf(" (28) ");

    return 0;
}
```

♪♪

▪ 以下に示すのは、いずれも、『こんにちは。』と『はじめまして。』を3行にわたって表示する（2行目は空の行とする）プログラムである。

```c
#include <stdio.h>

int main(void)
{
    printf(" (29) ");

    return 0;
}
```

```
こんにちは。

はじめまして。
```

```c
#include <stdio.h>

int main(void)
{
    puts( (30) );
    puts( (31) );
    puts( (32) );

    return 0;
}
```

```
こんにちは。

はじめまして。
```

▪ 以下に示すのは、風林火山の各文字を各行に1文字分ずつずらしながら表示するプログラムである。

```c
#include <stdio.h>

int main(void)
{
    puts( (33) );
    puts( (34) );
    puts( (35) );
    puts( (36) );

    return 0;
}
```

```
風
 林
  火
   山
```

- "ABC" や "Hello!!" のように、文字の並びを二重引用符で囲んだものを [(37)] と呼ぶ。

- プログラム上で変数に値を入れる操作には2種類がある。変数を作るときに値を入れるのが [(38)] であり、既に作られた変数に値を入れるのが [(39)] である。

- 以下に示すのは、整数値を読み込んで、その5倍の値を表示するプログラムである。

```
#include <stdio.h>

int main(void)
{
    int   (40)  ;

    printf("整数を入力してください：");
     (41)  ("  (42)  ",  (43)  no);

    printf("その数の５倍は (44) です。\n", 5  (45)  no);

    return 0;
}
```

```
整数を入力してください：7⏎
その数の５倍は35です。
```

- 以下に示すのは、三つの整数値を読み込んで、それらを掛け合わせた値を表示するプログラムである。

```
/* 三つの変数に値を読み込んで積を求めて表示 */

#include <stdio.h>

int main(void)
{
    int   (46)  ;

    puts("三つの整数を入力してください。");
    printf("整数１：");    (47)  ("  (48)  ",  (49)  n1);
    printf("整数２：");    (47)  ("  (48)  ",  (49)  n2);
    printf("整数３：");    (47)  ("  (48)  ",  (49)  n3);

    printf("それらを掛け合わせた値は (50) です。\n",  (51)  );

    return 0;
}
```

```
三つの整数を入力してください。
整数１：2⏎
整数２：3⏎
整数３：5⏎
それらを掛け合わせた値は30です。
```

- 上記のプログラムにおいて、/* から */ までは、注釈すなわち [(52)] である。この形式の [(52)] は、複数行にまたがっての記述が [(53)] 。
  ※ [(53)] の選択肢 … (a) できる　(b) できない

- 以下に示す記号文字の読み方をカタカナで示せ。

  ; … [(54)]   : … [(55)]   . … [(56)]   , … [(57)]

  { … [(58)]   (… [(59)]   ' … [(60)]   " … [(61)]

▪ 以下に示すプログラムの実行結果を示せ。

```
#include <stdio.h>

int main(void)
{
    int x = 5.99;

    printf("xの値は%dです。\n", x);

    return 0;
}
```

xの値は (62) です。

▪ 以下に示すプログラムの誤りを指摘せよ。… (63)

```
/* 二つの変数の和の6倍の値を求めて表示 /*

include <studio.h>

int mein(void)
{
    int n1, n2;
    int c = 3;
    int t;

    puts("二つの整数を入力してください。");
    print("整数1："); scan("%d", n1); /* 変数n1に整数を読み込む
    print("整数2："); scan("%d", n2); /* 変数n2に整数を読み込む

    t = 2 * c * (n1 + n2);

    puts("それらの和を6倍すると/dです。", t);

    return 0
}
```

▪ 上記のプログラムにおいて、2と3は (64) であるのに対し、*n1* と *n2* と *c* と *t* は、値を自由に出し入れできる (65) である。網かけ部は、各 (65) の型と名前を与えるための (66) である。

なお、*c* の (66) において＝の右側に置かれている3は、*c* に入れるべき値を指定するものであり、 (67) と呼ばれる。

第2章

演算と型

問題 2-1

整数値を読み込んで、それに7を加えた値、7を引いた値、7を乗じた値、7で除した商、7で除した剰余を表示するプログラムを作成せよ。

```c
// 読み込んだ整数値と7を加算乗除した値を表示
#include <stdio.h>

int main(void)
{
    int n;

    printf("整数を入力せよ：");
    scanf("%d", &n);

    printf("7を加えると%dです。\n",      n + 7);   // 加算
    printf("7を減じると%dです。\n",      n - 7);   // 減算
    printf("7を乗じると%dです。\n",      n * 7);   // 乗算
    printf("7で除した商は%dです。\n",    n / 7);   // 除算（商）
    printf("7で除した剰余は%dです。\n", n % 7);   // 除算（剰余）

    return 0;
}
```

実行例
整数を入力せよ：15☐
7を加えると22です。
7を減じると8です。
7を乗じると105です。
7で除した商は2です。
7で除した剰余は1です。

演算子とオペランド

和を求める**+**や積を求める*****などの記号は**演算子**（operator）と呼ばれ、演算の対象となる変数や定数は**オペランド**（operand）と呼ばれます。

たとえば、加算を行う**n + 7**では、演算子は**+**で、そのオペランドが**n**と**7**です。

▶ 左側のオペランドは**第1オペランド**あるいは**左オペランド**と呼ばれ、右側のオペランドは**第2オペランド**あるいは**右オペランド**と呼ばれます。

乗除演算子と加減演算子

本プログラムで使っている5個の演算子は、**乗除演算子**（multiplicative operator）と**加減演算子**（additive operator）とに大別されます（概要は右ページの表に示しています）。

商と剰余（演算子 / と演算子 %）

さて、本プログラムでは、前章で学習した加算・減算・乗算に加えて、除算も行っています。その除算には**/**と**%**の2種類の演算があります。除算による商を求めるのが**/**演算子です。

| 整数 / 整数　　　　　※商の整数部

の演算では、商の整数部（小数部を切り捨てた値）が得られます。たとえば、**5 / 3**は**1**で、**3 / 5**は**0**です。一方、剰余（あまり）を求めるのが**%**演算子です。

| 整数 % 整数　　　　　※剰余

たとえば、**5 % 3**は**2**で、**3 % 5**は**3**です。

21

問題 2-2

整数値を読み込んで、5で割った商と剰余を表示するプログラムを作成せよ。

```c
// 読み込んだ整数値を5で割った商と剰余を表示
#include <stdio.h>

int main(void)
{
    int n;

    printf("nの値を入力せよ：");
    scanf("%d", &n);

    printf("n / 5は%dです。\n",  n / 5);         // 商
    printf("n %% 5は%dです。\n", n % 5);         // 剰余

    return 0;
}
```

実行例

nの値を入力せよ：32␤
n / 5は6です。
n % 5は2です。

書式文字列内に記号文字 % を2個並べると % が1個だけ表示される

2

演算と型

printf 関数による % 文字の表示

剰余を表示する書式文字列中の **%%** に着目しましょう。書式文字列中の文字 **%** は、変換指定の開始文字です。そのため、書式指定ではなくて、本当に **%** と表示したい場合は、**%%** と表記することになっています。

なお、書式指定の機能をもたない *puts* 関数による表示では、**%%** としてはいけません（**%%** と表示されてしまいます）。

● 乗除演算子

2項 * 演算子　　 *a* * *b*	*a* と *b* の積。
/ 演算子　　　　 *a* / *b*	*a* を *b* で割った商（整数どうしの場合は小数点以下は切捨て）。
% 演算子　　　　 *a* % *b*	*a* を *b* で割った剰余（*a* と *b* は整数でなければならない）。

● 加減演算子

2項 + 演算子　　 *a* + *b*	*a* と *b* の和。
2項 - 演算子　　 *a* - *b*	*a* から *b* を引いた値。

▶ 第2版以降の標準Cでは、除算を行う二つの演算子の演算結果は、次のように定義されています。

　　/ 演算子 … 代数的な商から小数部を切り捨てた値。

　　% 演算子 … (*a* / *b*) * *b* + *a* % *b* が *a* と等しくなる値。

この定義を読むだけでは、特にオペランドが負の場合の結果が把握しづらいでしょう。

オペランドの符号ごとの具体例をまとめた右の表を参考にするとよいでしょう。

なお、第2オペランドが **0** の場合、二つの演算子の挙動がどうなるのかは、言語では定義されていません（多くの場合、プログラムの実行が中断します）。

		x / y	x % y
正 ÷ 正　例 x = 22 で y = 5		4	2
負 ÷ 負　例 x = -22 で y = -5		4	-2
正 ÷ 負　例 x = 22 で y = -5		-4	2
負 ÷ 正　例 x = -22 で y = 5		-4	-2

問題 2-3

▶『明解』演習 2-1 (p.26)

読み込んだ二つの整数値の比率を百分率で表示するプログラムを作成せよ。

```c
// 読み込んだ二つの整数値の比率を百分率で表示
#include <stdio.h>

int main(void)
{
    int x, y;

    puts("二つの整数を入力せよ。");
    printf("整数x：");    scanf("%d", &x);
    printf("整数y：");    scanf("%d", &y);

    printf("xの値はyの%d%です。\n", 100 * x / y);   // 百分率で表示

    return 0;
}
```

```
┌─────────実 行 例─────────┐
│ 二つの整数を入力せよ。       │
│ 整数x：54 ⏎                │
│ 整数y：84 ⏎                │
│ xの値はyの64%です。         │
└───────────────────────┘
```

乗除算の順序

変数 x の値が、変数 y の何％であるのかを求める式に着目します。

```
100 * x / y        // OK
```

この式を、次のように変更したらどうなるかを検討しましょう。

```
x / y * 100        // NG
```

実行例のように、x の値が 54 で、y の値が 84 であれば、除算 x / y によって得られる値は、小数部が切り捨てられた 0 です。その 0 に 100 を掛けた値も 0 ですから、"0%" と表示されてしまいます。

演算は、順序によって結果が異なる可能性があることに注意しましょう。

▶ なお、二つの整数値の比率を実数値として求めるプログラムは、問題 2-10 (p.30) で学習します。

全角文字と半角文字

このプログラムでは、**全角文字**のパーセント文字を表示しています。一般に、全角文字の％は、半角文字の**%**とは区別されて扱われます。

もし、半角文字の**%**を表示するのであれば、次のようになっていなければなりません。

```
printf("xの値はyの%d%%です。\n", 100 * x / y);    // 百分率で表示
```

▶ 書式文字列の中に置かれた **%%** は、前問で学習しました。

問題 2-4

▶『明解』演習 2-2（p.27）

二つの整数値を読み込んで、その和と積を表示するプログラムを作成せよ。

```c
// 二つの整数値を読み込んで和と積を表示
#include <stdio.h>

int main(void)
{
    int a, b;

    puts("二つの整数を入力せよ。");
    printf("整数a："); scanf("%d", &a);
    printf("整数b："); scanf("%d", &b);

    printf("それらの和は%dで積は%dです。\n", a + b, a * b);

    return 0;
}
```

実行例
```
二つの整数を入力せよ。
整数a：54
整数b：12
それらの和は66で積は648です。
```

複数の変換指定

和と積を表示する書式文字列の中に、変換指定 **%d** が2個置かれています。下図に示すように、二つの変換指定は、先頭側から順に、第2実引数と第3実引数に対応します。

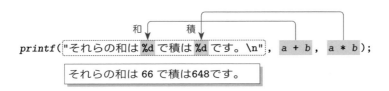

なお、実引数と一対一で対応していれば、変換指定は3個以上でもOKです。

たとえば、次のように、**printf** 関数に対して、5個の実引数と4個の変換指定を与えると、変数 a と b の値も表示できます。

```
printf("%dと%dの和は%dで積は%dです。\n", a, b, a + b, a * b);
```

▶ 実行例と同じように、変数 a に 54 が入力されて、変数 b に 12 が入力されるのであれば、画面には『54 と 12 の和は 66 で積は 648 です。』と表示されます。

なお、**scanf** 関数による読込みでも、変換指定を2個以上置くことができます。たとえば、次に示すのは、**int** 型変数 a と b に整数値を読み込む例です。

```
scanf("%d%d", &a, &b);     // aとbに10進数を順に読み込む
```

▶ 入力時は、二つの整数のあいだに、スペース、タブ、改行のいずれかを入れる必要があります。

問題 2-5

読み込んだ二つの整数値の平均値の符号を反転した値を表示するプログラムを作成せよ。

```c
// 読み込んだ二つの整数値の平均値の符号を反転した値を表示
#include <stdio.h>

int main(void)
{
    int x, y;

    puts("二つの整数を入力せよ。");
    printf("整数x："); scanf("%d", &x);
    printf("整数y："); scanf("%d", &y);

    int ave = (x + y) / 2;       // 平均値を求める

    printf("平均値%dの符号を反転した値は%dです。\n", +ave, -ave);

    return 0;
}
```

実行例
```
二つの整数を入力せよ。
整数x：41↵
整数y：46↵
平均値43の符号を反転した値は-43です。
```

演算順序の変更

まず、平均値を求める式 (x + y) / 2 に着目します。図**a**に示すように、x + y を囲む ( ) は、演算を優先的に行うための記号です（日常の計算と同じです）。

もし、図**b**のように、x + y / 2 となっていれば、x と y / 2 との和が求められます。加減算よりも乗除算のほうが**優先**されるからです（これも日常の計算と同じです）。

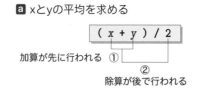

a x と y の平均を求める

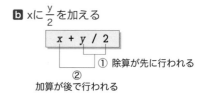

b x に $\frac{y}{2}$ を加える

単項の算術演算子

前問までに利用してきた、2個のオペランドを必要とする演算子は**2項演算子**（binary operator）と呼ばれます。この他に、オペランドが1個のみの**単項演算子**（unary operator）と、オペランドが3個の**3項演算子**（ternary operator）があります。

2箇所の網かけ部で使っている + と - は、それぞれ、**単項 + 演算子**（unary + operator）と**単項 - 演算子**（unary - operator）です。

▶ 単項 + 演算子は、実質的には演算を行いません。そのため、+ave から + を取り除いて ave としても動作は同じです。単項 - 演算子は、オペランドの符号を反転した値を生成します。

● 単項 + 演算子と単項 - 演算子

単項 + 演算子	+a	a の値。
単項 - 演算子	-a	a の符号を反転した値。

なお、単項 + 演算子、単項 - 演算子、! 演算子（第4章）、~ 演算子（第7章）の総称が、**単項算術演算子**（unary arithmetic operator）です。

代入演算子

代入を行うために使っている記号 = は、2項演算子であって、その正式名称は、**単純代入演算子**（simple assignment operator）です。通常は、**代入演算子**と省略形で呼ばれます。

▶ 変数の宣言の際に、初期化子を指定するための = は、演算子ではありません。

● 単純代入演算子

単純代入演算子　　*a* = *b*　　*b* を *a* に代入。

式と代入式

変数や定数、さらに、それらを演算子で結合したものを、**式**（expression）と呼びます。たとえば、

> *x* + 32　　　　　※加算を行う式

を考えましょう。変数 *x* は式であり、定数 32 も式です。さらに、それら二つの式を + 演算子で結合した *x* + 32 も式です。また、

> *a* = *b* - 5　　　　※代入式

では、*a*、*b*、5、*b* - 5、*a* = *b* - 5 のいずれもが式です。

▶ 代入演算子 = に着目すると、左オペランドは *a* で、右オペランドは *b* - 5 です。
減算演算子 - に着目すると、左オペランドは *b* で、右オペランドは 5 です。

一般に、○○演算子を用いた式のことを、○○式と呼びます。そのため、代入演算子を用いた式は、**代入式**（assignment expression）と呼ばれます。

式文

既に学習したように、文の末尾は、原則としてセミコロン ; です。そのため、先ほど示した代入式 *a* = *b* - 5 は、次の形となって、初めて正しい文となります。

> *a* = *b* - 5;　　　※式文（式 + セミコロン）

このように、式の後ろにセミコロン ; を置いた文は、**式文**（expression statement）と呼ばれます。

▶ 式文に関しては、第4章でより詳しく学習します。なお、次章以降では、式文以外の「文」として、「if 文」や「while 文」などを学習していきます。

＊

さて、本プログラムの演算結果は、小数部が（四捨五入ではなく）切り捨てられています。小数部を含む実数値を扱う方法は、次問で学習します。

問題 2-6
▶『明解』演習 2-3 (p.35)

読み込んだ実数値をそのまま表示するプログラムを作成せよ。

```c
// 読み込んだ実数値をそのまま表示
#include <stdio.h>

int main(void)
{
    double x;

    printf("実数を入力せよ：");
    scanf("%lf", &x);

    printf("あなたは%fと入力しましたね。\n", x);     // そのまま表示

    return 0;
}
```

実行例
実数を入力せよ：**57.3**⏎
あなたは**57.300000**と入力しましたね。

型とオブジェクト

　intとして宣言された変数は整数値のみを扱えます（前章で学習しました）。これは、**int**という**型**（type）の性質によるものです。

　C言語での実数は、**浮動小数点数**（floating-point number）という形式で表します。その型は3種類ありますが、本プログラムで使っているのは**double型**です。

　型には固有の性質があり、その性質を受け継いで作られた変数は、**オブジェクト**（object）と呼ばれます。型は、その諸性質を内に秘めた**設計図**であって、その型をもつオブジェクト（変数）は、その設計図をもとに作られた**実体**です。

　▶　たとえると、**型**はタコ焼きの**カタ**で、カタから作られた**本物のタコ焼き**が**オブジェクト**です。

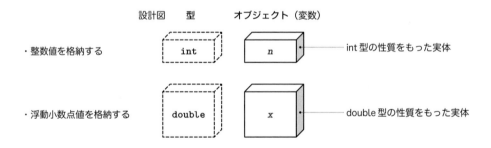

double型の読み書き

　本プログラムでは、**double**型の変数 x の読み書きを行っています。次の点に注意しましょう。

double 型の変数の入力：*scanf* 関数に与える変換指定は **%lf**。
double 型の値の出力　：*printf* 関数に与える変換指定は **%f**。

　▶　変換指定 **%f** の f は、浮動小数点 floating-point の頭文字です。小数点以下の部分が6桁表示されますが、この桁数は変更できます（p.32で学習します）。

問題 2-7

実数値を読み込んで、その値を半径とする円の面積を求めて表示するプログラムを作成せよ。

```c
// 半径を読み込んで円の面積を求めて表示
#include <stdio.h>

int main(void)
{
    double r;          // 半径

    printf("半径は：");
    scanf("%lf", &r);

    printf("円の面積は%fです。\n", 3.14 * r * r);   // 面積を求めて表示

    return 0;
}
```

```
                        実行例
        半径は：5.5␚
        円の面積は94.985000です。
```

2

演算と型

整数定数と浮動小数点定数

プログラムに埋め込まれた値である**定数**にも型があります。

5 や 37 などの定数は、**整数定数**（integer constant）と呼ばれ、その型は**整数型**です。

一方、本プログラムで利用している**3.14** のような、小数部をもつ定数は、**浮動小数点定数**（floating constant）と呼ばれ、その型は**浮動小数点数型**です。

整数定数は int 型となって、浮動小数点定数は double 型となるのが基本です。

▶ 値の大きさや、特別な指示などによって、型が変わります。詳細は第 7 章で学習します。

整数定数

　5　　　int型

浮動小数点定数

　3.14　　double型

変換指定の使い分け

*printf*関数と*scanf*関数でint型とdouble型を読み書きするための変換指定をまとめたのが、次の表です。必ず覚えるようにします。

● 変換指定の使い分け

	1Ø 進数の int 型	double 型
scanf 関数による読込み	`scanf("%d", &n);`	`scanf("%lf", &x);`
printf 関数による表示	`printf("%d", n);`	`printf("%f", x);`

　　　　　本来は "%f" であるが、現在では "%lf" も許容される

問題 2-8

▶『明解』演習 2-4 (p.35)

整数定数、浮動小数点定数、int 型の変数、double 型の変数を、掛けたり割ったりするなど、いろいろな演算を行うプログラムを作成し、型と演算に関する規則を確認せよ。

```c
// 型と演算について確認するためのプログラム
#include <stdio.h>

int main(void)
{
    int     n1, n2;   // 整数
    double  d1, d2;   // 浮動小数点数

    puts("整数と実数を二つずつ入力せよ。");
    printf("整数n1：");    scanf("%d", &n1);
    printf("整数n2：");    scanf("%d", &n2);
    printf("実数d1：");    scanf("%lf", &d1);
    printf("実数d2：");    scanf("%lf", &d2);

    printf("5   * 2   = %d\n", 5 * 2);       // intとint
    printf("5   / 2   = %d\n", 5 / 2);
    printf("5   * n1  = %d\n", 5 * n1);
    printf("5   / n1  = %d\n", 5 / n1);
    printf("n1  * n2  = %d\n", n1 * n2);
    printf("n1  / n2  = %d\n", n1 / n2);
    printf("\n");

    printf("5   * 2.5 = %f\n", 5 * 2.5);     // intとdouble
    printf("5   / 2.5 = %f\n", 5 / 2.5);
    printf("5   * d1  = %f\n", 5 * d1);
    printf("5   / d1  = %f\n", 5 / d1);
    printf("n1  * d2  = %f\n", n1 * d2);
    printf("n1  / d2  = %f\n", n1 / d2);
    printf("\n");

    printf("5.3 * 2.5 = %f\n", 5.3 * 2.5);   // doubleとdouble
    printf("5.3 / 2.5 = %f\n", 5.3 / 2.5);
    printf("5.3 * d1  = %f\n", 5.3 * d1);
    printf("5.3 / d1  = %f\n", 5.3 / d1);
    printf("d1  * d2  = %f\n", d1 * d2);
    printf("d1  / d2  = %f\n", d1 / d2);

    return 0;
}
```

実行例
```
整数と実数を二つずつ入力せよ。
整数n1：5⏎
整数n2：3⏎
実数d1：3.14⏎
実数d2：7.77⏎
5   * 2   = 10
5   / 2   = 2
5   * n1  = 25
5   / n1  = 1
n1  * n2  = 15
n1  / n2  = 1
5   * 2.5 = 12.500000
5   / 2.5 = 2.000000
5   * d1  = 15.700000
5   / d1  = 1.592357
n1  * d2  = 38.850000
n1  / d2  = 0.643501
5.3 * 2.5 = 13.250000
5.3 / 2.5 = 2.120000
5.3 * d1  = 16.642000
5.3 / d1  = 1.687898
d1  * d2  = 24.397800
d1  / d2  = 0.404118
```

同一型どうしの演算

本プログラムでは、int どうしの乗除算、int と double の乗除算、double どうしの乗除算の演算を行っています。

『整数 / 整数』の演算では、小数部を切り捨てた整数値が得られることは、既に学習しました。

図ⓐと図ⓑに示すように、両方のオペランドの型が同一である『int / int』と『double / double』の演算結果は、演算対象のオペランドと同じ型となります。

＊

二つのオペランドの型が異なる場合については、右ページで学習します。

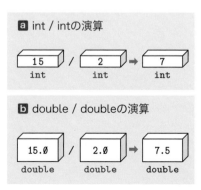

ⓐ int / int の演算

ⓑ double / double の演算

問題 2-9

二つの実数値を読み込んで、前者の値が後者の何％であるかを実数で表示するプログラムを作成せよ。

```
// 読み込んだ二つの実数値の比率を百分率（実数）で表示
#include <stdio.h>

int main(void)
{
    double a, b;

    puts("二つの実数を入力せよ。");
    printf("実数a：");    scanf("%lf", &a);
    printf("実数b：");    scanf("%lf", &b);

    printf("aの値はbの%f%%です。\n", a / b * 100);

    return 0;
}
```

```
            実行例
二つの実数を入力せよ。
実数a：54.5⏎
実数b：84.3⏎
aの値はbの64.650059%です。
```

異なる型が混在する演算

左ページの学習の続きです。二つのオペランドの型が異なる演算である図**c**と図**d**は、次のことを示しています。

> 『double / int』と『int / double』の演算では、int 型のオペランドの値が double 型に**格上げ**されるという**暗黙**の型変換が行われた上で、double 型どうしの演算として行われる。

▶ 図**c**では int 型の 2 が double 型の 2.0 へと格上げされ、図**d**では int 型の 15 が double 型の 15.0 へと格上げされています。

両方のオペランドが double 型となるわけですから、当然、その演算結果も double 型です。

もちろん、この規則は、/ だけでなく、+ や * などの演算にも適用されます。

C言語には、たくさんの型がありますので、細かい規則は複雑です。演算の対象となるオペランドの型が異なるときは、**小さいほうの型のオペランドは、より大きくて懐の深いほうの型に変換された上で演算が行われる**のが基本です。

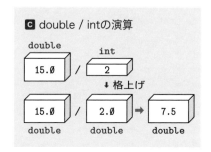

c double / int の演算

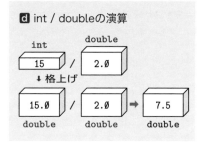

d int / double の演算

▶ ここで、"大きく"という表現を使っていますが、必ずしも double 型が、物理的に int 型より大きいわけではありません。小数部を格納する"余裕がある"という意味です。

二つの整数の比率を求めるプログラムは**問題 2-3**（p.22）で作りましたが、整数で求めるものでした。本プログラムで行っている演算は、double 型の a と b の比率を求める a / b です。演算結果は double 型ですから、小数部がちゃんと含まれます。

問題 2-10

▶『明解』演習 2-5 (p.37)

二つの整数値を読み込んで、前者の値が後者の何%であるかを実数で表示するプログラムを作成せよ。

```c
// 読み込んだ二つの整数値の比率を百分率（実数）で表示
#include <stdio.h>

int main(void)
{
    int a, b;

    puts("二つの整数を入力せよ。");
    printf("整数a："); scanf("%d", &a);
    printf("整数b："); scanf("%d", &b);

    printf("aの値はbの%f%%です。\n", (double)a / b * 100.0);

    return 0;
}
```

```
            実 行 例
二つの整数を入力せよ。
整数a：54↵
整数b：84↵
aの値はbの64.285714%です。
```

キャスト

前問とは異なり、読み込むのは実数値ではなく整数値です。整数値どうしの比率を実数値として求めているのが、網かけ部の **(double)a / b * 100.0** です。

ここで、/ 演算子の左オペランド **(double)a** の形式は、次のようになっています。

| **（ 型 ） 式**　　　　　　　　　　　　　※**キャスト式**

これは、**式**の値をもとにして、「**( )** の中に指定された**型**としての値」を生成する式です。

▶ 次に示すのが、具体例です。

(int)5.7 … 浮動小数点定数 **5.7** をもとに、小数部を切り捨てた **int** 型の **5** を生成。
(double)5 … 整数定数 **5** をもとに、**double** 型の **5.0** を生成。

このような、明示的な型変換の作業を**キャスト**（cast）と呼びます。型名を囲んでいる **( )** は、**キャスト演算子**（cast operator）と呼ばれる演算子です。

▶ 英語の cast は数多くの意味をもつ語句です。他動詞としての cast には、『役を割り当てる』『投げかける』『ひっくりかえす』『計算する』『曲げる』『ねじる』などの意味があります。

◉ キャスト演算子

| キャスト演算子　　**（型名）a**　　aの値を型名で指定された型の値に変換したものを生成。

なお、網かけ部を次のように変更すれば、キャストが不要となります。

| **100.0 * a / b**

最初の演算 **100.0 * a** が行われる際に、**a** が暗黙のうちに **double** 型にキャストされ、その演算結果が **double** 型となるからです。

なお、**a / b * 100.0** はNGです。最初に行われる **int / int** の演算結果が、小数部が切り捨てられた **int** 型となるからです。

問題 2-11

　台形の面積を求めるプログラムを作成せよ。上辺と下辺と高さを整数値として読み込んで、面積は実数値として表示すること。

```
// 台形の面積を求めて表示
#include <stdio.h>

int main(void)
{
    int a, b, h;

    puts("台形の面積を求めます。");
    printf("上辺：");    scanf("%d", &a);
    printf("下辺：");    scanf("%d", &b);
    printf("高さ：");    scanf("%d", &h);

    printf("面積は%fです。\n", (a + b) * h / 2.0);

    return 0;
}
```

```
          実行例
台形の面積を求めます。
上辺：5⏎
下辺：4⏎
高さ：3⏎
面積は13.500000です。
```

演算の順序と型

　前問と類似した問題です。本プログラムでは、キャストを使わずに実現しています。

＊

　前問と本問の式について、いくつかの正誤のパターンを示します。

- **前問の式（百分率を求める）**

```
(double)a / b * 100         // ＯＫ
a / (double)b * 100         // ＯＫ
(double)a / (double)b * 100 // ＯＫ
100.0 * a / b               // ＯＫ

a / b * 100                 // ＮＧ：a/bの段階で小数部が切り捨てられる
a / b * 100.0               // ＮＧ：a/bの段階で小数部が切り捨てられる

(double)(a / b) * 100       // ＮＧ：a/bの段階で小数部が切り捨てられる
                            //       切り捨てられた値をdoubleにキャスト
                            //       しても手遅れであり意味がない
```

- **本問の式（台形の面積を求める）**

```
(a + b) * h / 2.0           // ＯＫ

(a + b) * h / 2             // ＮＧ：/の演算で小数部が切り捨てられる

(double)(a + b) * h / 2     // ＯＫ
(double)((a + b) * h) / 2   // ＯＫ
(((double)a + b) * h) / 2   // ＯＫ
((a + (double)b) * h) / 2   // ＯＫ
((a + b) * (double)h) / 2   // ＯＫ
```

```
問題 2-12                                                    ▶『明解』演習 2-6 (p.39)

    身長を整数値として読み込んで、標準体重を実数で表示するプログラムを作成せよ。
    標準体重は（身長 - 100）* 0.9 によって求め、その小数点以下を1桁だけ表示すること。
```

```c
// 読み込んだ身長に対する標準体重を求めて表示
#include <stdio.h>

int main(void)
{
    int height;

    printf("身長を入力せよ：");
    scanf("%d", &height);                    // 身長を読み込む

    printf("標準体重は%.1fです。\n", (height - 100) * 0.9);

    return 0;
}
```

```
        ┌─ 実 行 例 ─┐
        身長を入力せよ：175␍
        標準体重は67.5です。
```

変換指定

printf 関数に与えている書式文字列中の変換指定 **%.1f** は、『**double** 型の浮動小数点数を小数点以下を1桁で表示せよ。』という指示です。

変換指定の形式を、右の図に示しています。**%** を含めて5個のパーツで構成されています。

右ページ下部に示すコードと実行結果を対比しながら、各パーツの意味を理解していきましょう。

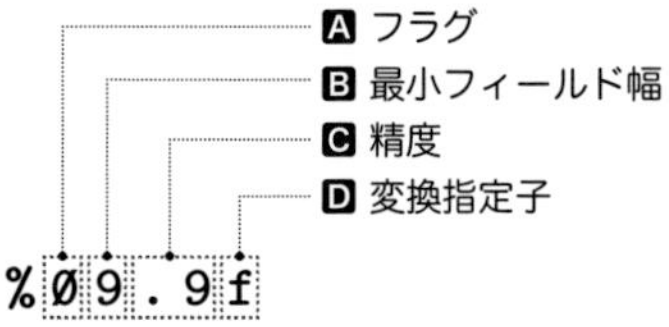

Ⓐ フラグ
Ⓑ 最小フィールド幅
Ⓒ 精度
Ⓓ 変換指定子

`% 0 9 . 9 f`

Ⓐ フラグ

0 が指定されると、数値の前に余白があるときに、**0** をつめて表示します。なお、このフラグを省略した場合は、空白がつめられます。

Ⓑ 最小フィールド幅

最低限の表示文字数の指定であり、少なくとも、この桁数だけの表示が行われます。

この指定が省略された場合や、実際に表示する数値が指定された値を超えるときは、その数値を表示するのに必要な桁数で表示されます。

なお、**-4** のように、フラグに **-** が指定されている場合は左側によせて表示され、指定がない場合は右側によせられます。

Ⓒ 精度

表示する最小の桁数の指定です。省略した場合、整数の精度は **1** とみなされ、浮動小数点数の精度は **6** とみなされます。

Ⓓ 変換指定子

ここが、もっとも重要な部分です。

　　d … **int** 型の整数を 10 進数で表示することの指定です。

　　f … **double** 型の浮動小数点数を 10 進数で表示することの指定です。

▶　ここで学習した変換指定の仕様は、ごく一部です。

問題 2-13

身長と体重を実数値として読み込んで、BMI を表示するプログラムを作成せよ。

BMI は体重÷身長^2 によって求め（体重はkgで身長はm）、小数点以下を2桁で表示すること。

```c
// 読み込んだ身長と体重からBMIを求めて表示
#include <stdio.h>

int main(void)
{
    double height, weight;

    printf("身長は何cm：");    scanf("%lf", &height);
    printf("体重は何kg：");    scanf("%lf", &weight);

    printf("BMIは%.2fです。\n",
                    weight / ((height / 100.0) * (height / 100.0)));

    return 0;
}
```

```
            実 行 例
 身長は何cm：175 ⏎
 体重は何kg：62 ⏎
 BMIは20.24です。
```

BMIの算出

前問は標準体重を求めるプログラムでしたが、本問は BMI を求めるプログラムです。

プログラムでは、公式どおりに計算を行っています（本問のプログラムでは、身長をcm単位で読み込んでm単位に変換しています）。

▶ BMIとは、ボディマス指数のことであり、人間の肥満度を表す体格指数の一種です。

変換指定のプログラム例

int 型と double 型の値をいろいろな書式で出力するための変換指定の例を示します。

```
    printf("[%d]\n",      123);
    printf("[%.4d]\n",    123);
    printf("[%4d]\n",     123);
    printf("[%04d]\n",    123);
    printf("[%-4d]\n\n",  123);

    printf("[%d]\n",      12345);
    printf("[%.3d]\n",    12345);
    printf("[%3d]\n",     12345);
    printf("[%03d]\n",    12345);
    printf("[%-3d]\n\n",  12345);

    printf("[%f]\n",      123.13);
    printf("[%.1f]\n",    123.13);
    printf("[%6.1f]\n\n", 123.13);

    printf("[%f]\n",      123.13);
    printf("[%.1f]\n",    123.13);
    printf("[%4.1f]\n\n", 123.13);
```

```
[123]
[0123]
[ 123]
[0123]
[123 ]

[12345]
[12345]
[12345]
[12345]
[12345]

[123.130000]
[123.1]
[ 123.1]

[123.130000]
[123.1]
[123.1]
```

錬成問題

- 演算を行う + や * などの記号を ‾‾(1)‾‾ と呼び、その演算の対象となる変数や定数などを ‾‾(2)‾‾ と呼ぶ。たとえば、加算を行う num + 10 では、 ‾‾(1)‾‾ は + であり、その ‾‾(2)‾‾ が num と 10 の 2 個である。

- ‾‾(2)‾‾ の個数は ‾‾(1)‾‾ によって異なるが、最も少ないものは ‾‾(3)‾‾ 個であり、最も多いものは ‾‾(4)‾‾ 個である。

- 変数や定数、さらに、それらを演算子で結合したものを ‾‾(5)‾‾ と呼び、その後ろにセミコロンを置いて文としたものを ‾‾(6)‾‾ と呼ぶ。

- 以下の演算結果を示せ。

14 % 5	… ‾‾(7)‾‾ 型で、	値は ‾‾(8)‾‾ 。
14 / 5	… ‾‾(9)‾‾ 型で、	値は ‾‾(10)‾‾ 。
14 / 5.6	… ‾‾(11)‾‾ 型で、	値は ‾‾(12)‾‾ 。
14.0 / 5	… ‾‾(13)‾‾ 型で、	値は ‾‾(14)‾‾ 。
14.0 / 5.6	… ‾‾(15)‾‾ 型で、	値は ‾‾(16)‾‾ 。
(double)14 / 5	… ‾‾(17)‾‾ 型で、	値は ‾‾(18)‾‾ 。
(double)(14 / 5)	… ‾‾(19)‾‾ 型で、	値は ‾‾(20)‾‾ 。
(int)(14.0 / 5)	… ‾‾(21)‾‾ 型で、	値は ‾‾(22)‾‾ 。
(int)14.0 / 5	… ‾‾(23)‾‾ 型で、	値は ‾‾(24)‾‾ 。

- 5 や 12 は ‾‾(25)‾‾ 定数と呼ばれ、3.7 や 63.2 は ‾‾(26)‾‾ 定数と呼ばれる。

- 以下に示すのは、double 型変数 x の符号を反転した値を表示するプログラム部分である。

  ```
  printf("xの符号を反転した値は (27) です。\n",  (28)  );
  ```

- 以下に示すのは、読み込んだ整数値の最も下の桁の数字を表示するプログラムである。

  ```
  #include <stdio.h>

  int main(void)
  {
      int n;

      printf("整数：");
      scanf("%d",  (29)  );

      printf("最下位桁は%dです。\n",  (30)  );

      return 0;
  }
  ```

  > 整数：1234␣
  > 最下位桁は4です。

- 以下に示すのは、二つの整数値を読み込んで、それらの値を加減乗除した値を表示するプログラムである。

　　　　[(31)] 読み込んだ二つの整数値を加算乗除した値を表示 　[(32)]

```
#include <stdio.h>

int main(void)
{
    int x [ (33) ] y;

    puts("二つの整数を入力せよ。 ");
    printf("整数x: ");    scanf("%d", [ (34) ] );
    printf("整数y: ");    scanf("%d", [ (35) ] );

    printf("xにyを加えた値は%dです。 \n",    [ (36) ] );
    printf("xからyを引いた値は%dです。 \n",   [ (37) ] );
    printf("xにyを乗じた値は%dです。 \n",    [ (38) ] );
    printf("xをyで除した商は%dです。 \n",    [ (39) ] );
    printf("xをyで除した剰余は%dです。 \n",  [ (40) ] );

    return 0;
}
```

```
二つの整数を入力せよ。
整数x: 15␣
整数y: 4␣
xにyを加えた値は19です。
xからyを引いた値は11です。
xにyを乗じた値は60です。
xをyで除した商は3です。
xをyで除した剰余は3です。
```

- 以下に示すのは、実行結果に示すように整数値や実数値を書式化して表示するプログラムである。

```
#include <stdio.h>

int main(void)
{
    printf("[ (41) ]\n", 1234);
    printf("[ (42) ]\n", 1234);
    printf("[ (43) ]\n", 1234);
    printf("[ (44) ]\n", 1234);

    printf("[ (45) ]\n", 123.45);
    printf("[ (46) ]\n", 123.45);
    printf("[ (47) ]\n", 123.454);

    return 0;
}
```

```
[1234]
[001234]
[  1234]
[1234  ]
[123.450000]
[123.45]
[  123.45]
```

- 以下に示すプログラム部分の実行結果を示せ。

```
puts("%%%%%\n");
printf("%%%%%\n");
```

[(48)]

- 以下に示すのは、double 型の変数 r に円の半径を読み込んで面積を小数部3桁で表示するプログラム部分である。

```
printf("半径: ");
scanf(" [ (49) ] ", [ (50) ] );
printf("その円の面積は [ (51) ] です。 \n",
                    3.14 * [ (52) ] );
```

```
半径: 4.25␣
その円の面積は56.716です。
```

- 以下に示すのは、二つの整数値を変数 *a* と *b* に読み込んで、*a* を *b* で割った商と剰余を表示するプログラムである。

```
#include <stdio.h>

int main(void)
{
    int a, b;

    puts("二つの整数を入力せよ。 ");
    printf("整数a : ");    scanf( (53) , &a);
    printf("整数b : ");    scanf( (54) , &b);

    printf("%dを%dで割ると%dあまり%dです。 \n",
                       (55) ,  (56) ,  (57) ,  (58) );

    return 0;
}
```

```
二つの整数を入力せよ。
整数a：14↵
整数b：3↵
14を3で割ると4あまり2です。
```

- 以下に示すプログラム部分の実行結果を示せ。

```
printf("%d\n", +12);
printf("%d\n", -12);
printf("%d\n", 12 + 7);
printf("%d\n", 12 - 7);
printf("%d\n", 12 * 7);
printf("%d\n", 12 / 7);
printf("%d\n", 12 % 7);
```

(59)

- 以下に示すのは、int 型変数 *a* の値が int 型変数 *b* の何パーセントであるかを表示するプログラムである。なお、小数点以下は切り捨てるものとする。

```
printf("aの値はbの%d (60) です。 \n",  (61) );
```

aの値はbの64%です。

- 以下に示すプログラム部分の実行結果を示せ。

```
printf("%d\n",    1234);
printf("%.3d\n", 1234);
printf("%.5d\n", 1234);
printf("%3d\n",    1234);
printf("%5d\n",    1234);
printf("%03d\n", 1234);
printf("%05d\n", 1234);
printf("%-3d\n", 1234);
printf("%-5d\n", 1234);
```

(62)

```
printf("%f\n",        12.34);
printf("%.0f\n",      12.34);
printf("%.1f\n",      12.34);
printf("%.2f\n",      12.34);
printf("%5.1f\n\n", 12.34);
printf("%6.1f\n\n", 12.34);
printf("%7.1f\n\n", 12.34);
```

(63)

- 以下に示すのは、二つの整数値を読み込んで、その平均値を実数値で表示するプログラムである。

```c
#include <stdio.h>

int main(void)
{
    int x;
    int y;

    puts("二つの整数を入力せよ。");
    printf("整数x：");   scanf( (64) , &x);
    printf("整数y：");   scanf( (65) , &y);

    printf(" (66) と (67) の平均値は (68) です。\n",
                    x, y, ((double)x + (69) ) (70) 2);

    return 0;
}
```

```
二つの整数を入力せよ。
整数x：41□
整数y：46□
41と46の平均値は43.500000です。
```

- 上記プログラムにおける double を囲む ( ) は (71) 演算子である。なお、網かけ部は、次のようにも実現できる。

  (x + y) / (72)

- 式 x + y や a = b における + と = は、2個のオペランドを要する (73) 演算子であり、式 +1 や -15 における + と - は1個のオペランドを要する (74) 演算子である。
  (73) 演算子である + 演算子と - 演算子の総称は (75) 演算子であり、同じく (73) 演算子である * 演算子と / 演算子と % 演算子の総称は (76) 演算子である。

- 式 a = b や a = 5 などの、代入演算子を用いた式は、 (77) 式と呼ばれる。

- 整数どうしの算術演算の結果は (78) であり、浮動小数点数どうしの算術演算の結果は (79) である。異なる型のオペランドが混在した演算では、" (80) の型変換" が適用される。そのため、int 型と double 型が混在した演算は、各オペランドが (81) 型に変換された上で行われる。

- int 型どうしの除算 a / b では、演算結果の小数部は (82) 。なお、double 型どうしの除算 x % y は (83) 。
  ※ (82) の選択肢 … (a) 切り捨てられる　(b) 切り上げられる　(c) 四捨五入される
  ※ (83) の選択肢 … (a) 求められる　(b) 求められない　(c) 値によっては求められる

- 以下に示すのは、int 型変数 x と y に整数値を読み込むプログラム部分である。

```c
scanf(" (84) ", &x, &y);
```

- 以下に示すのは、二つの実数値を変数 x と y に読み込んで、その平均値を整数値で表示する（はずの）プログラムである。誤りを指摘せよ。… (85)

```c
/* 読み込んだ二つの実数値の平均値を整数で表示 /*

#include <stdio.h>

int main(void)
{
    double x. y:

    puts("二つの実数を入力せよ。"):
    printf("実数x：")：   scanf("%f", x):
    printf("実数y：")：   scanf("%f", y):

    printf("それらの平均値は%fです。\n", ((int)x + y) / 2):

    return 0;
}
```

第3章

プログラムの流れの分岐

問題 3-1

整数値を読み込んで、それが 10 の倍数でなければ、『その数は 10 の倍数ではありません。』と表示するプログラムを作成せよ。

```c
// 読み込んだ整数値は10の倍数ではないか
#include <stdio.h>

int main(void)
{
    int n;

    printf("整数を入力せよ：");
    scanf("%d", &n);

    if (n % 10)
        puts("その数は10の倍数ではありません。");

    return 0;
}
```

実行例
① 整数を入力せよ：153↵
   その数は10の倍数ではありません。
② 整数を入力せよ：30↵

if 文　もしも～ならば…

網かけ部に着目しましょう。この部分の形式は、次のようになっています。

if (式) 文

これは、**if 文**（if statement）と呼ばれる文です。**if** は、英語の if と同じく、『もしも』という意味であり、プログラムの動作は次のようになります。

式を評価して、その値が非 0 であれば（ゼロでなければ）文を実行する。

( ) の中に置かれた**式**は、**制御式**（control expression）と呼ばれ、条件判定に使われます。下図に示すのが、プログラムの流れの制御の様子です。

▶ 『評価』という用語については、問題 3-6（p.46）で詳しく学習します。

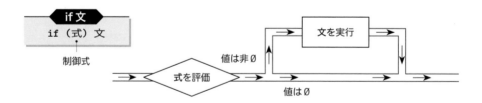

本プログラムの制御式 n % 10 の評価で得られるのは、n を 10 で割った剰余です。その値が非 0 であるとき、すなわち n の値が 10 で割り切れない（10 の倍数でない）ときは、実行例①のように、puts 関数を呼び出す文が実行されます。

実行例②のように、読み込んだ整数値が 10 で割り切れるとき（10 の倍数であるとき）は、何も表示されません（制御式の評価で得られるのが 0 だからです）。

問題 3-2

▶『明解』演習 3-1 (p.47)

二つの整数値を読み込んで、後者が前者の約数であれば『BはAの約数です。』と表示し、そうでなければ『BはAの約数ではありません。』と表示するプログラムを作成せよ。

```c
// 読み込んだ整数値BはAの約数か
#include <stdio.h>

int main(void)
{
    int a, b;

    puts("二つの整数を入力せよ。");
    printf("整数A：");    scanf("%d", &a);
    printf("整数B：");    scanf("%d", &b);

    if (a % b)
        puts("BはAの約数ではありません。");
    else
        puts("BはAの約数です。");

    return 0;
}
```

```
実行例
① 二つの整数を入力せよ。
  整数A：17⏎
  整数B：5⏎
  BはAの約数ではありません。
② 二つの整数を入力せよ。
  整数A：15⏎
  整数B：5⏎
  BはAの約数です。
```

---

if 文　もしも～ならば…そうでなければ…

本プログラムで使っているのは、次の形式の if 文です（前問とは違う形式です）。

if (式) 文$_1$ else 文$_2$

この if 文は、選択的な実行を行います。下図に示すように、式（制御式）を評価した値が非0であれば（0でなければ）文$_1$を実行し、そうでなければ（0であれば）文$_2$を実行します。

▶ else は『～でなければ』という意味です。

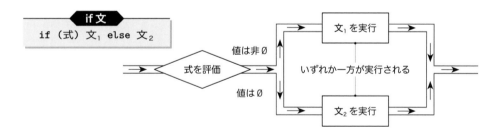

なお、実行されるのは、文$_1$と文$_2$のいずれか一方です。両方とも実行される、あるいは、両方とも実行されない、といったことはありません。

約数の判定

AがBで割り切れないかどうかで、整数Bが整数Aの約数でないかどうかを判定しています。

制御式 a % b を評価した値（a を b で割った剰余）が：0以外であれば、約数でないと判定。
　　　　　　　　　　　　　　　　　　　　　　　　　0であれば、約数であると判定。

```
━━ 問題 3-3 ━━━━━━━━━━━━━━━━━━━━━━━━━━    ▶『明解』演習 3-2 (p.53)
整数値を読み込んでその符号（正／負／0）を表示するプログラムを作成せよ。
```

```
// 読み込んだ整数値の符号を判定
#include <stdio.h>

int main(void)
{
    int no;

    printf("整数を入力せよ：");
    scanf("%d", &no);

    if (no == 0)
        puts("その数は0です。");
    else if (no > 0)
        puts("その数は正です。");
    else if (no < 0)
        puts("その数は負です。");

    return 0;
}
```

実 行 例
① 整数を入力せよ：0↵ 　その数は0です。
② 整数を入力せよ：35↵ 　その数は正です。
③ 整数を入力せよ：-4↵ 　その数は負です。

等価演算子

まず、先頭の制御式 no == 0 に着目します。初登場の == 演算子は、左右のオペランドの値が**等しいかどうか**を判定して、等しければ 1、そうでなければ 0 を生成する演算子です（生成する 1 と 0 の型は int 型です）。読み込んだ整数値 no が 0 であれば、制御式 no == 0 の評価で 1 が得られ、『その数は 0 です。』と表示されることが分かるでしょう。

なお、== 演算子とは逆の判定、すなわち、オペランドが**等しくないかどうか**を判定するのが **!= 演算子**であり、二つの演算子をまとめて**等価演算子**（equality operator）と呼びます。

▶ == と != は、連続する 2 文字で 1 個の単語です。そのため、= と = のあいだや、! と = のあいだに空白文字を入れて = = や ! = などとすることはできません。

● 等価演算子

== 演算子	a == b	a と b の値が等しければ 1、そうでなければ 0（その型は int 型）。
!= 演算子	a != b	a と b の値が等しくなければ 1、そうでなければ 0（その型は int 型）。

関係演算子

次は、2 番目の制御式 no > 0 に着目します。ここで使われている > 演算子は、左オペランドが右オペランドより大きければ 1 を、そうでなければ 0 を生成する演算子です（生成する 1 と 0 の型は int 型です）。そのため、no が 0 より大きければ、no > 0 を評価した値が 1 となって、『その数は正です。』と表示されます。

なお、3 番目の制御式で使われている < 演算子は、左オペランドが右オペランドよりも小さいかどうかを判定する演算子です。

二つのオペランドの大小関係を比較する演算子は**関係演算子**（relational operator）と呼ばれ、右ページの表に示すように、4 種類があります。

● 関係演算子

< 演算子	a < b	aがbよりも小さければ1、そうでなければ0（その型はint型）。
> 演算子	a > b	aがbよりも大きければ1、そうでなければ0（その型はint型）。
<= 演算子	a <= b	aがb以下であれば1、そうでなければ0（その型はint型）。
>= 演算子	a >= b	aがb以上であれば1、そうでなければ0（その型はint型）。

入れ子になったif文

既に学習したように、if文の形式は、右に示す二つです。

本プログラム中に『else if …』とありますが、そのための特別な構文は存在しません。if文は名前のとおり一種の文であり、elseが制御する文がif文となっているだけです。

```
if ( 式 ) 文
if ( 式 ) 文 else 文
```

その構造を示した下図をじっくりと見れば、理解できるでしょう。if文の中にif文が入っている**入れ子**の構造となっています。

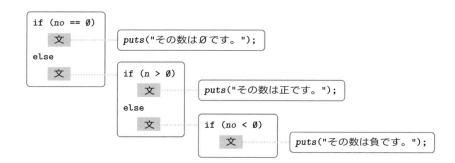

冗長な判定

本プログラムから網かけ部のif (no < 0)を除去するとどうなるかを検討しましょう。

プログラムの流れが、ここに到達するのは、最初の二つの判定が成立しなかったときです。すなわち、**noが0でなくて、かつ、正でもないときであり、noが負のときです**。

no < 0の判定が必ず成立するのですから、網かけ部を除去してもプログラムの動作は変わりません。構造も下図のようにシンプルになります。

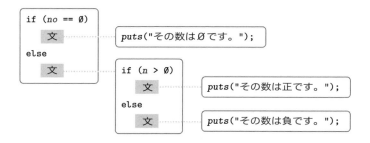

問題 3-4

▶『明解』演習 3-3（p.53）

整数値を読み込んで、その絶対値を表示するプログラムを作成せよ。

```c
// 読み込んだ整数値の絶対値を表示
#include <stdio.h>

int main(void)
{
    int num;

    printf("整数を入力せよ：");
    scanf("%d", &num);

    if (num < 0)
        num = -num;

    printf("絶対値は%dです。\n", num);

    return 0;
}
```

実行例
① 整数を入力せよ：7⏎
　絶対値は7です。

② 整数を入力せよ：0⏎
　絶対値は0です。

③ 整数を入力せよ：-8⏎
　絶対値は8です。

絶対値

　絶対値は、もとの値が負の数であれば、その符号を反転することで求められます（もとの値が非負であれば、そのままです）。

　本プログラムの『if (num < 0)』は、『num が 0 未満（負）であれば…』と読めます（より厳密には、『式 num < 0 を評価した値が非 0 であれば…』です）。

　この if 文は、num が負のときに、その符号を反転した -num の値を、変数 num に代入することになります（num が -8 であれば、代入されるのは、-(-8) すなわち 8 です）。

　　　　　　　　　＊

　右に示すのは別解です。一見、読みやすいのですが、表示を『絶対値は**だよ。』に変更する場合、printf 関数の呼出しを二つとも書きかえなければならない、といったデメリットがあります。

```c
// 別解：if … else … を利用
if (num < 0)
    printf("絶対値は%dです。", -num);
else
    printf("絶対値は%dです。", num);
```

if 文の構文図

　下図に示すのは、2種類の if 文の形式を一つにまとめた**構文図**（文法上の形式を表す図）です。

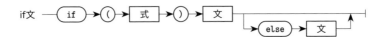

　この構文にそぐわないものは許されず、エラーとなります。次に示すのが、その一例です。

```
if va % vb puts("vaはvbで割り切れない。");   // エラー：式を囲む()が欠如
if (cx / dx) else d = 3;                      // エラー：最初の文が欠如
```

問題 3-5

▶『明解』演習 3-4 (p.53)

　二つの整数値を読み込んで、それらの値が等しければ『AとBは等しいです。』と、Aのほうが大きければ『AはBより大きいです。』と、Bのほうが大きければ『AはBより小さいです。』と表示するプログラムを作成せよ。

```c
// 読み込んだ二つの整数値の大小関係を表示
#include <stdio.h>

int main(void)
{
    int a, b;

    puts("二つの整数を入力せよ。");
    printf("整数Ａ：");    scanf("%d", &a);
    printf("整数Ｂ：");    scanf("%d", &b);

    if (a == b)
        puts("AとBは等しいです。");
    else if (a > b)
        puts("AはBより大きいです。");
    else
        puts("AはBより小さいです。");

    return 0;
}
```

実行例
① 二つの整数を入力せよ。 　整数Ａ：**35**⏎ 　整数Ｂ：**35**⏎ 　ＡとＢは等しいです。
② 二つの整数を入力せよ。 　整数Ａ：**54**⏎ 　整数Ｂ：**12**⏎ 　ＡはＢより大きいです。
③ 二つの整数を入力せよ。 　整数Ａ：**15**⏎ 　整数Ｂ：**32**⏎ 　ＡはＢより小さいです。

3

プログラムの流れの分岐

Column 3-1 | **構文図について**

　本書で使用する**構文図**は、要素を矢印で結んだものです。構文図の要素には、丸囲みのものと、角囲みのものとがあります。

▫ 丸囲み："if" などのキーワードや "(" などの区切り子は、綴りどおりでなければならず、勝手に "もし" や "「" に変更することはできません。このようなものを丸囲みで表します。

▫ 角囲み："式" や "文" は、"n > 7" や "a = 5;" といった具体的な式や文として記述します。このようなものを角囲みで表します。

▪ **構文図の読み方**

　構文図を読むときは、矢印の方向にしたがって進みます。左端からスタートして、ゴールは右端です。分岐点は、どちらに進んでも構いません。

　if 文の構文図（左ページ）には分岐点があるため、左端から右端までたどっていくルートは、次の二つです。

```
if ( 式 ) 文
if ( 式 ) 文 else 文
```

　これが if 文の形式すなわち構文を表しています。たとえば、問題 **3-1**（p.40）の if 文は、

```
if (n % 10) puts("その数は10の倍数ではありません。");
if ( 式 )            文
```

ですし、問題 **3-2**（p.41）の if 文は、次のようになります。

```
if (a % b) puts("BはAの約数ではありません。"); else puts("BはAの約数です。");
if ( 式 )            文                    else       文
```

問題 3-6

▶『明解』演習 3-5（p.55）

等価演算子や関係演算子が、1 あるいは 0 の値を生成することを確認するプログラムを作成せよ。

```c
// 等価演算子と関係演算子が生成する値を表示
#include <stdio.h>

int main(void)
{
    int a, b;

    puts("二つの整数を入力せよ。");
    printf("変数a : ");    scanf("%d", &a);
    printf("変数b : ");    scanf("%d", &b);

    puts("等価式の値");
    printf("a == b の値 : %d\n", a == b);
    printf("a != b の値 : %d\n", a != b);

    puts("関係式の値");
    printf("a <  b の値 : %d\n", a <  b);
    printf("a <= b の値 : %d\n", a <= b);
    printf("a >  b の値 : %d\n", a >  b);
    printf("a >= b の値 : %d\n", a >= b);

    return 0;
}
```

```
         実行例
二つの整数を入力せよ。
変数a：7 ⏎
変数b：5 ⏎
等価式の値
a == b の値：0
a != b の値：1
関係式の値
a <  b の値：0
a <= b の値：0
a >  b の値：1
a >= b の値：1
```

等価式と関係式の評価

　本プログラムでは、等価式や関係式の値の表示を、*printf* 関数にゆだねています（変換指定を %d としているのは、表示するのが int 型の整数値だからです）。

　既に学習したように、等価演算子と関係演算子を使った式の評価で得られるのは、条件が成立した場合は int 型の 1 で、そうでない場合は int 型の 0 です。そのため、a や b がどのような値であっても、必ず 1 または 0 が表示されます。

評価

　式には、（ごく一部の例外を除くと）**値**があります。その値は、プログラム実行時に調べられます。式の値を調べることを、**評価**（evaluation）といいます。

　式の評価のイメージの具体例を示したのが、下図です。枠内の左側の小さな文字が**型**で、右側の大きな文字が**値**です（この図では、変数 n は int 型で値が 51 であるとしています）。

▶ もちろん、変数 n、定数 135、変数と定数を加算する n + 135 のいずれもが式です。それぞれの評価で得られるのは、51 と 135 と 186 です（三つの値の型はいずれも int 型です）。

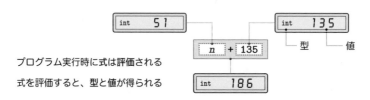

　本プログラムの実行例の場合、a の評価で int 型の 7、b の評価で int 型の 5、a == b の評価で int 型の 0、a != b の評価で int 型の 1 が得られます（関係式も同様です）。

47

▶『明解』演習 3-6 (p.57)

問題 3-7

三つの整数値を読み込んで、その最小値を求めて表示するプログラムを作成せよ。

```c
// 読み込んだ三つの整数値の最小値を求めて表示
#include <stdio.h>

int main(void)
{
    int n1, n2, n3;

    puts("三つの整数を入力せよ。");
    printf("整数１：");    scanf("%d", &n1);
    printf("整数２：");    scanf("%d", &n2);
    printf("整数３：");    scanf("%d", &n3);

    int min = n1;            ←■1
    if (n2 < min) min = n2; ←■2
    if (n3 < min) min = n3; ←■3

    printf("最小値は%dです。\n", min);

    return 0;
}
```

実行例
三つの整数を入力せよ。
整数２：3↵
整数３：2↵
最小値は1です。

3

プログラムの流れの分岐

3値の最小値

3値の最小値を求める手続きは、三つのステップで構成されています（変数 *min* の変化の様子の一例を示した、下図と見比べながら理解していきましょう）。

■1 *min* に *n1* の値を入れます（*min* が *n1* の値で初期化されます）。

■2 その *min* よりも *n2* のほうが小さければ、*min* に *n2* を代入します。
※ *n2* が *min* 以上であれば、代入は行われません。

■3 その *min* よりも *n3* のほうが小さければ、*min* に *n3* を代入します。
※ *n3* が *min* 以上であれば、代入は行われません。

この手続きが終了したときには、変数 *min* には *n1*、*n2*、*n3* の最小値が格納されています。

		ⓐ	ⓑ	ⓒ	ⓓ	ⓔ
		n1 = 1	n1 = 1	n1 = 3	n1 = 5	n1 = 2
		n2 = 3	n2 = 2	n2 = 2	n2 = 5	n2 = 3
		n3 = 2	n3 = 3	n3 = 1	n3 = 5	n3 = 1
		min	min	min	min	min
■1	int min = n1;	1	1	3	5	2
		⬇	⬇	⬇	⬇	⬇
■2	if (n2 < min) min = n2;	1	1	2	5	2
		⬇	⬇	⬇	⬇	⬇
■3	if (n3 < min) min = n3;	1	1	1	5	1

▶ 本プログラムは、各 if 文を（2 行にわたらせずに）1 行につめて書いています。変数 *n2* と *n3* や *min* が縦に並ぶため、読みやすくなっています。

問題 3-8

▶『明解』演習 3-7 (p.57)

四つの整数値を読み込んで、その最大値を求めて表示するプログラムを作成せよ。

```c
// 読み込んだ四つの整数値の最大値を求めて表示
#include <stdio.h>

int main(void)
{
    int n1, n2, n3, n4;

    puts("四つの整数を入力せよ。");
    printf("整数１：");    scanf("%d", &n1);
    printf("整数２：");    scanf("%d", &n2);
    printf("整数３：");    scanf("%d", &n3);
    printf("整数４：");    scanf("%d", &n4);

    int max = n1;
    if (n2 > max) max = n2;
    if (n3 > max) max = n3;
    if (n4 > max) max = n4;

    printf("最大値は%dです。\n", max);

    return 0;
}
```

```
実行例
四つの整数を入力せよ。
整数１：45⏎
整数２：83⏎
整数３：62⏎
整数４：91⏎
最大値は91です。
```

4値の最大値

原理的には前問と同じです。異なるのは、対象が3個から4個に増えていることと、求めるのが最小値ではなく最大値となっていることです。

▶ 大小関係の判定を行う演算子が<から>に変更され、変数名が min から max に変更されています。

Column 3-2　構文図の読み方

右に示す4個の構文図を理解していきましょう。

Ⓐ先頭から末尾まで行って終了するルートと、分岐点から下におりて《文》を通るルートがあります。
　『０個の文、または１個の文』を表します。

Ⓑ先頭から末尾まで行って終了するルートがあるのはⒶと同じです。また、分岐点で下におりて《文》を通って先頭に戻れます。いったん戻った後は、末尾まで行って終了することも可能ですし、再び分岐点から《文》を通って、先頭に戻ることもできます。
　『０個以上の、任意の個数の文』を表します。

Ⓒこの構文図はⒶと同じです。
　『０個の文、または１個の文』を表します。

Ⓓ先頭から末尾まで行くルートの途中に《文》があります。また、分岐点で下におりて先頭に戻れます。いったん戻った後は、再び《文》を通過した上で終了することもできますし、再び分岐点から先頭に戻ることもできます。
　『１個以上の、任意の個数の文』を表します。

問題 3-9

▶『明解』演習 3-8 (p.59)

二つの整数値を読み込んで、その差を求めて表示するプログラムを作成せよ。

```c
// 読み込んだ二つの整数値の差を求めて表示
#include <stdio.h>

int main(void)
{
    int n1, n2, diff;

    puts("二つの整数を入力せよ。");
    printf("整数1：");    scanf("%d", &n1);
    printf("整数2：");    scanf("%d", &n2);

    if (n1 > n2)
        diff = n1 - n2;
    else
        diff = n2 - n1;

    printf("それらの差は%dです。\n", diff);

    return 0;
}
```

実行例

① 二つの整数を入力せよ。
　整数1：8⏎
　整数2：4⏎
　それらの差は4です。

② 二つの整数を入力せよ。
　整数1：2⏎
　整数2：7⏎
　それらの差は5です。

3 プログラムの流れの分岐

条件演算子

網かけ部の if 文では、n1 と n2 の大小関係を判定した上で、差を求めています（大きいほうの値から小さいほうの値を引いています）。

この if 文は、**条件演算子**（conditional operator）を使って書きかえると、次のように、すっきりと簡潔になります。

diff = (n1 > n2) ? n1 - n2 : n2 - n1;　　　　　n1 > n2 であれば n1−n2
　　　　　　　　　　　　　　　　　　　　　　　そうでなければ n2−n1

この条件演算子は、3個のオペランドを必要とする3項演算子です。

▶ 3項演算子は条件演算子 ? : のみであって、他の演算子は単項演算子か2項演算子です。

● 条件演算子

条件演算子　a ? b : c 　a が非0であれば、b を評価した値、そうでなければ c を評価した値。

条件演算子を用いた**条件式**（conditional expression）の評価の様子を下図に示しています。**if 文**を凝縮した**式**ともいえる**条件式**は、熟練プログラマが好んで使います。

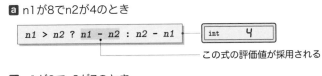

ⓐ n1が8でn2が4のとき
この式の評価値が採用される

ⓑ n1が2でn2が7のとき
この式の評価値が採用される

問題 3-10

▶『明解』演習 3-9（p.59）

　問題 3-7（p.47）のプログラムを、if 文でなく条件演算子を用いて書きかえよ。

```c
// 読み込んだ三つの整数値の最小値を求めて表示
#include <stdio.h>

int main(void)
{
    int n1, n2, n3;

    puts("三つの整数を入力せよ。");
    printf("整数１：");    scanf("%d", &n1);
    printf("整数２：");    scanf("%d", &n2);
    printf("整数３：");    scanf("%d", &n3);

    printf("最小値は%dです。\n", (n1 < n2) ? ((n1 < n3) ? n1 : n3)
                                          : ((n2 < n3) ? n2 : n3));

    return 0;
}
```

```
実行例
三つの整数を入力せよ。
整数１：4⏎
整数２：8⏎
整数３：6⏎
最小値は4です。
```

条件演算子と if 文

　前問のプログラムは、条件演算子を使うことで、if 文よりも簡潔になりました。本問のプログラムは、条件演算子を使うことで、むしろ読みにくくなっています。

　問題 3-7 のように、if 文で実現すべきです。

論理演算子

　ここからは、次問（右ページ）の解説です。

　if 文の先頭の判定で利用している && は、**論理 AND 演算子**（logical AND operator）です。図 **a** に示すように、式 *a* && *b* の評価で得られるのは、*a* と *b* の両方とも非 0 であれば 1、そうでなければ 0 です（型は int 型です）。日本語での『*a* かつ *b*』に相当します。

　▶　論理積の論理演算は、非 0 を**真**とみなして、0 を**偽**とみなした上で行われます。

　判定の式 *a* == *b* && *b* == *c* は、『*a* と *b* が等しくて、かつ、*b* と *c* が等しい』、すなわち、*a* と *b* と *c* のすべてが等しければその評価値が 1 となります。

　2 番目の判定の式で利用している || は、**論理 OR 演算子**（logical OR operator）と呼ばれる演算子です。図 **b** に示すように、式 *a* || *b* の評価で得られるのは、*a* と *b* のいずれか一方でも非 0 であれば 1、そうでなければ 0 です。日本語での『*a* または *b*』に相当します。

　▶　日本語で、『僕または彼が行くよ。』といった場合、" 僕 " か " 彼 " の**いずれか一方のみ**というニュアンスですが、|| 演算子は、**どちらか一方でも**というニュアンスです。

a 論理積　両方とも真（非0）であれば1

a	b	a && b
非0	非0	1
非0	0	0
0	非0	0
0	0	0

b 論理和　一方でも真（非0）であれば1

a	b	a || b
非0	非0	1
非0	0	1
0	非0	1
0	0	0

3

プログラムの流れの分岐

▶『明解』演習 3-10 (p.63)

問題 3-11

三つの整数値を読み込んで、それらの値がすべて等しければ『三つの値は等しいです。』と、どれか二つの値が等しければ『二つの値が等しいです。』と、そうでなければ『三つの値は異なります。』と表示するプログラムを作成せよ。

```c
// 読み込んだ三つの整数値の等値関係を表示

#include <stdio.h>

int main(void)
{
    int a, b, c;

    puts("三つの整数を入力せよ。");
    printf("整数A：");    scanf("%d", &a);
    printf("整数B：");    scanf("%d", &b);
    printf("整数C：");    scanf("%d", &c);

    if (a == b && b == c)
        puts("三つの値は等しいです。");
    else if (a == b || b == c || c == a)
        puts("二つの値が等しいです。");
    else
        puts("三つの値は異なります。");

    return 0;
}
```

実行例
① 三つの整数を入力せよ。 整数A：5↵ 整数B：5↵ 整数C：5↵ 三つの値は等しいです。
② 三つの整数を入力せよ。 整数A：1↵ 整数B：3↵ 整数C：1↵ 二つの値が等しいです。
③ 三つの整数を入力せよ。 整数A：1↵ 整数B：3↵ 整数C：2↵ 三つの値は異なります。

論理演算子（左ページの解説の続き）

2番目の制御式 a == b || b == c || c == a の評価によって1が得られるのは、a == b と b == c と c == a のいずれか一つでも非0であるときです。

▶ そうなる理由は次のとおりです。

一般に、加算式 x + y + z が (x + y) + z とみなされるのと同じで、論理式 x || y || z は、(x || y) || z とみなされます。その結果、

x と y の一方でも非0のとき ⇨ 式全体は 1 || z となる。　　　　その評価は 1。

x と y の両方が0のとき　　⇨ 式全体は 0 || z となる。z が 1 であれば、その評価は 1。
　　　　　　　　　　　　　　　　　　　　　　　　　　z が 0 であれば、その評価は 0。

● 論理演算子

論理AND演算子　a && b　a と b の値がいずれも非0であれば1、そうでなければ0（その型は int 型）。
論理OR演算子　　a || b　a と b の値の一方でも非0であれば1、そうでなければ0（その型は int 型）。

▶ 2番目の制御式 a == b || b == c || c == a は、『a と b が等しい』、『b と c が等しい』、『c と a が等しい』のすべてが成立した場合（すなわち3値すべてが等しいとき）にも真となります。

ただし、その場合、最初の制御式『a == b && b == c』が真となって if 文が終了しているため、プログラムの流れは、2番目の制御式にはさしかかりません（そのため、3値すべてが等しいときに『二つの値が等しいです。』が表示されることはありません）。

論理 AND 演算子と論理 OR 演算子の総称は、**論理演算子**です。

▶ && 演算子は、a を評価した値が0であれば b の評価を行いません。また、|| 演算子は、a を評価した値が非0であれば b の評価を行いません。

以上のことは、**短絡評価**と呼ばれます。次ページで学習します。

問題 3-12 ▶『明解』演習 3-11 (p.64)

二つの整数値を読み込んで、それらの値の差が 10 以下であれば『それらの差は 10 以下です。』と、そうでなければ『それらの差は 11 以上です。』と表示するプログラムを作成せよ。

```c
// 読み込んだ二つの整数値の差が10以下かどうかを表示
#include <stdio.h>

int main(void)
{
    int a, b;

    puts("二つの整数を入力せよ。");
    printf("整数Ａ：");    scanf("%d", &a);
    printf("整数Ｂ：");    scanf("%d", &b);

    int diff = a - b;    // aからbを引いた値（差ではない）

    if (diff > 10 || diff < -10)
        puts("それらの差は11以上です。");
    else
        puts("それらの差は10以下です。");

    return 0;
}
```

```
              実行例
二つの整数を入力せよ。
整数Ａ：12␍
整数Ｂ：7␍
それらの差は10以下です。
```

論理式における短絡評価

本プログラムでは、変数 *a* と *b* に値を読み込んだ後に、*a* から *b* を引いた値を変数 *diff* に入れています。その後、その変数 *diff* の値が 11 以上であるかどうかの判定を、if 文の制御式である `diff > 10 || diff < -10` で行っています。

さて、`diff > 10` が成立するときは、`diff < -10` を調べるまでもなく、この制御式全体を評価した値は 1 となります（論理 OR 演算子 `||` は、左右のオペランドのいずれか一方でも 1 であれば、1 を生成するからです）。

そのため、`||` 演算子の左オペランドを評価した値が "非 0" すなわち "真" であれば、右オペランドの評価は省略されます。

`&&` 演算子も同様です。`&&` 演算子の左オペランドを評価した値が "0" すなわち "偽" であれば、右オペランドの評価は省略されます。

論理演算式の評価結果が、左オペランドの評価の結果のみで明確になる場合に、右オペランドの評価が省略されることは、**短絡評価**（short circuit evaluation）と呼ばれます。

▶ 本プログラムの if 文は次のようにも実現できます。ただし、式 *a* - *b* を 2 回も書かなければならないため、あまりスマートな方法とはいえません。

```c
if (a - b > 10 || a - b < -10)
    puts("それらの差は11以上です。");
else
    puts("それらの差は10以下です。");
```

なお、*a* と *b* の差を求めておけば、論理 OR 演算子を使うことなく実現できます。

```c
int diff = (a > b) ? a - b : b - a;    // aとbの差：大きいほうから小さいほうを引く

if (diff > 10)
    puts("それらの差は11以上です。");
else
    puts("それらの差は10以下です。");
```

> **問題 3-13**
>
> キーボードから読み込んだ点数に応じて、優／良／可／不可を判定して表示するプログラムを作成せ
> よ。判定は以下のように行うこと。
>
> 　0 ～ 59 → 不可 ／ 60 ～ 69 → 可 ／ 70 ～ 79 → 良 ／ 80 ～ 100 → 優

```
// 読み込んだ点数の判定結果を表示

#include <stdio.h>

int main(void)
{
    int point;

    printf("点数：");
    scanf("%d", &point);

    if (point < 0 || point > 100)
        puts("不正な点数です。");
    else if (point <= 59)          ❶   point は 0 ～ 100
        puts("不可");
    else if (point <= 69)          ❷         point は 60 ～ 100
        puts("可");
    else if (point <= 79)          ❸              point は 70 ～ 100
        puts("良");
    else                           ❹                   point は 80 ～ 100
        puts("優");

    return 0;
}
```

実行例
① 点数：123 ⏎ 　不正な点数です。
② 点数：35 ⏎ 　不可
③ 点数：92 ⏎ 　優

判定の回数

　まず、point が 0 ～ 100 でないときを考えます。先頭の制御式 point < 0 || point > 100 の
評価によって 1 が得られるため、『不正な点数です。』と表示されます。

　そのため、point が 0 ～ 100 の場合に限り、プログラムの流れは❶に到達します。そこで行
う《不可》の判定では、「59 点以下であるかどうか（point <= 59）」のみを調べています（と
いうのも、「0 点以上であるかどうか」の判定が不要だからです）。

　続く判定も同じです。プログラムの流れが❷に到達するのは、point が 60 ～ 100 の場合に
限られます。「60 点以上であるかどうか」の判定が不要なため、「69 点以下であるかどうか
（point <= 69）」のみを調べています（それ以降も同様です）。

　なお、次のようにも実現できますが、判定回数が約 2 倍に増えます。

```
// 別解（判定回数が多く効率が悪い）
if (point >= 0 && point <= 59)
    puts("不可");
else if (point >= 60 && point <= 69)
    puts("可");
else if (point >= 70 && point <= 79)
    puts("良");
else if (point >= 80 && point <= 100)
    puts("優");
else
    puts("不正な点数です。");
```

問題 3-14

二つの整数値を読み込んで、それらが等しければ『二つの値は同じです。』と表示し、そうでなければ、小さいほうの値と大きいほうの値の両方を表示するプログラムを作成せよ。

```c
// 読み込んだ二つの整数値は等しいか

#include <stdio.h>

int main(void)
{
    int a, b;

    puts("二つの整数を入力せよ。");
    printf("整数Ａ：");    scanf("%d", &a);
    printf("整数Ｂ：");    scanf("%d", &b);

    if (a == b)
        puts("二つの値は同じです。");                    ◀─── Ⓐ
    else {
        int min, max;    // 小さいほうの値と大きいほうの値

        if (a < b) {
            min = a;                ●─ 1
            max = b;
        } else {
            min = b;                ●─ 2
            max = a;
        }

        printf("小さいほうの値は%dです。\n", min);
        printf("大きいほうの値は%dです。\n", max);
    }

    return 0;
}
```

実行例
```
二つの整数を入力せよ。
整数Ａ：12␍
整数Ｂ：7␍
小さいほうの値は7です。
大きいほうの値は12です。
```

複合文（ブロック）

本プログラムの構造は複雑です。もっとも、**a**と**b**が等しければ**Ⓐ**が実行されて、そうでなければ**Ⓑ**が実行されることは分かるでしょう。

その**Ⓑ**は、**{** で始まって **}** で終わる形式であり、**複合文**（compound statement）あるいは**ブロック**（block）と呼ばれます（**Ⓑ**の中に含まれる**1**と**2**も複合文＝ブロックです）。

右に示すのが、複合文の構文図です。**{** と **}** のあいだには、宣言と文が置けます。

すなわち、複合文の形式は、次のとおりです。

複合文（ブロック）

$$\rightarrow (\{) \rightarrow \boxed{\text{宣言}} / \boxed{\text{文}} \rightarrow (\}) \rightarrow$$

{ 0 個以上の文または宣言の並び }

▶ 文は何個でもよく、宣言も何個でもよいわけです。しかも、その順序も任意です。

たとえば、次に示すものは、すべて複合文であり、構文上は**単一の文**とみなさます。

```
{ }                                          { }
{ printf("ABC\n"); }                          { 文 }
{ int x;  x = 5;  printf("%d", x); }          { 宣言 文 文 }
{ int x;  x = 5;  printf("%d", x);  int y = x; }    { 宣言 文 文 宣言 }
```

さて、if 文の構文は、右に示す二つの形式でした。if が制御する文は1個だけです（else 以降の文も1個だけです）。

本プログラムの最初の if 文の、else 以降10行にもわたる **B**は、複合文＝ブロックですから、**単一の文とみなされます。**

```
if（式）文
if（式）文 else 文
```

▶ **A**の式文と、**B**のブロックのいずれもが単一の文とみなされるのですから、if 文全体として、きちんと構文図にのっとっているわけです。

単一の文が要求される箇所に、複数の文や宣言を置かねばならないときは、それらをまとめて複合文（ブロック）として実現しなければならないことが分かりました。

＊

さて、変数 a と b の値が等しければ**A**の式文が実行され（『二つの値は同じです。』と表示され）、そうでなければ**B**の複合文が実行されるわけですが、**B**の構造は複雑です。

二つの変数 min と max の宣言の後に、if 文が続いています。

その if 文を理解していきましょう。a が b より小さければ**1**の複合文が実行され、そうでなければ**2**の複合文が実行されることは分かるでしょう。

▶ **1**の複合文と、**2**の複合文のいずれもが単一の文とみなされるのですから、if 文全体として、きちんと構文図にのっとっているわけです。

さて、この if 文の形式は、次のようになっています。

```
◀─────────────────── if文 ───────────────────▶
if (a < b) { min = a; max = b; } else { min = b; max = a; }
if （ 式 ）       文        else        文
```

この if 文から、両方の { } を削除したらどうなるかを検討してみましょう。

```
◀──── if文 ────▶ ┆ ◀─ 式文 ─▶ ┆ ↓ 理解不能!!
if (a < b) min = a;  ┆  max = b;  ┆ else min = a; max = b;
if （ 式 ）  文      ┆   式;      ┆
```

if 文とみなされるのは `if (a < b) min = a;` であって、続く `max = b;` は**式文**です。その後ろの else は if と対応していません。そのためエラーとなります。

1 個の文を { } で囲んだ複合文も、単一の文とみなされます。そのため、たとえば問題 **3-2**（p.41）の if 文は、右のようにも実現できます。

```
if (a % b) {
    puts("BはAの約数ではありません。");
} else {
    puts("BはAの約数です。");
}
```

▶ このように、if で制御される文が単一であっても複数であっても、必ず { } で囲むスタイルには、文の増減によって { } を付けたり外したりしなくてすむ、というメリットがあります。

これまでのすべてのプログラムは、右図に示す形式です。図中の白い部分、すなわち { から } までの正体は、複合文だったわけです。

複合文について初めて学習しましたが、みなさんは、最初のプログラムから、ずっと使ってきていたのです。

```
#include <stdio.h>

int main(void)
{
    // …

    return 0;
}
```

3

プログラムの流れの分岐

問題 3-15

▶『明解』演習 3-12 (p.69)

整数値を読み込んで、奇数であるか偶数であるかを判定して表示するプログラムを作成せよ。

```
// 読み込んだ整数値は奇数であるか偶数であるか
#include <stdio.h>

int main(void)
{
    int n;

    printf("整数を入力せよ：");
    scanf("%d", &n);

    switch (n % 2) {
     case 0 : puts("その数は偶数です。");    break;
     case 1 : puts("その数は奇数です。");    break;
    }

    return 0;
}
```

実行例

① 整数を入力せよ：7 ↵
　その数は奇数です。

② 整数を入力せよ：8 ↵
　その数は偶数です。

switch 文と break 文

本プログラムで使っている **switch 文**（switch statement）は、単一の式の値に基づいて、プログラムの流れを複数に分岐する文です（下の図が、その構文です）。

▶ ( )で囲まれた制御式として使えるのは、**整数のみ**です。

まず最初に制御式が評価され、その結果に応じてプログラムの流れの飛び先が変わります。もし制御式 *n % 2* の評価で 1 が得られれば、プログラムの流れは、『case 1 :』と書かれた目印へと一気に飛びます。

飛び先の目印となる『case 1 :』は、**ラベル**（label）と呼ばれます。

▶ ラベルの値は定数でなければならず、変数は許されません。また、複数のラベルが同じ値をもつことは許されません。

さて、プログラムの流れが飛んだ後は、ラベルの後ろに置かれた文が実行されますので、画面に『その数は奇数です。』と表示されます。

なお、プログラムの流れが、右図の構文をもつ **break 文**（break statement）に出会うと、プログラムの流れは、それを囲んでいる **switch** 文から抜け出します（break は、『破る』『抜け出る』という意味です）。

▶ 制御式 *n % 2* を評価した値が 0 であれば、プログラムの流れは『case 0:』のラベルに飛びます。『その数は偶数です。』と表示した後に break 文が実行されて、switch 文が終了します。

```
switch (n % 2){
 case 0 : puts("その数は偶数です。");    break;
 case 1 : puts("その数は奇数です。");    break;
}
```

── この空白は省略可能
── この空白は省略不可（省略すると、case1 という識別子＝名前とみなされる）

switch 文を抜け出す！

▶『明解』演習 3–13 (p.69)

問題 3–16

月の値を整数として読み込んで、その季節を表示するプログラムを作成せよ。

```c
// 読み込んだ月の季節を表示
#include <stdio.h>

int main(void)
{
    int month;                  // 月

    printf("何月ですか：");
    scanf("%d", &month);

    printf("%d月は", month);

    switch (month) {
     case  3 :
     case  4 :
     case  5 : puts("春です。");  break;
     case  6 :
     case  7 :
     case  8 : puts("夏です。");  break;
     case  9 :
     case 10 :
     case 11 : puts("秋です。");  break;
     case 12 :
     case  1 :
     case  2 : puts("冬です。");  break;
     default : puts("ありませんよ!!\a");  break;
    }

    return 0;
}
```

実行例
① 何月ですか：5↵ 5月は**春**です。
② 何月ですか：8↵ 8月は**夏**です。
③ 何月ですか：10↵ 10月は**秋**です。
④ 何月ですか：12↵ 12月は**冬**です。
⑤ 何月ですか：15↵ 15月は**ありませんよ!!**♪

switch 文と default ラベル

本プログラムの **switch** 文では、複数のラベルが縦に連続して置かれています。

switch 文中のプログラムの流れは、**break** 文に出会わない限り、次の文に**落ちる**（fall through）という決まりがあります。そのため、*month* の値が 3 と 4 と 5 のいずれであっても『春です。』と表示されるのです（他の季節も同様です）。

▶ **switch** 文内のラベルの出現順序を変えると、実行結果が変わります。**switch** 文を使うときは、ラベルの順序などが妥当であるかをきちんと吟味しましょう。

なお、**switch** 文の末尾側に置かれた『**default :**』は、制御式を評価した値が、どの **case** とも一致しないときにプログラムの流れが飛んでいくラベルです。

▶ プログラムの流れが **default** ラベルにいたるのは、*month* が 1 ～ 12 でないときです。

選択文

本章で学習した **if** 文と **switch** 文は、いずれもプログラムの流れを分岐させて選択的に実行するものですから、これらをまとめて**選択文**（selection statement）と呼びます。

錬成問題

- オペランドの大小関係を判定する演算子 `<`、`>`、`<=`、`>=` の総称は (1) 演算子であり、等しいかどうかを判定する演算子 `==` と `!=` の総称は (2) 演算子である。

- 演算子 `? :` の名称は (3) 演算子であり、演算の対象とするオペランドの個数は (4) 個である。

- `int` 型の変数 `n1`、`n2`、`n3`、`n4` の値が、それぞれ 15、15、25、35 であるとする。以下の各式を評価した値を示せ。

`n1 == n2` … (5)	`n1 == n3` … (6)
`n1 != n2` … (7)	`n1 != n4` … (8)
`n1 >= n2` … (9)	`n1 > n2` … (10)
`n2 <= n3` … (11)	`n2 < n4` … (12)
`n1 % 5 == 0` … (13)	`n1 / 5 != 3` … (14)
`n1 ? n2 : n3` … (15)	`n1 != n2 ? 5 : 3` … (16)
`1 && 0` … (17)	`1		0` … (18)
`1 && 1` … (19)	`1		1` … (20)
`n1 && n2` … (21)	`n1		n2` … (22)
`(n1 == n2) && 0` … (23)	`(n1 == n2)		0` … (24)

- 以下の構文をもつものは、漢字表記で (25) 、カタカナ表記で (26) である。

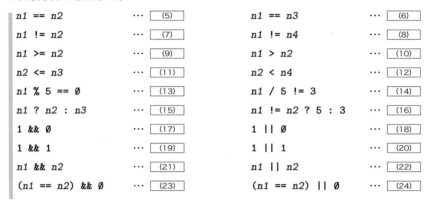

- `if` 文の構文図を書け。… (27)

- 以下に示すのは、a と b の小さいほうの値と大きいほうの値を表示するプログラム部分である。

    ```
    printf("aとbの小さいほうの値は%dです。\n", (28) );
    printf("aとbの大きいほうの値は%dです。\n", (29) );
    ```

- 以下に示すのは、a が b の倍数であるかどうかを判定・表示するプログラム部分である。

    ```
      (30)  (a  (31)  b)
          puts("aはbの倍数ではありません。");
      (32) 
          puts("aはbの倍数です。");
    ```

- 以下に示すのは、nの値の桁数（ゼロなのか／１桁なのか／２桁以上なのか）を判定・表示するプログラム部分である。

```
  (33)  (n  (34)  0)
     puts("ゼロです。");
  (35)  (n >= -9  (36)  n <= 9)
     puts("１桁です。");
  (37)
       puts("２桁以上です。");
```

- 以下に示すのは、wの値が0、1、2であれば、『晴れ』、『雨』、『曇り』と表示するプログラム部分である。

```
  (38)  (w) {
   (39)  0 : puts("晴れ");   (40) ;
   (39)  1 : puts("雨");     (40) ;
   (39)  2 : puts("曇り");   (40) ;
  }
```

- 以下に示すのは、nの絶対値を表示するプログラム部分である。

```
  printf("絶対値は%dです。\n",  (41) );
```

- 以下に示すのは、aがbの約数であるかどうかを判定・表示するプログラム部分である。

```
  (42)  (b  (43)  a)
     puts("aはbの約数ではありません。");
  (44)
     puts("aはbの約数です。");
```

- 以下に示すのは、nの値が5で割り切れるかどうかを判定・表示するプログラム部分である。

```
  (45)  (n  (46)  5)
     puts("nは5で割り切れません。");
  (47)
     puts("nは5で割り切れます。");
```

- 以下に示す表の空欄を埋めよ。

a 論理積

a	b	a && b
非0	非0	(48)
非0	0	(49)
0	非0	(50)
0	0	(51)

b 論理和

a	b	a || b
非0	非0	(52)
非0	0	(53)
0	非0	(54)
0	0	(55)

3

プログラムの流れの分岐

▪ 以下に示すのは、*no* の値が 13 の平方根以下であれば、その旨を表示するプログラム部分である。

```
if (no * ⬚(56)⬚ <= ⬚(57)⬚ )
    puts("その値は13の平方根以下です。");
```

▪ 以下に示すのは、*n1* と *n2* のどちらのほうが大きいのかを表示するとともに、両者の値の差を表示するプログラム部分である。

```
if (n1 ⬚(58)⬚ n2) {
    printf("大きいのはn1です。\n");
    printf("差は%dです。\n", ⬚(59)⬚ );
} else {
    printf("大きいのはn2です。\n");
    printf("差は%dです。\n", ⬚(60)⬚ );
}
```

▪ 以下に示すのは、*a* が *b* で割り切れるときは『a を b で割ると 99 です。』と商を表示して、割り切れないときは『a を b で割ると 99 であまり 99 です。』と商と剰余とを表示するプログラム部分である（99 は値の一例である）。

```
if (a ⬚(61)⬚ b)
    printf("aをbで割ると%dあまり%dです。\n", a ⬚(62)⬚ b, a ⬚(63)⬚ b);
else
    printf("aをbで割ると%dです。\n", a ⬚(64)⬚ b);
```

```
printf("aをbで割ると%d", a ⬚(65)⬚ b);
if ( ⬚(66)⬚ != 0)
    printf("あまり%d", a ⬚(67)⬚ b);
printf("です。\n");
```

```
int mod = a ⬚(68)⬚ b;
printf("aをbで割ると%d", a ⬚(69)⬚ b);
if ( ⬚(70)⬚ )
    printf("あまり%d", mod);
printf("です。\n");
```

▪ 以下に示すのは、*m* の値が 3、4、5 のいずれかであれば『春です。』と表示して、そうでなければ『春ではありません。』と表示するプログラム部分である。

```
if ( ⬚(71)⬚ || ⬚(72)⬚ || ⬚(73)⬚ )
    puts("春です。");
else
    puts("春ではありません。");
```

```
if ( ⬚(74)⬚ && ⬚(75)⬚ )
    puts("春です。");
else
    puts("春ではありません。");
```

- 以下に示すのは、int 型変数 *a*、*b*、*c*、*d* の最大値を求めて *max* に代入するプログラムである。

```
int max = a;                       int max1 = a > b ?  (79)  :  (80)  ;
if (  (76)  ) max = b;             int max2 = c > d ?  (81)  :  (82)  ;
if (  (77)  ) max = c;             int max  = max1 > max2 ?  (83)  :  (84)  ;
if (  (78)  ) max = d;
```

- 以下に示すのは、int 型変数 *a*、*b*、*c* の値がすべて等しければ、その旨を表示するプログラム部分である。

```
if (  (85)   &&   (86)  )
    puts("aとbとcの三つとも等しいです。");
```

- 以下に示すのは、int 型変数 *a*、*b*、*c* の値の二つあるいは三つが等しければ、その旨を表示するプログラム部分である。

```
if (  (87)   ||   (88)  )
    puts("aとbとcの二つあるいは三つが等しいです。");
```

- 以下に示すのは、int 型変数 *a*、*b*、*c* の値のすべてが異なれば、その旨を表示するプログラム部分である。

```
if (  (89)   &&   (90)   &&   (91)  )
    puts("aとbとcはすべて異なります。");
```

- 以下に示すのは、int 型変数 *x* と *y* に読み込んだ値が、両方とも奇数なのか、一方が偶数で他方が奇数なのか、両方とも偶数なのかを判定・表示するプログラムである。

```
  (92)   読み込んだ二つの整数値の奇数／偶数表示   (93)

#include <  (94)  >

int main(  (95)  )
{
    int x , y;
    int cnt = 0;

    puts("二つの整数を入力せよ。");
    printf("整数x：");    scanf("%d", &x);
    printf("整数y：");    scanf("%d", &y);

    if (  (96)  == 0) cnt = cnt + 1;
    if (  (97)  == 0) cnt = cnt + 1;
    switch (cnt) {
     case 0      : puts("両方とも奇数です。");    break;
     case   (98)  : puts("偶数と奇数です。");    break;
     case   (99)  : puts("両方とも偶数です。");    break;
    }

      (100)   0;
}
```

3

プログラムの流れの分岐

▪ 以下に示すのは、*no* の値が正であれば、最下位桁が 7 であるかどうかを判定・表示して、そうでなければ、『**no は正ではありません。**』と表示するプログラム部分である。

```
if (no > Ø)
    if ( (101)  == 7)
        puts("noの最下位桁は7です。");
    else
        puts("noの最下位桁は7ではありません。");
 (102)
        puts("noは正ではありません。\a\n");
```

```
if (no > Ø)  (103)
    pintf("noの最下位桁は7");
    if ( (104)  == 7)
        puts("です。");
    else
        puts("ではありません。");
 (105)   (106)
        puts("noは正ではありません。\a\n");
```

▪ 以下に示すのは、*n* の値を 3 で割ったときに、割り切れるのか、剰余が 1 となるのか、2 となるのかを判定・表示するプログラム部分である。

```
if ( (107) )
    puts("３で割り切れます。");
else  (108)
    puts("３で割った剰余は1です。");
else
    puts("３で割った剰余は2です。");
```

```
int mod =  (109) ;
if ( (110) )
    printf("３で割った剰余は%dです。\n",  (111) );
else
    puts("３で割り切れます。");
```

```
switch ( (112) ) {
 case  (113)  : puts("３で割り切れます。");        break;
 case  (114)  : puts("３で割った剰余は1です。");    break;
 case  (115)  : puts("３で割った剰余は2です。");    break;
}
```

▪ 右に示す switch は、int 型変数 *no* の値が

1 であれば (116) と表示し、

2 であれば (117) と表示し、

3 であれば (118) と表示し、

4 であれば (119) と表示する。

```
switch (no) {
 case 3 : printf("A");
 case 2 : printf("B");    break;
 case 1 :
 default: printf("C");    break;
}
```

- 以下に示すのは、変数 a、b、c の中央値（たとえば 2、3、1 の中央値は 2 で、1、2、1 の中央値は 1 で、3、3、3 の中央値は 3）を *med* に代入するプログラム部分である。

  ※変数名の *med* は、中央値という意味の median に由来する。

```
if (a >= b)
    if (b >= c)
        med = (120) ;
    else if (a <= c)
        med = (121) ;
    else
        med = (122) ;
else if (a > c)
    med = a;
else if ( (123) )
    med = c;
(124)
    med = b;
```

- 以下に示すのは、month の値に応じた季節を表示するプログラム部分である。

```
if (month >= 3 (125) month <= 5)
    printf("%d月は春です。\n", month);
else if (month >= 6 (126) month <= 8)
    printf("%d月は夏です。\n", month);
else if (month >= 9 (127) month <= 11)
    printf("%d月は秋です。\n", month);
else if (month == 1 (128) month == 2 (129) month == 12)
    printf("%d月は冬です。\n", month);
else
    printf("%d月はありませんよ!!\n", month);
```

```
if (month < 1 || month > 12)
    printf("%d月はありませんよ!!\n", month);
else if (month <= 2 (130) month == 12)
    printf("%d月は冬です。\n", month);
else if ( (131) )
    printf("%d月は秋です。\n", month);
else if ( (132) )
    printf("%d月は夏です。\n", month);
else
    printf("%d月は春です。\n", month);
```

```
printf("%d月は", month);
if (month < 1 || month > 12)
    printf("ありませんよ!!\n", month);
else {
    int x = (133) ;
    switch (x) {
    case (134) : puts("春です。");    break;
    case (135) : puts("夏です。");    break;
    case (136) : puts("秋です。");    break;
    (137)      : puts("冬です。");    break;
    }
}
```

3

プログラムの流れの分岐

- 論理演算を行う式全体の評価結果が、左オペランドの評価結果のみで明確になる場合に、右オペランドの評価が行われないことを (138) という。

- switch 文内のプログラムの流れの飛び先である case ?? : や defalut : は、 (139) と呼ばれる。なお、case の後ろに置かれる ?? は (140) 、 (141) 。
  ※ (140) の選択肢：(a) 整数でも実数でもよく　　(b) 整数でなければならず
  ※ (141) の選択肢：(a) 変数でも定数でもよい　　(b) 定数でなければならない

- if 文と switch 文の総称は、 (142) 文である。なお、これらの文は、 (143) 式を評価した結果に基づいてプログラムの流れを制御する。

- 演算子 && と || の総称は (144) 演算子である。

- 以下に示すプログラムの誤りを指摘せよ。… (145)

```
/* 読み込んだ整数が正であれば偶数か奇数かを表示 */

#include <stdio.h>

int main(void)
{
    int no;

    print("整数を入力せよ：");
    scan("%d", no);

    if (no > 0) {
        switch (no % 2) {
          case0 : puts("その数は偶数です。");
          case1 : puts("その数は奇数です。");
        }
    }

    retrun 0;
}
```

第4章

プログラムの流れの繰返し

問題 4-1

▶『明解』演習 4-1 (p.79)

読み込んだ整数値の符号を判定するプログラムを作成せよ。入力・表示を好きなだけ繰り返せるようにすること。

```c
// 読み込んだ整数値の符号を判定（好きなだけ繰り返せる）
#include <stdio.h>

int main(void)
{
    int retry;        // 処理を続けるか

    do {
        int no;

        printf("整数を入力せよ：");
        scanf("%d", &no);

        if (no == 0)
            puts("その数は0です。");
        else if (no > 0)
            puts("その数は正です。");
        else
            puts("その数は負です。");

        printf("もう一度？【Yes…0／No…9】：");
        scanf("%d", &retry);
    } while (retry == 0);

    return 0;
}
```

実行例
```
整数を入力せよ：0↵
その数は0です。
もう一度？【Yes…0／No…9】：0↵
整数を入力せよ：35↵
その数は正です。
もう一度？【Yes…0／No…9】：0↵
整数を入力せよ：-4↵
その数は負です。
もう一度？【Yes…0／No…9】：9↵
```

do 文

本プログラムでは、下図の構文をもつ **do 文**（do statement）を使うことで、プログラムの流れを繰り返しています。

do文 ─ do → 文 → while → (→ 式 →) → ;

▶ **do** は『実行せよ』で、**while** は『～のあいだ』という意味です。

右図に示すように、( ) の中に置かれた**式**（**制御式**）を評価した値が**真**（非0）である限り、**文**が繰り返し実行されます。

なお、繰返しを**ループ**（loop）というため、繰返しの対象の文は、**ループ本体**（loop body）と呼ばれます。

▶ この後で学習する while 文と for 文が繰返しの対象とする文も《ループ本体》と呼ばれます。

本プログラムの do 文のループ本体は、{ から } までの複合文（ブロック）です。

▶ 複合文の中でのみ使う変数（ここでの no）は、その複合文の中で宣言するのが原則です。

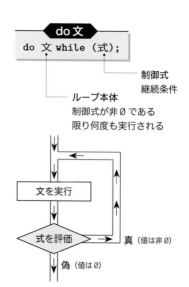

論理否定演算子

本プログラムの do 文の制御式は *retry == Ø* ですから、*retry* に読み込まれた値が Ø であれば、ループ本体が再び実行されます。なお、この制御式は、次のようにも実現できます。

```
!retry              // retry == Øと同じ
```

論理否定演算子（logical negation operator）と呼ばれる **!** 演算子は、オペランドが Ø と等しいかどうかを判定する単項演算子です。

◉ 論理否定演算子

論理否定演算子　　! a	a が Ø であれば 1、そうでなければ Ø（その値は int 型）。

読み込む値の制限

さて、do 文の制御式が *retry == Ø* ですから、*retry* に読み込まれた値が Ø でなければ（すなわち、9 ではなく、たとえば 1 であっても）、do 文の繰返しは終了します。

do 文をうまく活用すれば、繰返しを続けるかどうかを尋ねる際に、Ø もしくは 9 のみを読み込むようにできます。プログラムの網かけ部を、次のコードに置きかえます。

```
do {
    printf("もう一度？ 【Yes…Ø／No…9】 ： ");
    scanf("%d", &retry);
} while (retry != Ø && retry != 9);          // retryがØか9になるまで繰り返す
```

これで、*retry* が Ø でなく、かつ、*retry* が 9 でないあいだ繰り返されることになります（そのため、もし *retry* が 1 であれば、再び入力が促されます）。

▶ 　上記のコードへの置きかえを行うと、do 文の中に do 文が入ることになります。このような構造は、**多重ループ**と呼ばれます（多重ループについては、本章の後半で学習します）。

ド・モルガンの法則

上に示した do 文は、「*retry* が Ø でも 9 でもない」ことが、繰返しの**継続条件**となっています。逆にいうと、繰返しの**終了条件**は、「*retry* が Ø か 9 になる」ことです。**継続条件は、終了条件の否定です**。do 文の制御式を、継続条件の否定として表現すると、次のようになります。

```
do {
    printf("もう一度？ 【Yes…Ø／No…9】 ： ");
    scanf("%d", &retry);
} while (!(retry == Ø || retry == 9));      // retryがØか9になるまで繰り返す
```

すなわち、「*retry* が Ø か 9 になる」という条件が**成立しないあいだ**繰り返すように指示するわけです。

『各条件の否定をとって、論理積・論理和を入れかえた式』の否定が、もとの条件と同じになることは、**ド・モルガンの法則**（De Morgan's theorem）と呼ばれます。

この法則を一般的に示すと、次のようになります。

- x && y と !(!x || !y) は等しい。
- x || y と !(!x && !y) は等しい。

問題 4-2

▶『明解』演習 4-2 (p.79)

二つの整数値を読み込んで、小さいほうの数以上で大きいほうの数以下の全整数を加えた値を表示するプログラムを作成せよ。

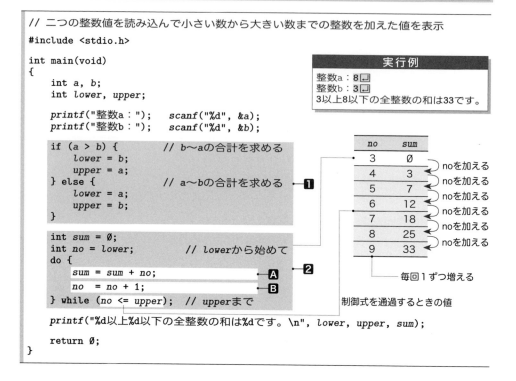

```
// 二つの整数値を読み込んで小さい数から大きい数までの整数を加えた値を表示
#include <stdio.h>

int main(void)
{
    int a, b;
    int lower, upper;

    printf("整数a：");    scanf("%d", &a);
    printf("整数b：");    scanf("%d", &b);
    if (a > b) {           // b～aの合計を求める
        lower = b;
        upper = a;
    } else {               // a～bの合計を求める
        lower = a;
        upper = b;
    }

    int sum = 0;
    int no = lower;        // lowerから始めて
    do {
        sum = sum + no;                    ──A
        no  = no + 1;                      ──B
    } while (no <= upper);   // upperまで

    printf("%d以上%d以下の全整数の和は%dです。\n", lower, upper, sum);

    return 0;
}
```

do 文による加算

プログラムは、大きく二つのステップで構成されています。

1 a と b の小さいほうの値と大きいほうの値を lower と upper に求める。

2 lower 以上 upper 以下の全整数の合計を求める。

実行例では、lower が 3 で upper が 8 ですから、この値でステップ**2**を理解していきましょう。

まず最初に sum を 0 で初期化して、no を lower すなわち 3 で初期化します。その後、do 文を実行するわけですが、そのループ本体では、次の二つの代入を行っています。

A 変数 sum への代入

「sum に no を加えた値を sum に代入せよ。」という指示です。sum に 0 + 3 すなわち 3 が代入されます。

B 変数 no への代入

「no に 1 を加えた値を no に代入せよ。」という指示です。no の値が 1 増えて 4 となります。

変数 no の値 4 は、upper すなわち 8 以下ですから、ループ本体が再び実行されます。

繰返しの 2 回目では、sum に 3 + 4 すなわち 7 が代入されるとともに、no の値が 1 増えて 5 となります。no の値が upper を超えるまでこの処理を続けると、合計が求められます。

なお、この do 文は、右のようにも実現できます。

二つの演算子 += と ++ が初登場です。それぞれを学習していきましょう。

```
do {
    sum += no;        ←X
    no++;             ←Y
} while (no <= upper);
```

4

プログラムの流れの繰返し

複合代入演算子

Xで利用している **+= 演算子**は、**複合代入演算子**（compound assignment operator）と呼ばれる演算子です。加算 + と代入 = の二つの演算を両方行う "一人二役" の演算子です。

『*sum* に *no* を加えた値を *sum* に代入する』を、『*sum* に *no* を加える』と表現しています。

ほぼ同じ
- *sum* = *sum* + *no*　　// *sum*に*no*を加えた値を*sum*に代入
- *sum* += *no*　　　　　// *sum*に*no*を加える

　　　　　　メリット：タイプ数が減る（変数名 sum をタイプするのが1回でよい）
　　　　　　行う演算を簡潔に表している

10 個の演算子 *、/、%、+、-、<<、>>、&、^、| に対して、その直後に = を加えた演算子を使う式 *a* @= *b* は、式 *a* = *a* @ *b* とほぼ同じ働きをします。

● 複合代入演算子

複合代入演算子　*a* @= *b*　　*a* = *a* @ *b*と同じ（ただし *a* の評価は1度のみ行われる）。
　　　　　　　　　　　　　　@= は以下のいずれか：*= /= %= += -= <<= >>= &= ^= |=

後置増分演算子と後置減分演算子

Yで利用している **++ 演算子**は、**後置増分演算子**（postfixed increment operator）と呼ばれる演算子です。この演算子を利用した式 *no++* は、オペランドの値を一つだけ増やします。

なお、値を一つだけ増やすことを『**インクリメントする**』といいます。

『*no* に 1 を加えた値を *no* に代入する』を、『*no* をインクリメントする（値を 1 増やす）』と表現しています。

ほぼ同じ
- *no* = *no* + 1　　　　// *no*に1を加えた値を*no*に代入
- *no++*　　　　　　　　// *no*をインクリメントする（*no*に1を加える）

下表に示すように、オペランドの値を一つだけ減らす（『**デクリメントする**』といいます）のが**後置減分演算子**（postfixed decrement operator）と呼ばれる **-- 演算子**です。

● 後置増分演算子と後置減分演算子

| 後置増分演算子 | *a++* | *a* の値を一つだけ増やす（式全体を評価すると、増分前の値となる）。 |
| 後置減分演算子 | *a--* | *a* の値を一つだけ減らす（式全体を評価すると、減分前の値となる）。 |

問題 4-3

▶『明解』演習 4-3 (p.83)

整数値を読み込んで 0 までカウントダウンするプログラムを作成せよ。

```c
// 読み込んだ整数値を 0 までカウントダウン
#include <stdio.h>

int main(void)
{
    int no;

    printf("正の整数を入力せよ：");
    scanf("%d", &no);

    if (no >= 0) {
        while (no >= 0) {
            printf("%d ", no);
            no--;          // noの値をデクリメント
        }
        printf("\n");       // 改行
    }

    return 0;
}
```

	実行例
①	正の整数を入力せよ：5⏎
	5 4 3 2 1 0
②	正の整数を入力せよ：0⏎
	0
③	正の整数を入力せよ：-5⏎

正でなく 0 が入力されても表示される
何も出力されない

while 文

まず、キーボードから **no** の値を読み込み、その直後に、その値が 0 以上かどうかの判定を **if** 文で行います。カウントダウンを行うのは、その判定が成立したときのみです。

さて、カウントダウンのために使っているのが、**while 文**（while statement）と呼ばれる文です（構文は右図）。

その **while** 文は、**式**（制御式）を評価した値が**真**である（0 でない）限り、**文**（ループ本体）を繰り返し実行する文です（右下の図に示しています）。

それでは、**no** が 5 であるとして、プログラムの流れを追っていきましょう。

まず制御式 **no >= 0** の評価によって、**1** が得られます。非 0 である **1** は**真**ですから、ループ本体が実行されます。

ループ本体のブロック（複合文）では、最初に

```c
printf("%d ", no);
```
――――――――――スペース

が実行されて、画面上に「5␣」と表示されます（5 に続いて空白文字が表示されます）。

その後で実行されるのが、次の文です。

```c
no--;          // noの値をデクリメント
```

後置減分演算子 **--** の働きによって、変数 **no** はデクリメントされて、その値が 5 から 4 へと更新されます。

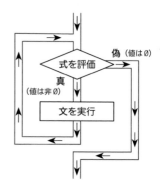

ちなみに、後置増分演算子と後置減分演算子の名称の"**後置**"は、**++**や**--**などの演算子をオペランドの後ろに置くことによるネーミングです。

▶ **++**と**--**をオペランドの前に置く"**前置**"の演算については、次問で学習します。

これでループ本体の実行は終了し、プログラムの流れはwhile文の先頭へと戻ります。

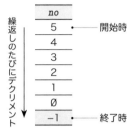

＊

そうすると、繰返しの継続条件の判定＝制御式の評価が行われます（2回目です）。

制御式 no >= 0 の評価で 1 が得られるため、ループ本体が再び実行されます。そのループ本体では、画面に「4□」と表示されて、no が 4 から 3 へとデクリメントされます。

＊

以上の処理の繰返しによって、変数 no の表示とカウントダウンが行われていきます。

6回目の繰返しの際の no の値は 0 です。その値 0 が表示された直後に、演算子 -- の働きによって no の値は -1 になります。

繰返しを続けるかどうかの7回目の判定では、継続条件 no >= 0 が成立しません（制御式の評価値が 0 となります）ので、while 文の繰返しが終了します。

＊

while 文が終了すると、printf 関数を呼び出すことで改行文字を表示します。

ただし、while 文と、続く printf の呼出しが実行されるのは、if 文の制御式 no >= 0 が成立したときのみです。そのため、no が 0 未満であれば、改行文字の出力は行われません。

do 文と while 文

本プログラムでは、変数 no の値が負のときは、if 文のチェックによって while 文の実行がスキップされます。このスキップがないと仮定して、変数 no が負のときに while 文が、どのように動作するかを考察しましょう。

たとえば、no に読み込まれた値が -5 であるとします。while 文の制御式 no >= 0 の評価で得られるのが 0 となりますので、**ループ本体は 1 回も実行されません。**

すなわち、while 文は、実質的に素通りされるわけです（数字は出力されません）。

＊

この考察は、while 文のループ本体が1回も実行されない可能性があることを示しています。**do 文のループ本体は少なくとも1回は実行されます**から、この点で、do 文と while 文は、決定的に違います。繰返しの継続条件の判定のタイミングが異なるからです。

- **do 文** … **後判定繰返し**：ループ本体を実行した**後**に継続条件の判定を行う。
- **while 文** … **前判定繰返し**：ループ本体を実行する**前**に継続条件の判定を行う。

▶ 次節で学習する for 文は、前判定繰返しです。

問題 4-4

▶『明解』演習 4-4 (p.84)

整数値を読み込んで、1までカウントダウンするプログラムを作成せよ。

```c
// 読み込んだ整数値を1までカウントダウン
#include <stdio.h>

int main(void)
{
    int no;

    printf("正の整数を入力せよ：");
    scanf("%d", &no);

    if (no >= 1) {
        while (no >= 1)
            printf("%d ", no--);    // noの値を表示した後にデクリメント
        printf("\n");               // 改行
    }

    return 0;
}
```

実行例

① 正の整数を入力せよ：5⏎
   5 4 3 2 1

② 正の整数を入力せよ：1⏎
   1 ← 1だけが表示される

③ 正の整数を入力せよ：-5⏎
   ← 何も出力されない

前置／後置の増分演算子／減分演算子

後置減分演算子 -- の特性をうまく利用して、短く簡潔に実現されたプログラムです。この演算子の概要をまとめた表 (p.69) の解説は、次のようになっています。

> aの値を一つだけ減らす（式全体を評価すると、減分前の値となる）。

すなわち、式 a-- の評価で得られるのは、デクリメント前のaの値です。下図に示すように、たとえばnoが5であれば、式 no-- の評価で得られるのは、デクリメント前の5です。

本プログラムの printf("%d ", no--) が行うことを分割すると、次のようになります。

① noの値を取り出して表示する。
② noの値をデクリメントする。

すなわち、まずnoの値を表示して、その直後にデクリメントを行います。

評価するとデクリメント前の値が得られる

※ noが5であるとする

5が得られた後に4へとデクリメントする

下表に示す**前置増分演算子**（prefixed increment operator）と**前置減分演算子**（prefixed decrement operator）は、インクリメントやデクリメントを行うという点では、後置の増分演算子や減分演算子と同じですが、そのタイミングが異なります。

式 ++a と --a の評価で得られるのは、インクリメントやデクリメント後の値です。

● 前置増分演算子と前置減分演算子

| 前置増分演算子 | ++a | aの値を一つだけ増やす（式全体を評価すると、増分後の値となる）。 |
| 前置減分演算子 | --a | aの値を一つだけ減らす（式全体を評価すると、減分後の値となる）。 |

▶『明解』演習 4–5 (p.85)

問題 4–5

整数値を読み込んで、1 から始めてその数までカウントアップするプログラムを作成せよ。

```c
// 読み込んだ正の整数値までカウントアップ
#include <stdio.h>

int main(void)
{
    int no;

    printf("正の整数を入力せよ：");
    scanf("%d", &no);

    if (no >= 1) {
        int i = 1;
        while (i <= no)
            printf("%d ", i++);      // iの値を表示した後にインクリメント
        printf("\n");                // 改行
    }

    return 0;
}
```

```
          実行例
① 正の整数を入力せよ：7 ⏎
   1 2 3 4 5 6 7

② 正の整数を入力せよ：0 ⏎
```

増分演算子によるカウントアップ

本プログラムは、カウントダウンではなく、カウントアップを行います。前問と大きく異なるのは、変数 i が導入されていることです。その変数 i の値は、`printf("%d ", i++)` での後置増分演算子 ++ の働きによって、1、2、3、… と増えていきます。

▶ ループ本体が最初に実行されるときは、まず i の値である 1 を表示して、その直後にインクリメントすることで値を 2 に更新します（2 回目は、変数 i の値 2 を表示した直後に、インクリメントすることで値を 3 に更新します）。

no と同じ値を表示した直後に、変数 i の値がインクリメントされて no より一つだけ大きくなります。これで、`while` 文の繰返しは終了します。

実行例①の場合であれば、表示は 7 までですが、変数 i の最終的な値は 8 です。

キーワード

C 言語では、`if` や `else` のような語句には、特別な意味が与えられています。このような語句は**キーワード**（keyword）と呼ばれ、変数名などとしての利用はできません。

次に示す 37 個のキーワードがあります。

● キーワード

auto	break	case	char	const	continue	default	do
double	else	enum	extern	float	for	goto	if
inline	int	long	register	restrict	return	short	signed
sizeof	static	struct	switch	typedef	union	unsigned	void
volatile	while	_Bool	_Complex	_Imaginary			

問題 4-6

▶『明解』演習 4-6 (p.85)

正の整数値を読み込んで、読み込まれた整数値以下である正の偶数を順に表示するプログラムを作成せよ。

```c
// 読み込んだ整数値以下の偶数を昇順に表示
#include <stdio.h>

int main(void)
{
    int no;

    printf("正の整数を入力せよ：");
    scanf("%d", &no);

    if (no >= 1) {
        int i = 2;                 // 2から始める
        while (i <= no) {
            printf("%d ", i);      // iの値を表示した後に
            i += 2;                // 2を加える
        }
        printf("\n");              // 改行
    }

    return 0;
}
```

```
                           実行例
         正の整数を入力せよ：19␍
         2 4 6 8 10 12 14 16 18
```

偶数の列挙

偶数を列挙するプログラムであり、表示するのは変数 i の値です。その変数 i は、2 で初期化しておいて、繰返しのたびに複合代入演算子 += を使うことで 2 ずつ増やしていきます。

なお、奇数を表示するのであれば、プログラムは右のようになります。

```c
if (no >= 1) {                     奇数
    int i = 1;
    while (i <= no) {
        printf("%d ", i);
        i += 2;
    }
    printf("\n");
}
```

do 文の表記

do 文と while 文の両方にキーワード while が含まれることから、プログラム中の while が、『do 文の一部』なのか、『while 文の一部』なのかが見分けづらくなることがあります。

そのことを、下図で考えましょう（解説は右ページに続きます）。

a do文のループ本体は単一の文

```c
x = 0;
do
    x++;
while (x < 5);
while (x >= 0)
    printf("%d ", --x);
```

2 個の while が、
- do 文の while なのか
- while 文の while なのか
が見分けにくい。

do 文のループ本体を{ }で囲んでブロックにする

b do文のループ本体は複合文

```c
x = 0;
do {
    x++;
} while (x < 5);
while (x >= 0)
    printf("%d ", --x);
```

行の先頭でdo文とwhile文を見分ける。
- 先頭が}であれば do 文。
- 先頭が}でなければ while 文。

```
問題 4-7                                          ▶『明解』演習 4-7 (p.85)
```

正の整数値を読み込んで、読み込まれた整数値以下である正の 2 のべき乗の数を順に表示するプログラムを作成せよ。

```c
// 読み込んだ整数値以下の 2 のべき乗を昇順に表示

#include <stdio.h>

int main(void)
{
    int no;

    printf("正の整数を入力せよ：");
    scanf("%d", &no);

    if (no >= 1) {
        int i = 2;              // 2から始める
        while (i <= no) {
            printf("%d ", i);   // iの値を表示した後に
            i *= 2;             // 2をかける
        }
        printf("\n");           // 改行
    }

    return 0;
}
```

```
                              実行例
             正の整数を入力せよ：19 ⏎
             2 4 8 16
```

do 文の表記（左ページからの続き）

左ページの図 **a** と図 **b** は、表記のスタイルが違うのみで同じプログラムです。いずれも、最初の while は『do 文の一部』であり、2 番目の while は『while 文の一部』です。

▶ まず最初に変数 x に 0 が代入されます。その後、do 文によって x が 5 になるまで値がインクリメントされます。続く while 文では、x の値をデクリメントしながら表示します。

図 **a** は、『do 文の while』の真下に、『while 文の while』が位置しています。

一方、do 文のループ本体を { } で囲んで複合文にした図 **b** では、行の先頭が } であるかどうかを目印にすることで、do 文と while 文が見分けられるようになっています。

do 文のループ本体は、たとえ単一の文であっても、{ } で囲んで複合文にするスタイルを採用すれば、プログラムが読みやすくなります。

2 のべき乗の列挙

本問は、2 のべき乗を列挙するプログラムです。変数 i の値を 2 で初期化することや、その値をループ本体で表示することは、前問のプログラムと同じです。

while 文のループ本体では、複合代入演算子 *= を使うことで、繰返しのたびに i の値を 2 倍しています。

▶ すなわち、プログラムは、前問とほとんど同じであって、+= が *= に変更されているだけです。

問題 4-8

　整数値を読み込んで、1から始めてその数までカウントアップするプログラムを作成せよ。なお、各数値をコンマで区切った上で、全体を{}で囲むこと。

```c
// 読み込んだ正の整数値までカウントアップ（コンマで区切って{}で囲む）
#include <stdio.h>

int main(void)
{
    int no;

    printf("正の整数を入力せよ：");
    scanf("%d", &no);

    if (no >= 1) {
        int i = 1;
        printf("{");
        while (i < no)              // 1からno - 1までを表示
            printf("%d,", i++);
        printf("%d}\n", no);        // noを表示
    }

    return 0;
}
```

```
─────実行例─────
正の整数を入力せよ：5␍
{1,2,3,4,5}
```

繰返しと実行効率

　問題 4-5（p.73）の応用ともいえる問題です。表示する数値の個数と、コンマの個数が異なるため、難易度がアップしています。たとえば、実行例のように、*no* が5であれば、表示する数値は5個ですが、コンマは4個です。

　while 文の制御式が、`i <= no` から `i < no` に変更されています。そのため、繰返しは *no* 回ではなく *no* - 1回となり、この while 文では「1,」「2,」「3,」「4,」が表示されます。

　そして、while 文終了後に行う『`printf("%d}\n", no);`』で、*no* の値とカッコを『5}』と表示します。

＊

　右下に示すのは別解です。while 文は、*no* 回の繰返しを行います。その上で、ループ本体の中で、表示内容を if 文の判定によって変えています。

　まず *i* の値を表示しておき、その後で表示する内容（下の網かけ部）を変えています。

i < *no* が成立　：出力するのは ","	例 1, 2, 3, 4,
i < *no* が不成立：出力するのは "}\n"	例 5}␍

```c
int i = 1;
printf("{");
while (i <= no) {
    printf("%d", i);
    if (i < no)
        printf(",");
    else
        printf("}\n");
    i++;
}
```

　さて、*i* < *no* の判定が不成立となるのは、繰返しの最後の1回だけです。もし *no* が1万であれば、最後の表示のみを特別扱いするために、1万回もの判定が行われます。

　▶　すなわち、最初の9999回は成立せず、最後の1回だけ成立することが分かっている判定を、なんと1万回も行うわけです。

　もちろん、このような実装は好ましくありません。

問題 4-9 ▶『明解』演習 4-8 (p.87)

正の整数値を読み込んで、読み込まれた整数値の個数だけ * を連続して横に並べて表示するプログラムを作成せよ。

```c
// 読み込んだ整数の個数だけ*を連続表示
#include <stdio.h>

int main(void)
{
    int no;

    printf("正の整数：");
    scanf("%d", &no);

    if (no >= 1) {
        while (no-- > 0)
            putchar('*');
        putchar('\n');
    }

    return 0;
}
```

実行例
① 正の整数：15⏎
****
② 正の整数：0⏎
③ 正の整数：-5⏎

4

プログラムの流れの繰返し

制御式に埋め込まれた後置減分演算子

実行例①のように、no が 15 であるとして、プログラムの流れを考えていきましょう。

まず、while 文の制御式 no-- > 0 に着目します。-- は後置減分演算子ですから、変数 no の値 15 が 0 より大きいかどうかが評価され、判定が成立することが確認された直後に、no の値がデクリメントされて 14 となります。

すなわち、制御式 no-- > 0 の評価によって、次の二つのことが行われます。

――――――――――――――――――――――――――――――――――――――

no が 0 より大きいかどうかを判定して、判定が終わった直後に no をデクリメントする。

――――――――――――――――――――――――――――――――――――――

そのため、no の値は、制御式通過のたびに 15 ⇨ 14 ⇨ 13…とデクリメントされていきます。

変数 no の値が 0 のときに、制御式 no-- > 0 を評価すると**偽**が得られ、while 文が終了します。これで、全部で no 回の繰返しが行われます。

▶ no が 0 のときに no-- > 0 が評価される際も no のデクリメントは行われますので、while 文が終了したときの no の値は -1 です。

文字定数と putchar 関数

プログラムでは、文字の表示を『putchar('*');』と『putchar('\n');』で行っています。

'*' や '\n' のように、単一引用符 ' で文字を囲んだ式は**文字定数**（character constant）と呼ばれ、その型は int 型です。文字列リテラルと混同しないように注意しましょう。

――――――――――――――――――――――――――――――――――――――

- 文 字 定 数 '*' … **単一の文字 * を表す。**
- 文字列リテラル "*" … 文字 * のみで構成される**文字の並び**を表す。

――――――――――――――――――――――――――――――――――――――

単一文字の表示のために利用しているのが、**putchar** 関数です。( ) の中には、表示すべき文字を実引数として与えます。

```
問題 4-10                                              ▶『明解』演習 4-9 (p.91)
```
整数値を読み込んで、読み込んだ値の個数だけ + と - を交互に表示するプログラムを作成せよ。

```c
// 読み込んだ正の整数値の個数だけ+と-を交互に表示（解答例Ａ）
#include <stdio.h>

int main(void)
{
    int no;

    printf("正の整数：");
    scanf("%d", &no);

    if (no >= 1) {
        int i = 1;
        while (i <= no) {
            if (i % 2)
                putchar('+');
            else
                putchar('-');
            i++;
        }
        putchar('\n');          // 改行
    }

    return 0;
}
```

```
              実行例
① 正の整数：14⏎
  +-+-+-+-+-+-+-

② 正の整数：13⏎
  +-+-+-+-+-+-+
```

繰返しにおける条件判定

前問を発展させて + と - を交互に表示を行う問題です。二つの解答例を示しています。

▪ 解答例Ａ

while 文では、変数 i を 1 から no までインクリメントする過程で、次の表示を行います。

- ▪ i が奇数であれば（2 で割った剰余が 0 でなければ）　：'+' を出力する。
- ▪ i が偶数であれば　　　　　　　　　　　　　　　　：'-' を出力する。

このプログラムには、大きく二つの欠点があります。

① 繰返しのたびに if 文の判定を行う

while 文による繰返しのたびに if 文が実行されるため、i が奇数かどうかの判定が、全部で no 回行われます（no が 30000 であれば 3 万回行われます）。

② 変更に対して柔軟に対応しにくい

変数 i の値の初期値を 1 から 0 に変更するのであれば、網かけ部は右のようになります。while 文の制御式と if 文の制御式の両方を書きかえる必要があります。

```c
int i = 0;
while (i < no) {
    if (i % 2 == 0)
        putchar('+');
    else
        putchar('-');
    i++;
}
```

   ▶ while 文を次のように実現すると、プログラムは見かけ上簡潔になります。ただし、二つの欠点は残ったままです。

```c
while (i <= no)
    putchar(i++ % 2 ? '+' : '-');
```

```
// 読み込んだ正の整数値の個数だけ+と-を交互に表示（解答例B）
    int i = 1;
    while (i <= no / 2) {    // no / 2個の"+-"を出力
        printf("+-");
        i++;
    }                                                            ■1
    if (no % 2 == 1)         // noが奇数のときのみ
        putchar('+');        // 最後の'+'を出力                  ■2
    putchar('\n');           // 改行
```

4 プログラムの流れの繰返し

▪ 解答例B

左ページで考えた欠点を解消するプログラムです。主要部は二つのステップで構成されます。下図を見ながら理解しましょう。

■1 no / 2個の "+-" を出力

while文は"+-"の出力を繰り返します。no / 2で求める出力回数は、たとえばnoが14であれば7回、nが13であれば6回です。

そのため、図aのように、noが偶数であれば、このステップのみで表示が完了します。

■2 noが奇数のときのみ '+' を出力

noが奇数の場合、未出力の最後の'+'を出力します（図b）。これで、noが奇数のときの表示が完了します。

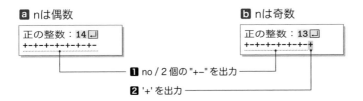

解答例Bは、if文による判定を繰返しのたびに行う必要がありません。そのため、if文の判定が、■2での1回だけとなっています。

さらに、除算の回数も減っています。■1でのno / 2と、■2でのno % 2の合計2回のみです。

▶ 変数iの初期値を1から0に変更するのも柔軟に対応できます。変更が必要なのはwhile文の制御式のみであり、if文の制御式は変更不要です。

```
    int i = 0;
    while (i < no / 2) {     // no / 2個の"+-"を出力
        printf("+-");
        i++;
    }
    if (no % 2 == 1)         // noが奇数のときのみ
        putchar('+');
```

問題 4-11

▶『明解』演習 4-10 (p.91)

整数値を読み込んで、読み込んだ値の個数だけ * を縦に連続して表示するプログラムを作成せよ。

```
// 読み込んだ正の整数値の個数だけ*を縦に連続して表示
#include <stdio.h>

int main(void)
{
    int no;

    printf("正の整数：");
    scanf("%d", &no);

    while (no-- > 0)         // 繰返しはno回
        puts("*");           // *を表示して改行

    return 0;
}
```

```
実行例
正の整数：3
*
*
*
```

変数のデクリメントによる一定回数の繰返し

問題 4-9 (p.77) の出力の並びを、横ではなく縦に変更した問題です。puts 関数を利用することで、記号文字 * の表示と改行を一度に行っています。

識別子

変数や関数（第 6 章）などに与えられた名前のことを、**識別子**（identifier）といいます。下図に示すのが、識別子の構文図です。

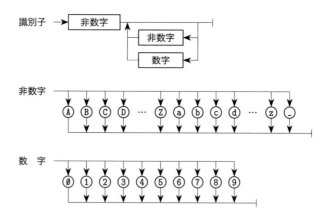

▶ すなわち、識別子の先頭文字は必ず非数字で、2文字目以降は非数字または数字です。なお、ここでの非数字とは、大文字および小文字のアルファベットに下線 _ を加えたものです。

ただし、下線で始まる識別子（たとえば _x や _comp）と、アルファベットの大文字が1字だけの識別子（たとえば A や Z）は、処理系が内部的に利用する可能性がありますから、変数や関数に与える識別子として利用してはいけません。

なお、識別子の文字として、非数字と数字以外に、**国際文字名**（universal character name）と呼ばれる文字も利用できます。

▶『明解』演習 4–11 (p.91)

> **問題 4-12**
> 正の整数値を読み込んで、それを逆順に表示するプログラムを作成せよ。

```c
// 読み込んだ正の整数値を逆順に表示

#include <stdio.h>

int main(void)
{
    int no;

    do {
        printf("正の整数を入力せよ：");
        scanf("%d", &no);
        if (no <= 0)
            puts("\a正でない数を入力しないでください。");
    } while (no <= 0);

    // noは0より大きくなっている
    printf("%dを逆から読むと", no);
    while (no > 0) {
        printf("%d", no % 10);    // 最下位の桁の値を表示 ←➊
        no /= 10;                 // 右に1桁ずらす       ←➋
    }
    puts("です。");

    return 0;
}
```

実行例

正の整数を入力せよ：-3□
♪正でない数を入力しないでください。
正の整数を入力せよ：1963□
1963を逆から読むと3691です。

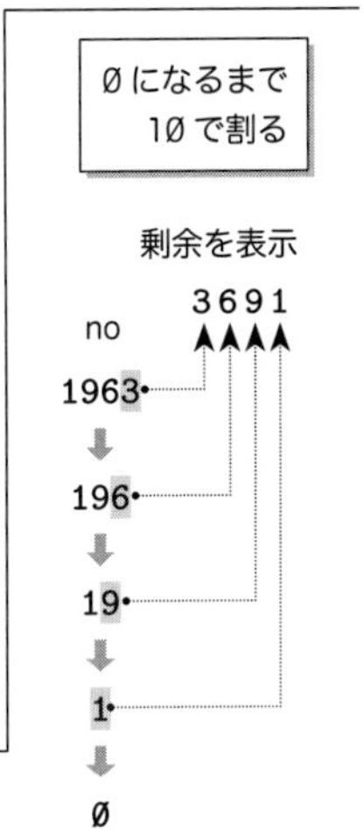

4
プログラムの流れの繰返し

0になるまで
10で割る

剰余を表示
　　　3691
　　　▲▲▲▲
no
1963・
　↓
196・
　↓
19・
　↓
1・
　↓
0

数値の逆順表示

　最初の **do** 文は、読み込む値を正値に制限するための繰返し文です。変数 *no* への値の読込みを、`no <= 0` が成立するあいだ繰り返します。そのため、繰返しが終了したときには、変数 *no* の値は、必ず正すなわち **0** より大きくなります。

　それでは、読み込んだ整数値を逆順に表示する **while** 文について、上の図を見ながら理解していきましょう。ループ本体で行うのは、次の二つのことです。

➊ *no* の最下位桁の表示

　no の最下位桁の値である `no % 10` を表示します。

　たとえば、*no* が 1963 であれば、表示するのは、10 で割った剰余の 3 です。

➋ *no* を 10 で割る

　表示後の『`no /= 10;`』が行うのは、『*no* を 10 で割る』ことです（演算子 `/=` は、**複合代入演算子**です）。

　たとえば、*no* が 1963 であれば、演算後の *no* は、10 で割った 196 になります。

　変数 *no* の最下位桁を弾き出して、それ以外の桁を右に 1 桁ずらすことが分かるでしょう。

> ▶ 繰返しの 2 回目では、変数 *no* の値は 196 です。10 で割った剰余 6 を表示した後に、*no* を 10 で割って 19 にします。

　以上の処理を繰り返して、*no* の値が **0** になると、**while** 文は終了します。

問題 4-13

▶『明解』演習 4-12 (p.91)

正の整数値を読み込んで、その桁数を表示するプログラムを作成せよ。

```c
// 読み込んだ正の整数値の桁数を表示
#include <stdio.h>

int main(void)
{
    int no;

    do {
        printf("正の整数を入力せよ：");
        scanf("%d", &no);
        if (no <= 0)
            puts("\a正でない数を入力しないでください。");
    } while (no <= 0);

    // noは0より大きくなっている
    int temp = no;
    int digits = 0;     // 桁数

    while (temp > 0) {
        temp /= 10;      // 右に1桁ずらす
        digits++;
    }
    printf("%dは%d桁です。\n", no, digits);

    return 0;
}
```

```
            実行例
正の整数を入力せよ：1963 ⏎
1963は4桁です。
```

整数値の桁数を求める

前問のプログラムを少し変更しただけのプログラムです。ただし、キーボードから読み込んだ *no* を、そのまま使わず、*temp* にコピーした上で処理を行っている点が大きく異なります。

while 文のループ本体で最初に行うのが、*temp* /= 10 の演算です。これによって、**変数 *temp* の最下位桁を弾き出して、それ以外の桁を右に1桁ずらします**（この部分は、前問と同様です）。

その後、*digits* のインクリメントを行います。

そのため、実行例のように *no* が1963であれば、*temp* は196になって、*digits* は1となります。

更新された *temp* の値 196 は 0 より大きいため、ループ本体が再び実行されます。まず *temp* の値を10で割って19に更新して、それから *digits* の値を1から2へとインクリメントします。

digits	temp
0	1963
⬇	⬇
1	196
⬇	⬇
2	19
⬇	⬇
3	1
⬇	⬇
4	0

以上の処理を、*temp* が 0 より大きいあいだ繰り返します。

temp の値が 0 になると、制御式 *temp* > 0 が成立せず（評価した値が 0 となり）、while 文が終了します。このときの *digits* は、除算を行った回数であり、その値は *no* の桁数と一致します。

▶ なお、右のように実現すれば、変数 *temp* は不要です（ただし、while 文の終了時に変数 *no* の値が 0 になってしまいます）。

```c
printf("%dは", no);
while (no > 0) {
    no /= 10;     // 右に1桁ずらす
    digits++;
}
printf("%d桁です。", digits);
```

問題 4-14

▶『明解』演習 4-13 (p.98)

1から n までの和を求めるプログラムを作成せよ。n の値はキーボードから読み込むこと。

```c
// 1からnまでの和を求める
#include <stdio.h>

int main(void)
{
    int sum = 0;              // 合計値
    int n;

    printf("nの値：");
    scanf("%d", &n);

    for (int i = 1; i <= n; i++)
        sum += i;

    printf("1から%dまでの和は%dです。\n", n, sum);

    return 0;
}
```

実行例
nの値：5⏎
1から5までの和は15です。

for 文

本プログラムで利用している **for 文**（for statement）は、下図の構文をもっており、for に続く ( ) の中は ; で区切られた三つの部分（A部、B部、C部）で構成されます。

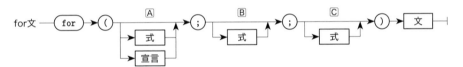

for 文の動作を、右図を見ながら理解していきましょう。

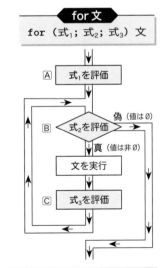

前処理ともいうべきAが、1回だけ評価・実行される（あるいは宣言された変数が作られる）。

繰返しの継続条件であるBの制御式の評価で得られたのが真（非0）であればループ本体の文が実行され、偽（0）であればループ本体は実行されない。

文（ループ本体）の実行後は、後始末的な処理、あるいは次の繰返しのための準備として、Cが評価・実行された上で、制御式の判定Bに戻る。

本プログラムの for 文は、次のように読めます。

変数 i を 1 から始めて、n と等しくなるまで、1 ずつ増やしながらループ本体を実行する。

なお、変数 i のように、繰返しの制御に使う変数は、**カウンタ用変数**と呼ばれます。

▶ for 文では、カウンタ用変数の**開始値／終了値／増分**のすべてを、( ) の中に集約できます。構文は複雑ですが、慣れてしまえば、while 文よりも読みやすくなります。

84

問題 4-15
▶『明解』演習 4-14 (p.98)

1234567890 を繰り返し表示するプログラムを作成せよ。読み込まれた整数値の個数だけ数字を表示すること（たとえば 25 を読み込んだ場合 1234567890123456789012345 と表示すること）。

```
// 読み込んだ整数の個数だけ1234567890を繰り返し表示（解答例Ａ）
#include <stdio.h>

int main(void)
{
    int no;

    printf("正の整数を入力せよ：");
    scanf("%d", &no);

    for (int i = 1; i <= no; i++)
        printf("%d", i % 10);
    putchar('\n');

    return 0;
}
```

実行例
```
正の整数を入力せよ：25␘
1234567890123456890123456
```

```
// 読み込んだ整数の個数だけ1234567890を繰り返し表示（解答例Ｂ）
    int q = no / 10;          // "1234567890"の個数
    int r = no % 10;          // 残りの個数
    for (int i = 1; i <= q; i++)
        printf("1234567890");
    for (int i = 1; i <= r; i++)
        printf("%d", i % 10);
    putchar('\n');
```

繰返しと演算の効率

解答例Aは、i の値を 1 から no までインクリメントしながら、その値を 10 で割った剰余を表示します。

プログラムは期待どおりに動作するのですが、no 回もの除算を行うことになるため、効率の点では優れたものではありません。

解答例Bは、表示を2段階で行います。たとえば、実行例のように no が 25 であれば、次のように表示を行います。

- 先頭の **for** 文　："12345657890" を2回表示する。
- 2番目の **for** 文　：1 から 5 までを表示する。

除算の回数も繰返しの回数も少なくなります。たとえば、no が 87 であれば、次のようになります。

- 解答例A： 繰返しの回数 … 87　　　　除算の回数 … 87

- 解答例B： 繰返しの回数 … 8 + 7 = 15　　除算の回数 … 2 + 7 = 9

　　　　　　　　　　　　　　　　　　※ q と r を求めるための2回と、
　　　　　　　　　　　　　　　　　　　2番目の **for** 文での7回。

▶『明解』演習 4-15 (p.98)

問題 4-16

身長と標準体重の対応表を表示するプログラムを作成せよ。なお、表示する身長の範囲（開始値、終了値、増分）は整数値として読み込んで、標準体重は小数部を 2 桁表示すること。

```c
// 身長と標準体重の対応表を表示
#include <stdio.h>

int main(void)
{
    int lower, upper, step;        // 開始値・終了値・増分

    printf("何cmから：");    scanf("%d", &lower);
    printf("何cmまで：");    scanf("%d", &upper);
    printf("何cmごと：");    scanf("%d", &step);

    for (int height = lower; height <= upper; height += step)
        printf("%dcm  %.2fkg\n", height, (height - 100) * 0.9);

    return 0;
}
```

```
┌─────実 行 例─────┐
│ 何cmから：155↵     │
│ 何cmまで：190↵     │
│ 何cmごと：5↵       │
│ 155cm  49.50kg    │
│ 160cm  54.00kg    │
│    … 中略 …        │
│ 190cm  81.00kg    │
└───────────────────┘
```

for 文と while 文

for 文では、変数 height の値を、lower から始めて upper になるまで step ずつ増やしていきます。

さて、for 文は、while 文と同様、**前判定繰返し**を行う文です。そのため、二つの文は、右図に示すように互いに置換できます。

本プログラムの for 文を、while 文を用いて実現すると、次のようになります。

```
for（Ⓐ；Ⓑ；Ⓒ）
    文
```

ほぼ同じ

```
Ⓐ；
while（Ⓑ）{
    文
    Ⓒ；
}
```

```c
// while文による実現例
int height = lower;
while (height <= upper) {
    printf("%dcm  %.2fkg\n", height, (height - 100) * 0.9);
    height += step;
}
```

区切り子

識別子やキーワードなど、各語句のあいだには、基本的には空白が必要です。たとえば、『case 2:』の case と 2 をくっつけて『case2:』とすることはできません。

ただし、**区切り子**（delimiter）が置かれていれば、その前後の空白は不要です。そのため、区切り子 ( ) を使えば、空白を入れずに『case(2):』と記述できます。

下表に示すのが、主要な区切り子です。

● **主要な区切り子**

| [|] | (|) | { | } | * | , | : | = | ; | ... | # |

```
問題 4-17                                      ▶『明解』演習 4-16 (p.100)

   整数値を読み込んで、その整数以下の奇数を表示するプログラムを作成せよ。
```

```c
// 読み込んだ整数値以下の奇数を表示
#include <stdio.h>

int main(void)
{
    int n;

    printf("整数値：");
    scanf("%d", &n);

    for (int i = 1; i <= n; i += 2)
        printf("%d ", i);
    putchar('\n');

    return 0;
}
```

```
             実行例
   整数値：15 ◻
   1 3 5 7 9 11 13 15
```

奇数の列挙

整数値を読み込んで、その整数値以下の正の奇数を表示するプログラムです。

for 文の © 部 *i* += 2 では、右オペランドの値を左オペランドに加える複合代入演算子を使って変数 *i* に 2 を加えます。そのため、最初に 1 で初期化された変数 *i* の値は、繰返しのたびに二つずつ増えます。

式文と空文

次のコードを考えます。*n* 個の '+' が表示されると感じるのではないでしょうか。

```c
for (int i = 1; i <= n; i++);
    putchar('+');
```

   │ + │ 表示される '+' は n 個でなく 1 個

ところが、*n* の値とは無関係に、表示される '+' は 1 個だけです。*i*++) の後ろに置かれた ; は、**空文**（null statement）と呼ばれる文であり、実行しても何も行われません。

そのため、上のコードは、次のように解釈されるのです。

```c
for (int i = 1; i <= n; i++)    // for文：ループ本体を n 回実行
    ;                           //        ループ本体は空文（何も行わない文）
putchar('+');                   // for文終了後に 1 回だけ実行される文
```
                    おそらくタイプミスによるセミコロン

もちろん、**for** 文だけでなく **while** 文でも、このミスを犯さないようにせねばなりません。

                                    ＊

第 1 章で学習したように、文の末尾には原則としてセミコロン ; が必要です。

たとえば、『*a* = *b*』という代入式の後ろに ; を置いて『*a* = *b*;』とすると文になります。

このように、式の後ろにセミコロンを置いた文が、**式文**（expression statement）です。

右の構文図が示すように、**式**は省略可能です。

すなわち、式がないセミコロン ; だけでも、立派な《式文》
であり、それが**空文**の正体です。

式文 ──────┬───●○─
         └─▶│ 式 │─┘

```
問題 4-18                                          ▶『明解』演習 4-17 (p.100)
```

1 から n までの整数値の 2 乗値を表示するプログラムを作成せよ。n の値はキーボードから読み込むこと。

```c
// 読み込んだ整数値以下の整数とその 2 乗値を表示
#include <stdio.h>

int main(void)
{
    int n;

    printf("nの値：");
    scanf("%d", &n);

    for (int i = 1; i <= n; i++)
        printf("%dの2乗は%d\n", i, i * i);

    return 0;
}
```

```
実行例
nの値：3↵
1の2乗は1
2の2乗は4
3の2乗は9
```

2乗値の列挙

本プログラムは、変数 i を 1 から n までインクリメントしながら、i の値と i * i の値を表示しています。

定数と文字列リテラル

文字定数、**整数定数**、**浮動小数点定数**、**文字列リテラル**は、プログラムを構成する要素の一つです。

隣接した文字列リテラルの連結

スペースやタブなどの空白類文字や注釈をはさんで隣接している文字列リテラルは、ひとまとめのものとみなされます。たとえば、**"ABC" "DEF"** は、連結されて **"ABCDEF"** となります。この規則を応用すると、長い文字列リテラルを読みやすく記述できます。次に示すのが、一例です。

```c
puts("昔々あるところにお爺さんとお婆さんが住んでいました。"
                    "お爺さんはお婆さんをこよなく愛していました。");
```

インデント

本書のプログラム中の各文は、4桁ごとに右に深くなっています。複合文 { } は、まとまった宣言と文をくくったものであり、日本語での段落のようなものです。

段落中の記述を、数桁ずつ右にずらして書くと、プログラムの構造がつかみやすくなります。そのための余白のことを**インデント**（段付け／字下げ）といい、インデントを用いて記述することを**インデンテーション**と呼びます。

▶ インデントは、タブキーとスペースキーのいずれでもタイプできますが、エディタの設定によっては、タブをタイプした文字と、保存したソースファイル上の文字とが一致しないことがあります。

問題 4-19

▶『明解』演習 4-18 (p.100)

整数値を読み込んで、その個数だけ '*' を表示するプログラムを作成せよ。ただし、5個表示するごとに改行すること。

```c
// 読み込んだ整数の個数だけ5個ごとに改行しながら'*'を表示（解答例A）
#include <stdio.h>

int main(void)
{
    int no;

    printf("何個*を表示しますか：");
    scanf("%d", &no);

    if (no > 0) {
        for (int i = 0; i < no; i++) {
            putchar('*');
            if (i % 5 == 4)
                putchar('\n');
        }
        if (no % 5 != 0)
            putchar('\n');
    }
    return 0;
}
```

実行例
```
何個*を表示しますか：12
*****
*****
**
```

- 繰返しは no 回。
- if 文の判定は no + 1 回。

繰返しの過程における一定間隔に行う処理

二つの解答例を示しています。

▪ 解答例A

変数 i の値を 0、1、2、… とインクリメントしながら記号文字 '*' を出力します。改行を行うのは、次の2箇所です。

1 記号文字を出力した際に、変数 i の値を 5 で割った剰余が 4 であれば改行します。下図に示すように、改行文字が出力されるのは、i の値が 4、9、14、… のときです。

2 図aのように、no が 5 の倍数であれば、最後に出力した * の後の《最後の改行》は完了しています。一方、図bのように、no が 5 の倍数でなければ、《最後の改行》はまだ行われていません。そこで、no が 5 の倍数でないときにのみ改行を行います。

本解答例は、for 文による繰返しのたびに if 文の判定が行われるため、それほど効率がよくない、という欠点があります。

```
// 読み込んだ整数の個数だけ5個ごとに改行しながら'*'を表示（解答例B）
    int rem = no % 5;
    for (int i = 0; i < no / 5; i++)              ■1
        puts("*****");
    if (rem > 0) {
        for (int i = 0; i < rem; i++)
            putchar('*');                         ■2
        putchar('\n');
    }
```

- 繰返しはno / 5回。
- if文の判定は1回。

■解答例B

解答例Aの欠点を解消するプログラムです。大きく二つのステップで構成されます。下図を見ながら理解しましょう。

■1 改行を伴う"*****"の出力をno / 5回行う

 for文によって、"*****"の出力をno / 5回繰り返します（puts関数を使っているため、自動的に改行文字が出力されます）。

 出力回数は、図aのようにnoが15であれば3回、図bのようにnoが14であれば2回です。noが5の倍数のときは、このステップだけで出力が完了します。

■2 no % 5個の'*'と改行文字を出力

 noが5の倍数でないときに、残った最後の行を出力します。noを5で割った剰余の個数（たとえばnoが14であれば4個）だけ*を表示した上で改行文字を出力します。

▶ noが5の倍数であれば、変数remの値は0になりますので、記号文字も改行文字も出力されません。

a noが15の場合   b noが14の場合

▶ ■1のfor文の制御式はno / 5ですから、プログラムの流れが制御式を通過するたびに除算が行われます（ただし、この除算による計算速度低下が発生しにくいことや、除算を避ける方法などを問題4-25（p.94）で学習します）。

繰返し文

 本章で学習したdo文、while文、for文は、いずれもプログラムの流れを繰り返すための文であり、これらをまとめて**繰返し文**（iteration statement）と呼びます。

問題 4-20

▶『明解』演習 4-19 (p.101)

読み込んだ整数値の全約数を表示するプログラムを作成せよ。なお、約数の表示が終了した後に、約数の個数を表示すること。

```c
// 読み込んだ整数値の全約数とその個数を表示
#include <stdio.h>

int main(void)
{
    int n;

    printf("整数値：");
    scanf("%d", &n);

    int count = 0;                                  //■1
    for (int i = 1; i <= n; i++)
        if (n % i == 0) {
            printf("%d\n", i);                      //■2
            count++;
        }
    printf("約数は%d個です。\n", count);             //■3

    return 0;
}
```

実行例
```
整数値：12⏎
1
2
3
4
6
12
約数は6個です。
```

約数の列挙

読み込んだ整数値 n のすべての約数と、その個数を表示するプログラムです。

■1 約数の個数を格納するための変数 count を 0 で初期化します。

■2 この for 文では、変数 i の値を 1 から n までインクリメントします。実行例のように n が 12 であれば、i は 1 から 12 まで増えていきます（下図）。

n を i で割った剰余が 0 であれば（n が i で割り切れれば）、i は n の約数であると判定できますので、その値を表示して、count をインクリメントします。

■3 約数の個数として count の値を表示します。

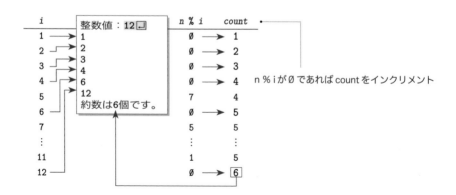

問題 4-21

読み込んだ正の整数値の面積をもち、縦横の辺の長さが整数値であって、かつ、縦の長さが横の長さ以下である長方形をすべて列挙せよ。辺の長さを「縦×横」の形式で表示すること。

```c
// 読み込んだ面積をもつ長方形の辺の長さを列挙
#include <stdio.h>

int main(void)
{
    int area;                // 面積

    printf("面積：");
    scanf("%d", &area);
    for (int tate = 1; tate < area; tate++) {
        if (tate * tate > area) break;
        if (area % tate != 0) continue;
        printf("%d × %d\n", tate, area / tate);
    }
    return 0;
}
```

```
┌─────実行例─────┐
面積：32␍
1 × 32
2 × 16
4 × 8
```

4

プログラムの流れの繰返し

break 文と continue 文

for 文に着目します。変数 tate の値を 1 から area までインクリメントしていきます。

▪ break 文

tate の 2 乗が area を超えたときに実行するのが、**break 文**です。繰返しを行う文の中で break 文が実行されると、プログラムの流れは繰返し文を抜け出します（繰返しを強制的に中断して終了します）。

> ▶ 実行例の場合、tate が 6 になると、その 2 乗の 6 * 6 すなわち 36 が、面積の 32 を超えるため、while 文を強制終了させます。というのも、それ以上 tate をインクリメントしても、縦の長さが横の長さを超えてしまうからです。
>
> なお、break 文については、switch 文中で使われたときの働きを前章で学習しました。

▪ continue 文

面積 area を tate で割った剰余が 0 でないときに実行するのが、**continue 文**です（構文は下図）。continue 文が実行されると、**ループ本体の残りの部分の実行**（本プログラムの場合は、printf 関数の呼出し）がスキップされます。

> ▶ area を tate で割った剰余が 0 でないときにスキップを行うのは、辺の長さが整数にならないからです。

```
continue文 ──▶( continue )─▶─;─┤
```

なお、次問で学習する《多重ループ》の内側のループ内で break 文や continue 文が実行された場合、繰返しを抜け出たり、ループ本体の残りをスキップする対象は、それらの break 文や continue 文を直接囲んでいるほうの繰返し文です。

問題 4-22

▶『明解』演習 4-20 (p.107)

縦横のタイトルが付いた九九の表を表示するプログラムを作成せよ。

```c
// 九九の表を表示
#include <stdio.h>

int main(void)
{
    printf("  |");

    for (int i = 1; i <= 9; i++)
        printf("%3d", i);
    putchar('\n');

    puts("--+---------------------------");

    for (int i = 1; i <= 9; i++) {
        printf("%d |", i);
        for (int j = 1; j <= 9; j++)
            printf("%3d", i * j);
        putchar('\n');                  // 改行
    }

    return 0;
}
```

```
            実行結果
  |  1  2  3  4  5  6  7  8  9
--+---------------------------
1 |  1  2  3  4  5  6  7  8  9
2 |  2  4  6  8 10 12 14 16 18
3 |  3  6  9 12 15 18 21 24 27
4 |  4  8 12 16 20 24 28 32 36
5 |  5 10 15 20 25 30 35 40 45
6 |  6 12 18 24 30 36 42 48 54
7 |  7 14 21 28 35 42 49 56 63
8 |  8 16 24 32 40 48 56 64 72
9 |  9 18 27 36 45 54 63 72 81
```

① ②

多重ループ

繰返しの中で繰返しを行うことができ、そのような繰返しは、その入れ子の深さに応じて
2重ループ、**3重ループ**、… と呼ばれます。そして、その総称が**多重ループ**です。

■①の for 文は1重ループであって、1 〜 9 までのタイトル部を表示します。

■②は、for 文の中に for 文が入っている2重ループです。

九九の表の本体部を表示する**外側の for 文**では、変数 i の値を1から9までインクリメント
します。これは、表の1行目、2行目、… 、9行目に対応しています。すなわち、表の**縦方向
の9回の繰返し**です。その各行で実行される**内側の for 文**は、j の値を1から9までインクリ
メントします。これは、**各行における横方向の9回の繰返し**です。

2重ループ全体としては、次のように処理を行っています。

- i が1のとき：i の値1と | を表示。j を1 ⇨ 9 とインクリメントしながら 1 * j を表示して改行。
- i が2のとき：i の値2と | を表示。j を1 ⇨ 9 とインクリメントしながら 2 * j を表示して改行。
- i が3のとき：i の値3と | を表示。j を1 ⇨ 9 とインクリメントしながら 3 * j を表示して改行。
  … 中略 …
- i が9のとき：i の値9と | を表示。j を1 ⇨ 9 とインクリメントしながら 9 * j を表示して改行。

▶ 書式指定 %3d によって、i * j の値の出力を『（少なくとも）3桁で』行うことによって、数値を
揃えて表示しています。

```
問題 4-23                                        ▶『明解』演習 4-21 (p.107)
```

読み込んだ整数を辺の長さとしてもつ正方形を表示するプログラムを作成せよ。＊文字を並べて表示すること。

```
// 正方形を描画
#include <stdio.h>                              ┌─────────────────┐
                                                │     実行例      │
int main(void)                                  ├─────────────────┤
{                                               │正方形を作ります。│
    int height;                                 │段数：3 ↵        │
                                                │***              │
    puts("正方形を作ります。");                  │***              │
    printf("段数：");    scanf("%d", &height);   │***              │
                                                └─────────────────┘
    for (int i = 1; i <= height; i++) {        // 正方形はheight行
        for (int j = 1; j <= height; j++)      // 各行にheight個の'*'を表示
            putchar('*');
        putchar('\n');                          // 改行
    }
    return 0;
}
```

```
問題 4-24                                        ▶『明解』演習 4-22 (p.107)
```

横長の長方形を表示するプログラムを作成せよ。二つの辺の長さを読み込んで、小さいほうを行数として、大きいほうを列数とすること。

```
// 長方形を描画
#include <stdio.h>                              ┌─────────────────┐
                                                │     実行例      │
int main(void)                                  ├─────────────────┤
{                                               │横長の長方形を作ります。│
    int side1, side2, height, width;            │一辺（その１）：7 ↵│
                                                │一辺（その２）：3 ↵│
    puts("横長の長方形を作ります。");            │*******          │
    printf("一辺（その１）：");   scanf("%d", &side1);│*******    │
    printf("一辺（その２）：");   scanf("%d", &side2);│*******    │
                                                └─────────────────┘
    if (side1 < side2) {
        height = side1;
        width  = side2;
    } else {          ──小さいほうの値を height に代入／大きいほうの値を width に代入
        height = side2;
        width  = side1;
    }
    for (int i = 1; i <= height; i++) {        // 長方形はheight行
        for (int j = 1; j <= width; j++)       // 各行にwidth個の'*'を表示
            putchar('*');
        putchar('\n');                          // 改行
    }
    return 0;
}
```

正方形と長方形

　２問とも、左ページのプログラムと同様に２重ループを使っています。外側の **for** 文は縦方向の繰返しで、内側の **for** 文は横方向の繰返しです。

問題 4-25

整数値 *no* と *width* を読み込んで、*no* 個の '*' を表示するプログラムを作成せよ。ただし、*width* 個表示するごとに改行すること。

```c
// width個ごとに改行しながらno個の'*'を表示
#include <stdio.h>

int main(void)
{
    int no, width;

    printf("何個*を表示しますか：");      scanf("%d", &no);
    printf("何個ごとに改行しますか：");   scanf("%d", &width);

    if (no > 0) {
        int rem = no % width;
        for (int i = 0; i < no / width; i++) {
            for (int j = 0; j < width; j++)
                putchar('*');
            putchar('\n');
        }
        if (rem > 0) {
            for (int i = 0; i < rem; i++)
                putchar('*');
            putchar('\n');
        }
    }

    return 0;
}
```

```
                  実行例
何個*を表示しますか：33␍
何個ごとに改行しますか：5␍
*****
*****
*****
*****
*****
*****
***
```

繰返しの過程における一定間隔に行う処理

問題 **4-19** (p.88) を応用した問題です。改行のタイミングが「5個ごと」から「*width* 個ごと」に変更されています。問題 **4-19** の解答例Bと見比べれば、理解できるでしょう。

▶ 外側の **for** 文の制御式中の **no / width** は、* を横に *width* 個並べて表示する行数を求める演算です（たとえば、実行例の場合、表示は全部で7行ですが、* を横に5個表示するのは6行です。その6を求めるための除算です）。

さて、制御式 **no / width** は、**for** 文の繰返しのたびに評価されますので、同じ除算（実行例の場合は、6を求める 33 / 5 の除算）が何度も行われることになります。

除算を1回ですませるには、右に示す《別解》として実現します。

ただし、コンパイラの技術が進んでいる現在、

```c
// 別解（部分）
int rem = no % width;
int height = no / width;
for (int i = 0; i < height; i++) {
    for (int j = 0; j < width; j++)
        putchar('*');
    putchar('\n');
}
```

多くのコンパイラは、**for** 文のループ本体の中で *no* や *width* の値が変化しないことを検出して、《別解》と同等のコードを内部的に生成します（すなわち、**for** 文の制御式に除算を行う式 *no / width* が置かれていても、ループ本体で *no* や *width* の値を変更しなければ、除算を1回だけ行うように最適化したコードを生成します）。

問題 4–26

前問のプログラムを次のように書きかえよ：'*' ではなく '+' と '-' を交互に表示する。奇数行の先頭は '+' として、偶数行の先頭は '-' とする。

```c
// width個ごとに改行しながら'+'と'-'を表示
#include <stdio.h>

int main(void)
{
    int no, width;

    printf("何個表示しますか：");          scanf("%d", &no);
    printf("何個ごとに改行しますか：");  scanf("%d", &width);

    if (no > 0) {
        int rem = no % width;
        int wid = width / 2;         // 列数の半分
        int odd = width % 2;         // 列数は奇数か？
        for (int i = 0; i < no / width / 2; i++) {
            for (int j = 0; j < wid; j++) printf("+-");  if (odd) putchar('+');
            putchar('\n');
            for (int j = 0; j < wid; j++) printf("-+");  if (odd) putchar('-');
            putchar('\n');
        }
        if (no / width % 2) {
            for (int j = 0; j < wid; j++) printf("+-");  if (odd) putchar('+');
            putchar('\n');
        }
        if (rem > 0) {
            switch (no / width % 2) {
             case 0 : for (int j = 0; j < rem / 2; j++) printf("+-");
                      if (rem % 2) putchar('+');
                      break;
             case 1 : for (int j = 0; j < rem / 2; j++) printf("-+");
                      if (rem % 2) putchar('-');
                      break;
            }
            putchar('\n');
        }
    }

    return 0;
}
```

```
          実行例
何個表示しますか：18⏎
何個ごとに改行しますか：7⏎
+-+-+-+
-+-+-+-
+-+-
```

繰返しの過程における一定間隔に行う処理

問題 **4-19** と前問に準じて、除算の回数を極力少なくした解です。

次のように実現すると、見かけ上は短くすっきりとなりますが、繰返しのたびに2回の除算が行われることになります。

```c
int line = 1;        // 何行目か
int column = 1;      // 何列目か
for (int i = 0; i < no; i++) {
    putchar((line + column++) % 2 ? '-' : '+');
    if (i % width == width - 1) {
        line++;
        column = 1;
        putchar('\n');
    }
}
if (no % width != 0)
    putchar('\n');
```

問題 4-27

▶『明解』演習 4-23 (p.107)

読み込んだ整数を短辺の長さとしてもつ直角二等辺三角形を表示するプログラムを作成せよ。左下が直角のもの、左上が直角のもの、右下が直角のもの、右上が直角のものを作ること。

```c
// 左下が直角の直角二等辺三角形を表示
#include <stdio.h>

int main(void)
{
    int len;

    puts("左下直角二等辺三角形を作ります。");
    printf("短辺：");
    scanf("%d", &len);

    for (int i = 1; i <= len; i++) {    // i行 (i = 1, 2, … , len)
        for (int j = 1; j <= i; j++)    // 各行にi個の'*'を表示
            putchar('*');
        putchar('\n');                  // 改行
    }

    return 0;
}
```

```
実行例
左下直角二等辺三角形
を作ります。
短辺：5⏎
*
**
***
****
*****
```

```c
// 左上が直角の直角二等辺三角形を表示
#include <stdio.h>

int main(void)
{
    int len;

    puts("左上直角二等辺三角形を作ります。");
    printf("短辺：");
    scanf("%d", &len);

    for (int i = len; i >= 1; i--) {    // i行 (i = len, len - 1, … , 1)
        for (int j = 1; j <= i; j++)    // 各行にi個の'*'を表示
            putchar('*');
        putchar('\n');                  // 改行
    }

    return 0;
}
```

```
実行例
左上直角二等辺三角形
を作ります。
短辺：5⏎
*****
****
***
**
*
```

直角二等辺三角形の描画

いずれのプログラムも、三角形の短辺の長さを変数 len に読み込んで、len 行分の表示を行います。各行における表示の際に出力する空白文字と記号文字の個数をまとめたのが右ページの図です。

▪ 左下／左上が直角の二等辺三角形

各行に記号文字＊と改行文字を出力します。記号文字の個数は、図 **a** の左下直角の二等辺三角形では i 行目に i 個（i は 1 ⇨ len とインクリメント）、図 **b** の左上直角の二等辺三角形では i 行目に i 個です（i は len ⇨ 1 とデクリメント）。

▪ 右下／右上が直角の二等辺三角形

各行に空白文字と記号文字＊と改行文字を出力します。表示する空白文字と記号文字の個数は、行によって異なるものの、各行での合計は len 個です（この点は図 **c** と図 **d** とで共通です）。

```
// 右下が直角の直角二等辺三角形を表示
#include <stdio.h>

int main(void)
{
    int len;

    puts("右下直角二等辺三角形を作ります。");
    printf("短辺：");
    scanf("%d", &len);

    for (int i = 1; i <= len; i++) {         // i行 (i = 1, 2, … , len)
        for (int j = 1; j <= len - i; j++)   // 各行にlen - i個の' 'を表示
            putchar(' ');
        for (int j = 1; j <= i; j++)         // 各行にi個の'*'を表示
            putchar('*');
        putchar('\n');                       // 改行
    }

    return 0;
}
```

実行例
右下直角二等辺三角形を作ります。
短辺：5⏎
　　　　*
　　　**
　　***
　****
*****

```
// 右上が直角の直角二等辺三角形を表示
#include <stdio.h>

int main(void)
{
    int len;

    puts("右上直角二等辺三角形を作ります。");
    printf("短辺：");
    scanf("%d", &len);

    for (int i = len; i >= 1; i--) {         // i行 (i = len, len - 1, … , 1)
        for (int j = 1; j <= len - i; j++)   // 各行にlen - i個の' 'を表示
            putchar(' ');
        for (int j = 1; j <= i; j++)         // 各行にi個の'*'を表示
            putchar('*');
        putchar('\n');                       // 改行
    }

    return 0;
}
```

実行例
右上直角二等辺三角形を作ります。
短辺：5⏎
*****
　****
　　***
　　　**
　　　　*

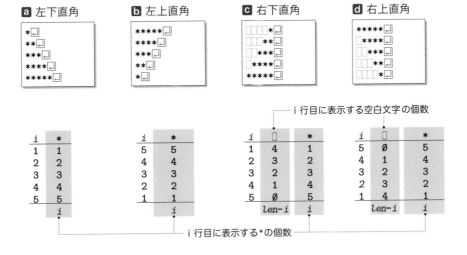

4 プログラムの流れの繰返し

問題 4-28

▶『明解』演習 4-24 (p.107)

読み込んだ整数の段数をもつピラミッドを表示するプログラムを作成せよ。第 i 行目には $(i - 1) * 2 + 1$ 個の '*' 記号を表示すること。

```c
// ピラミッドを描画
#include <stdio.h>

int main(void)
{
    int h;

    puts("ピラミッドを作ります。");
    printf("何段ですか：");
    scanf("%d", &h);

    for (int i = 1; i <= h; i++) {              // i行 (i = 1, 2, …, h)
        for (int j = 1; j <= h - i; j++)        // h - i個の' 'を表示
            putchar(' ');
        for (int j = 1; j <= 2 * i - 1; j++)    // 2 * i - 1個の'*'を表示
            putchar('*');
        putchar('\n');                          // 改行
    }
    return 0;
}
```

実行例
```
ピラミッドを作ります。
何段ですか：3⏎
  *
 ***
*****
```

上向きピラミッドの表示

ピラミッド（厳密には二等辺三角形）を表示する問題です。変数 i を 1 から h までインクリメントする for 文の中に入っている 2 個の for 文は、次のことを行います（図 **a**）。

1 空白文字 ' ' を $h - i$ 個表示する。

2 記号文字 '*' を $2 * i - 1$ 個表示する。

下向きピラミッドの表示

ここからは、次問の解説です。第 i 行目に $i \% 10$ を表示することで、何行目なのかが一目で分かる表示を行うプログラムです（変数 i は 1 から h までインクリメントされます）。

2重ループの内側の 2 個の for 文は、次のことを行います（図 **b**）。

3 空白文字を $i - 1$ 個表示する。

4 数字文字を $2 * (h - i) + 1$ 個表示する。

a 上向き記号ピラミッド

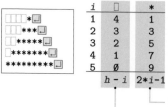

b 下向き数字ピラミッド

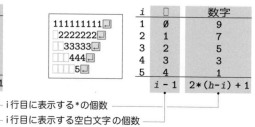

▶『明解』演習 4-25 (p.107)

問題 4-29

読み込んだ整数の段数をもつ下向き数字ピラミッドを表示するプログラムを作成せよ。第 *i* 行目には *i* % 10 によって得られる数字を表示すること。

```c
// 下向き数字ピラミッドを描画
#include <stdio.h>

int main(void)
{
    int h;

    puts("下向き数字ピラミッドを作ります。");
    printf("何段ですか：");
    scanf("%d", &h);

    for (int i = 1; i <= h; i++) {          // i行 (i = 1, 2, …, h)
        for (int j = 1; j <= i - 1; j++)    // i - 1個の' 'を表示    3
            putchar(' ');
        for (int j = 1; j <= 2 * (h - i) + 1; j++)  // 数字を表示    4
            printf("%d", i % 10);
        putchar('\n');                      // 改行
    }
    return 0;
}
```

```
実行例
下向き数字ピラミッドを作ります。
何段ですか：3␛
11111
 222
  3
```

自由形式

C言語では、原則として、自由な位置にプログラムを記述できます。一部のプログラミング言語のように、プログラムの各行を、特定の桁位置を先頭に記述せねばならないとか、一つの文を一つの行に収めなければならないといった制限はありません。

すなわち、**自由形式**（free formatted）の記述が許されます。ただし、以下のような制限があります。

① 単語の途中に空白類文字を入れてはいけない

int や return などのキーワード、n1 や a2 などの識別子、+= や ++ などの演算子は、ひとつの『単語』です。これらの途中に**空白類文字**（空白文字、タブ、改行など）を入れてはいけません。

② 前処理指令の途中で改行してはいけない

自由形式であるC言語も、#include などのように、先頭が # 文字で始まる行は特別扱いです。これらは原則として、1行で記述する必要があります。

▶ 前処理指令は、#include や #define など、先頭が # 文字で始まる特殊な宣言です（なお、# は行の先頭でなくてもよく、# の前に空白文字が入っていても構いません）。

③ 文字列リテラルの途中や文字定数の途中で改行してはいけない

二重引用符で文字の並びを囲んだ文字列リテラル "…" や、単一引用符で文字を囲んだ文字定数 '…' も、一種の単語です。これらの途中に改行文字などを入れてはいけません。

錬成問題

- int 型の変数 n1、n2、n3 の値が、それぞれ 15、7、0 であるとする。このとき、以下の各式を評価した値を示せ。

    | ! n1 | … (1) | ! n3 | … (2) |
    | ! (n1 != n2) | … (3) | ! (n2 == n3) | … (4) |
    | n1++ | … (5) | ++n3 | … (6) |
    | n2++ * n1 | … (7) | ++n2 * n1 | … (8) |

- int 型の変数 n1 の値が 15 であるとする。このとき、以下の各文が実行された後の n1 の値を示せ。

    | n1 += 10; | … (9) | n1 -= 20; | … (10) |
    | n1 *= 4; | … (11) | n1 /= 10; | … (12) |
    | n1 %= 6; | … (13) | | |

- 演算子 ! の名称は (14) 演算子である。

- 演算子 *=、/=、%=、+= のように、演算と代入という二つの働きをもった演算子の総称は、(15) 演算子である。

- 演算子 ++ と -- は、それぞれ 2 種類がある。++a や --a のようにオペランドの左側に置く演算子の名称は、(16) 増分（減分）演算子であり、a++ や a-- のようにオペランドの右側に置く演算子の名称は、(17) 増分（減分）演算子である。

- 繰返しのことをカタカナ 3 文字で (18) と呼び、入れ子構造となっている繰返しのことを (19) (18) と呼ぶ。

- ド・モルガンの法則によって、以下の関係が成立する。
    - x && y と (20) (!x (21) !y) は等しい。
    - x || y と (22) (!x (23) !y) は等しい。

- 'A' や 'X' のように単一引用符 ' で文字を囲んだ式を、(24) と呼び、その型は (25) 型である。

- 空白文字や改行文字やタブ文字などの総称は、(26) 文字である。

- if や else などの語句は、特別な意味が与えられており、(27) と呼ばれる。また、変数や関数などに与えられる名前は (28) と呼ばれる。

- 以下に示すのは、1以上100以下の整数を変数nに読み込む（範囲外の値が入力された場合は、再入力させる）プログラム部分である。

```
   (29)   {
    printf("1～100の整数を入力してください：");
    scanf("%d", &n);
    if (n < 0   (30)   n > 100)
        puts("\a範囲外の値を入力しないでください。");
}   (31)   (n < 0   (32)   n > 100);
```

```
   (33)   (1) {
    printf("1～100の整数を入力してください：");
    scanf("%d", &n);
    if (n >= 1   (34)   n <= 100)
        break;
    puts("\a範囲外の値を入力しないでください。");
}
```

- 以下に示すのは、読み込んだ整数値の個数だけ「温故知新」と表示するプログラムである。

```
   (35)  include <stdio.   (36)  >

   (37)   main(void)
{
    int   (38)  ;

      (39)  ("何個表示しますか：");
      (40)  ("%d",   (41)  no);

      (42)   (int i = 0;   (43)   < no; i++)
          (44)  ("温故知新");
      (45)  ('\n');

    return 0;
}
```

```
何個表示しますか：3⏎
温故知新温故知新温故知新
```

- 以下に示す名前が、識別子として構文的に正しいかどうかを○×で答えよ。

_a	…	(46)	$ab … (47)
ab_c	…	(48)	pc9821 … (49)
while	…	(50)	While … (51)
BMW740Li	…	(52)	007 … (53)
___a	…	(54)	___1 … (55)
a___	…	(56)	1___ … (57)

- 以下に示すプログラム部分の実行結果を示せ。

```
printf("%d\n", !1);
printf("%d\n", !0);
```

   (58)

- do 文と while 文と for 文の総称は [59] である。do 文では、ループ本体は [60] 。while 文では、ループ本体は [61] 。for 文では、ループ本体は [62] 。

  ※ [60] ～ [62] の選択肢：

  　　　(a)一度は必ず実行される　(b)一度も実行されないことがある

- 演算子 ++ の名称は [63] 演算子であり、演算子 -- の名称は [64] 演算子である。++ はオペランドの値を [65] 増やし、その演算はカタカナ7文字で [66] と呼ばれる。-- はオペランドの値を [67] 減らし、その演算はカタカナ6文字で [68] と呼ばれる。

- 以下に示すのは、いずれも *n1* から *n2* までの整数を縦に（1行に1文字ずつ）表示するプログラム部分である。

```
int i = n1;
while ( [69] )
    printf(" [70] ", i++);
```

```
int i = n1;
while ( [71] ) {
    printf(" [70] ", [72] );
    i++;
}
```

```
for (int i = [73] ; [74] ; [75] )
    printf(" [76] ", i);
```

```
for (int i = 1; [77] ; i++) {
    printf("%d", [78] );
    [79] (' [80] ');
}
```

- 以下に示すのは、いずれも + を *no* 個表示するプログラム部分である。

```
int i = 0;

while ( [81] ) {
    i++;
    putchar('+');
}
```

```
int i = 1;

while ( [82] ) {
    i++;
    putchar('+');
}
```

```
while ( [83] > 0)
    putchar('+');
```

```
while ( [84] >= 0)
    putchar('+');
```

```
for (int i = 0; [85] ; ++i)
    putchar('+');
```

```
for (int i = 1; [86] ; i++)
    putchar('+');
```

- 以下に示すのは、いずれも +-+-… を全部で *no* 文字表示するプログラム部分である。

  ※たとえば、*no* が4であれば +-+- と表示して、7であれば +-+-+-+ と表示する。

```
for (int i = 0; [87] ; i++)
    putchar( [88] ? '+' : '-');
```

```
for (int i = 1; [89] ; i++)
    putchar( [90] ? '-' : '+');
```

```
for (int i = 0; [91] ; i++)
    printf("+-");
if ( [92] == 1)
    putchar('+');
```

```
for (int i = 1; [93] ; i++)
    printf("+-");
if ( [94] == 1)
    putchar('+');
```

- 右に示すプログラム部分の実行結果
を示せ。

```
for (int i = 1; i < 3; i++);
    printf("ABC");
```
(95)

- 右に示すのは、正の整数値 *n* の全桁の合計を変数 *sum* に求
めるプログラムである（たとえば *n* が 513 であれば、*sum* の
値は 5 + 1 + 3 すなわち 9 となる）。

```
sum = Ø;
while (n > (96) ) {
    sum += (97) ;
    n /= (98) ;
}
```

- 以下に示すのは、1 から *n* までの全整数の積を *fact* に求めるとともに、その計算式と結果を
表示するプログラム部分である（たとえば *n* が 5 であれば、*fact* の値を 12Ø にするとともに、
『1 * 2 * 3 * 4 * 5 = 12Ø』と表示する）。なお、*n* には 1 以上の正の整数値が与えられ
ているものとする。

```
int fact = 1;

for (int i = 1; i < (99) ; i++) {
    printf(" (100) ", (101) );
    fact (102) i;
}
fact (103) n;
printf(" (104) \n", (105) );
```

- 以下に示すのは、非負の整数を次々と読み込んでいき、各値の2乗値の和を表示するプログ
ラムである。なお、整数の読込みは、負の整数を読み込んだ段階で終了するものとし、その
数の2乗値の和は加算しないものとする。

```
# (106) < (107) .h>

int (108) (void)
{
    int i = (109) ;
    int sum = (110) ;
    int no;

    (111) ("整数を入力してください。");

    do {
        printf("No.%d : ", ++ (112) );
        scanf("%d", & (113) );

        if ( (114) )
            sum += no * (115) ;
    } while ( (116) );

    printf("2乗値の合計は%dです。\n", (117) );

    return Ø;
}
```

整数を入力してください。
No.1：3⏎
No.2：5⏎
No.3：-1⏎
2乗値の合計は34です。

4

プログラムの流れの繰返し

103

- do 文が行うのは [(118)] 判定繰返しであり、**while** 文と **for** 文が行うのは [(119)] 判定繰返しである。

- 以下に示すのは、九九の表を出力するプログラム部分である。

```
printf("  |");
for (int i = 1; i <= 9; i++)
    printf("%3d", [(120)]);

printf("\n--+-");
for (int i = 1; i <= [(121)]; i++)
    printf("---");
putchar('\n');

for (int i = 1; i <= [(122)]; i++) {
    printf("%d |", [(123)]);
    for (int j = 1; j <= 9; j++)
        printf("[(124)]", [(125)]);
    putchar('\n');
}
```

```
  | 1  2  3  4  5  6  7  8  9
--+---------------------------
1 | 1  2  3  4  5  6  7  8  9
2 | 2  4  6  8 10 12 14 16 18
3 | 3  6  9 12 15 18 21 24 27
4 | 4  8 12 16 20 24 28 32 36
5 | 5 10 15 20 25 30 35 40 45
6 | 6 12 18 24 30 36 42 48 54
7 | 7 14 21 28 35 42 49 56 63
8 | 8 16 24 32 40 48 56 64 72
9 | 9 18 27 36 45 54 63 72 81
```

- 以下に示すのは、記号文字 '+' を、w 個ごとに改行しながら、計 n 個表示するプログラムである（n と w は正の整数値が与えられるものとする）。最後の '+' の出力の後には改行文字を1個だけ出力するものとし、2個以上出力してはならない（実行例に示すのは n が 15 で w が 6 の場合の出力）。

```
for (int i = 1; i <= [(126)]; i++) {
    putchar('+');
    if ([(127)])
        putchar('\n');
}
if ([(128)])
    putchar('\n');
```

```
++++++
++++++
+++
```

- 以下に示すのは、**int** 型整数 n の値を 15 桁の幅で右寄せに表示するプログラムである（実行例に示すのは n が 1234567890 の場合と、n が -1234567890 の場合である。なお、実行例中の☐は空白文字である）。

  ▶ **int** 型が表現できる範囲は処理系によって異なるため、**int** 型で 1234567890 を表現できるとは限らない（第7章で学習します）。

```
int d = ([(129)]) ? 1 : 0;
int x = ([(130)]) ? n : -n;

while (x > 0) {
    d [(131)];
    x [(132)] 10;
}

for (int i = 0; i < [(133)]; i++)
    putchar(' ');

printf("[(134)]", [(135)]);
```

```
☐☐☐☐☐1234567890
```

```
☐☐☐☐-1234567890
```

- 以下に示すのは、記号文字 '+' を、w個ごとに改行しながら、計n個表示するプログラムである。表示においては、3行おきに空の行を出力する。最後の '+' の出力の後に改行文字を1個だけ出力するものとし、2個以上出力してはならない（nとwは正の整数値が与えられるものとする。実行例に示すのはnが45でwが6の場合の出力）。

```
int p = │(136)│ ;
int q = │(137)│ ;

for (int i = 1; i <= │(138)│ ; i++) {
    for (int j = 1; j <= w; j++)
        putchar('+');
    putchar('\n');
    if (i % 3 == 0 && │(139)│ )
        putchar('\n');
}

for (int i = 1; i <= │(140)│ ; i++)
    putchar('+');

if (q != 0) putchar('\n');
```

```
++++++
++++++
++++++

++++++
++++++
++++++

++++++
+++
```

- 以下に示すプログラム部分の実行結果を示せ。

```
int y = 3;
int z = 3;
while (y >= 0)
    printf("%d %d\n", y--, ++z);
```

│(141)│

- 以下に示すプログラム部分の実行結果を示せ。

```
int i = 1;
for (i = 0; i <= 3; i++);
    printf("Hello! %d\n", i);
```

│(142)│

- 以下に示すプログラム部分の実行結果を示せ。

```
for (int i = 1; i <= 5; i++) {
    for (int j = 1; j < i; j++)
        printf("%d", j);
    putchar('\n');
}
```

│(143)│

- 以下に示すプログラム部分の実行結果を示せ。

```
for (int i = 3; i <= 7; i++) {
    for (int j = 1; j <= i; j++)
        printf("%d", j);
    putchar('\n');
}
```

│(144)│

- セミコロンだけの文の名称は、 (145) である。

- *x* && *y* と !(!*x* || !*y*) とが等しく、*x* || *y* と !(!*x* && !*y*) とが等しいことを、 (146) の法則と呼ぶ。

- 以下に示すのは、*height* 行 *width* 列の平行四辺形（上辺と下辺は水平で、段が下がるたびに1文字分ずつずれていくもの）を表示するプログラム部分である。

```
for (int i = 0; (147) ; (148) ) {
    for (int j = 0; (149) ; (150) ) {
        putchar(' ');
    }
    for (int j = 0; (151) ; (152) ) {
        putchar('*');
    }
    putchar('\n');
}
```

```
 *****
  *****
   *****
```

- 以下に示すのは、*n* 以下の 10 の倍数（たとえば *n* が 45 であれば、10、20、30、40）を小さいほうから順に1行に1個ずつ表示するプログラム部分である。

```
for (int i = 1; (153) ; (154) )
    printf("%d\n", i * (155) );
```

- 以下に示すのは、*height* 行 *width* 列の数字を表示するプログラム部分である。
  なお、1行目には 1234567890 … を列数の個数だけ表示して、2行目には
  2345678901 … を列数の個数だけ表示する（以下同様である。第 *i* 行の最
  初の数字は、*i* を 10 で割った剰余とする）。

```
for (int i = 1; i <= height; i++) {
    for (int j = 1; j <= width; j++)
        printf("%d", (156) );
    putchar('\n');
}
```

```
123456789012
234567890123
345678901234
456789012345
567890123456
678901234567
789012345678
890123456789
901234567890
012345678901
123456789012
```

- 以下に示すのは、変数 *n* が正であれば、*n* から 0 までカウントダウン表示して、負であれば 0 までカウントアップ表示して、0 であれば何も行わないプログラム部分である。

```
if (no > 0) {
    for (int i = (157) ; i >= 0; (158) )
        printf("%d ", (159) );
    putchar('\n');
} else if ( (160) ) {
    for (int i = (161) ; i <= 0; (162) )
        printf("%d ", (163) );
    putchar('\n');
}
```

```
3 2 1 0
```

```
-3 -2 -1 0
```

- 以下に示すのは、9から1までの整数値を1文字分ずつずらしながら表示する（9は1桁目、8は2桁目、… 1は9桁目に表示する）プログラム部分である。

```
for (int i = 9; (164) ; (165) ) {
    for (int j = 1; (166) ; (167) )
        putchar( (168) );
    printf("%d\n", (169) );
}
```

```
9
 8
  7
…中略…
        1
```

4

プログラムの流れの繰返し

- 以下に示すプログラム部分の実行結果を示せ。

```
for (int i = 3; i <= 15; i++) {
    printf("%d : ", i);
    for (int j = 2; j < i; j++) {
        printf("%d ", j);
        if (i % j == 0)
            break;
    }
    putchar('\n');
}
```

(170)

- 以下に示すプログラム部分の実行結果を示せ。

```
for (int i = 3; i <= 15; i++) {
    printf("%d : ", i);
    for (int j = 2; j < i; j++) {
        if (i % j != 0)
            continue;
        printf("%d ", j);
    }
    putchar('\n');
}
```

(171)

- 以下に示すプログラム部分の実行結果を示せ。

```
for (int i = 1; i <= 7; i++) {
    for (int j = 1; j <= 7; j++)
        if (i != j) printf("%d", j);
    putchar('\n');
}
```

(172)

- 以下に示すプログラムの誤りを指摘せよ。… (173)

```
include <studio.h>

int main(void)
(
    int switch;

    print("整数を入力してください：");
    scan("%d", switch);

    for (int i = 0; i < switch)
        print("%d", switch);

    retrun 0;
)
```

第5章

配　列

問題 5-1

▶『明解』演習 5-1 (p.119)

要素型が int 型で要素数が 5 の配列を用意して、各要素に先頭から順に 0、1、2、3、4 を代入・表示するプログラムを作成せよ。

```c
// 配列の各要素に先頭から順に0～4を代入して表示
#include <stdio.h>

int main(void)
{
    int a[5];      // int[5]型の配列

    for (int i = 0; i < 5; i++)      // 要素に値を代入
        a[i] = i;

    for (int i = 0; i < 5; i++)      // 要素の値を表示
        printf("a[%d] = %d\n", i, a[i]);

    return 0;
}
```

実行結果
```
a[0] = 0
a[1] = 1
a[2] = 2
a[3] = 3
a[4] = 4
```

printf の `%d` が添字、`a[i]` が要素の値。

配列

オブジェクト（変数）の集合を連番の整数値で管理する**配列**（array）は、同一型のオブジェクトである**要素**（element）が直線状に連続して並んだものです。

なお、要素の型は int 型、double 型など何でも構いません。

▪ 配列の宣言（配列を使う準備）

宣言の際は、**要素型**（element type）、**配列名**（変数名＝識別子）、**要素数**を、下図 **b** に示す形式で指定します。なお、[ ] の中に与える要素数は**定数**とするのが原則です。

本プログラムで宣言されている、名前 a の配列は、要素型が int で、要素数が 5 です。

▪ 配列要素のアクセス（配列の使い方）

配列 a の要素は、すべて int 型のオブジェクトです。異なる型の要素が混在するようなことはありません。

もちろん、個々の要素の**アクセス**（読み書き）は、自由に行えます。右ページの表に示している**添字演算子**（subscript operator）を使います。

添字演算子 [ ] の中に与えるオペランドは**添字**（subscript）と呼ばれ、"先頭から何個後ろの要素であるのか" を表す整数値です。

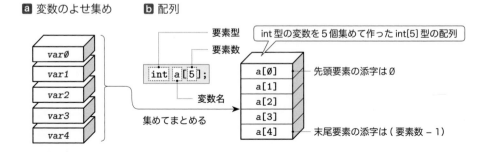

問題 5-2

▶『明解』演習 5-2 (p.119)

要素型が int 型で要素数が 5 の配列を用意して、各要素に先頭から順に 5、4、3、2、1 を代入・表示するプログラムを作成せよ。

```
// 配列の各要素に先頭から順に5～1を代入して表示
#include <stdio.h>

int main(void)
{
    int a[5];    // int[5]型の配列

    for (int i = 0; i < 5; i++)       // 要素に値を代入
        a[i] = 5 - i;

    for (int i = 0; i < 5; i++)       // 要素の値を表示
        printf("a[%d] = %d\n", i, a[i]);

    return 0;
}
```

```
実行結果
a[0] = 5
a[1] = 4
a[2] = 3
a[3] = 2
a[4] = 1
```

5
配列

配列要素のアクセスと走査

配列の先頭要素の添字は 0 です。そのため、配列 a の個々の要素をアクセスする**添字式**は、先頭から順に a[0]、a[1]、a[2]、a[3]、a[4] となります。

要素数 n の配列の要素は a[0]、a[1]、…、a[n - 1] であって、**a[n] は存在しません**。

▶ 配列の宣言の [ ] は、単なる**区切り子**で、個々の要素をアクセスする [ ] は、**演算子**です。

なお、a[-1] や a[n] などの存在しない要素をアクセスした際の動作は保証されません。誤ってアクセスしないように注意しましょう。

◉ 添字演算子

添字演算子	a[b]	配列 a の先頭から b 個後ろの要素をアクセスする。

なお、配列の要素を一つずつ順番になぞっていくことを**走査**（traverse）といいます。前問も本問も、要素への値の代入と、要素の値の表示の両方で走査を行っています。

前問では、走査の過程で a[i] に i を代入し、本問では a[i] に 5 - i を代入しています。

▶ 表示のための走査を行う for 文は複雑です。開いて書くと、右のようになります。

```
printf("a[%d] = %d\n", 0, a[0]);
printf("a[%d] = %d\n", 1, a[1]);
printf("a[%d] = %d\n", 2, a[2]);
printf("a[%d] = %d\n", 3, a[3]);
printf("a[%d] = %d\n", 4, a[4]);
```

一般に、要素型が Type である配列を『**Type の配列**』と呼びます。前問と本問のプログラムの配列は、いずれも『**int の配列**』です。

また、要素型が Type 型で要素数が n の配列の型を **Type[n] 型**と表します。前問と本問のプログラムの配列 a の型は、**int[5] 型**です。

▶ 本書では、型に関する一般的な規則を示す際に、『Type 型』という表現を使います（Type という型が実在するのではありません）。

```
問題 5-3                                          ▶『明解』演習 5-3 (p.121)

    要素型が int 型で要素数が 5 の配列を用意して、各要素を先頭から順に 5、4、3、2、1 で初期化・
表示するプログラムを作成せよ。
```

```c
// 配列の各要素を先頭から順に5～1で初期化して表示
#include <stdio.h>

int main(void)
{
    int a[5] = {5, 4, 3, 2, 1};          // 初期化

    for (int i = 0; i < 5; i++)          // 要素の値を表示
        printf("a[%d] = %d\n", i, a[i]);

    return 0;
}
```

```
実行結果
a[0] = 5
a[1] = 4
a[2] = 3
a[3] = 2
a[4] = 1
```

配列の初期化

　前問のプログラムを書きかえて、配列の要素に対する値の設定を、代入でなく初期化で行う
ようにしたのが、本問のプログラムです。

　配列 a に与えられている初期化子 {5, 4, 3, 2, 1} に着目しましょう。各要素に対する
初期化子をコンマ , で区切って順に並べたものを { } で囲んだ形式です。この初期化子によって、
a[0]、a[1]、a[2]、a[3]、a[4] は、順に 5、4、3、2、1 で初期化されます。

　さて、配列の初期化子には、複雑な規則があります。

▪ 最後の初期化子の後ろにも , を置ける

　次のように、最後の初期化子の後ろにも , を置けます。

```
int a[5] = {5, 4, 3, 2, 1,};      // 最後の初期化子の後ろにも,を置ける
```

▪ 初期化子の個数から要素数が自動的に決定する

　次のように配列の要素数を与えずに宣言すると、初期化子の個数に基づいて、配列の要素
数が自動的に決定されます（要素数の指定が不要となります）。

```
int a[] = {5, 4, 3, 2, 1};        // 要素数は省略可（自動的に5とみなされる）
```

▪ { } 内に初期化子が与えられていない要素は 0 で初期化される

　次の宣言では、a[2] 以降の要素は 0 で初期化されます。

```
int a[5] = {1, 3};                // {1, 3, 0, 0, 0}で初期化
```

このことを応用すると、全要素を 0 で初期化する宣言は、次のようになります。

```
int a[5] = {0};                   // {0, 0, 0, 0, 0}で初期化
```

　初期化子が与えられた a[0] が 0 で初期化されるのは当然ですが、初期化子が与えられてい
ない a[1] 以降の全要素も 0 で初期化されます。

なお、初期化子の個数が配列の要素数を超えると、エラーになります。

```
int v[3] = {1, 2, 3, 4};        // エラー：初期化子が要素数より多い
```

なお、初期化子を代入することはできません。誤った例を示します。

```
int v[3];
v = {1, 2, 3};                  // エラー：初期化子は代入できない
```

Column 5-1 | **可変長配列と要素指示子（その1）**

ここでは、配列に関して、いくつかの点を補足学習します。

▪ 可変長配列（VLA = variable length array）

配列を定義する際は、要素数を定数とするのが原則であることを、p.110 で学習しました。

標準Cの第2版では、その制限が緩和され、要素数を変数とした**可変長配列**が定義できるようになっています。たとえば、次のようなコードが許されます（**標準Cの第1版ではエラーとなります**）。

```
// 標準C第2版での配列の宣言（第1版ではエラー）
void func(int n)
{
    int a[n];               // 要素数nの配列（要素数は実行時に決定する）
    //--- 中略 ---//
}
```

この言語拡張に対して、私は当初から疑問をもっていました（C言語の設計思想と相容れないからです）。

事実、可変長配列は、標準Cの第3版から "**オプション扱い**" となって、コンパイラはサポートしなくてよいことになっています（コンパイラが可変長配列をサポートしない場合は、`__STDC_NO_VLA__` というマクロが定義されます）。

▪ 要素指示子（designator）

標準Cの第2版では、配列に与える初期化子についても拡張が行われています。**要素指示子**（指示付き初期化子）を使うことで、配列の任意の要素に対する初期化子の指定が行えます。

次に示すのが、宣言の一例です。

```
int a[] = {[2] = 5, 9, [6] = 3, 1};
```

この宣言により、a[2] が 5、その次の要素が 9、a[6] が 3、その次の要素が 1 で初期化されます。

最後の初期化子が8番目の要素 a[7] に対するものであることから、配列 a の要素数は自動的に 8 となります。また、初期化子が不足する要素は 0 で初期化されますので、次の宣言と同等です。

```
int a[8] = {0, 0, 5, 9, 0, 0, 3, 1};
```

なお、要素数が 1000 の配列の最後の要素のみを 1 で初期化して、それ以外の要素を 0 で初期化するのであれば、次のようになります。

```
int a[1000] = {[999] = 1};
```

なお、第12章で学習する**構造体**型のオブジェクトを宣言する際に与える初期化子でも、要素指示子が利用できるようになっています。

問題 5-4

▶『明解』演習 5-4 (p.127)

配列の全要素の並びを反転するプログラムを作成せよ。要素数はオブジェクト形式マクロで定義すること。要素の交換を行う回数に関する規則性を見つける必要がある。

```c
// 配列の全要素の並びを反転する
#include <stdio.h>

#define NUMBER  7                   // 配列xの要素数

int main(void)
{
    int x[NUMBER];                  // int[NUMBER]型の配列

    for (int i = 0; i < NUMBER; i++) {  // 要素に値を読み込む
        printf("x[%d] : ", i);
        scanf("%d", &x[i]);
    }

    for (int i = 0; i < NUMBER / 2; i++) {
        int temp          = x[i];
        x[i]              = x[NUMBER - i - 1];
        x[NUMBER - i - 1] = temp;
    }

    puts("反転しました。");
    for (int i = 0; i < NUMBER; i++)          // 要素の値を表示
        printf("x[%d] = %d\n", i, x[i]);

    return 0;
}
```

実行例
```
x[0] : 1⏎
x[1] : 6⏎
x[2] : 2⏎
x[3] : 7⏎
x[4] : 3⏎
x[5] : 9⏎
x[6] : 8⏎
反転しました。
x[0] = 8
x[1] = 9
x[2] = 3
x[3] = 7
x[4] = 2
x[5] = 6
x[6] = 1
```

x[i] と x[NUMBER−i−1]を交換

NUMBER … 翻訳時に7に置換される

オブジェクト形式マクロ

配列の要素数を**オブジェクト形式マクロ**（object–like macro）で定義しています。その宣言となる **#define 指令**（#define directive）の形式は、次のとおりです。

```
#define  a  b        // この指令以降のaをbに置換せよ
```

この指令によって、この指令以降に置かれた a が b に**置換**された上で、プログラムが翻訳・実行されます（指令より前のものは、置換の対象となりません）。

置換の対象となる a は、**マクロ名**（macro name）と呼ばれます。マクロ名は、通常の変数名などと区別しやすいように、大文字とするのが原則です。本プログラムでは、マクロ名は NUMBER であり、プログラム中の NUMBER が 7 に置換されます。

なお、配列の要素数の変更は容易です。たとえば 8 に変更するのであれば、マクロ定義を

```
#define NUMBER  8            // 配列xの要素数
```

に書きかえるだけです（そうすると、プログラム中の NUMBER が 8 に置換されます）。

＊

マクロを利用するメリットは、値の管理を1箇所に集約できることだけではありません。定数に対して名前が与えられますので、プログラムが読みやすくなります。

▶ プログラム中に書かれた 7 や 8 などの定数は、**マジックナンバー**と呼ばれます（何を表すための数値なのか、よくわからない数、という意味です）。オブジェクト形式マクロを導入すると、プログラム中のマジックナンバーを除去できます。

マクロを使うことによって、プログラム内部の品質（読みやすさ、変更のしやすさ）が向上します。プログラム中にはマジックナンバー（秘密の数値）を埋め込まず、オブジェクト形式マクロによって名前を与えるようにします。

▶ 文字列リテラルや文字定数内の綴り、変数名などの識別子の一部としての綴り（たとえば、文字列リテラル "NUMBER = " や、変数名 *NUMBER_1* 内の NUMBER）は、置換の対象外です。

配列の要素の並びの反転と2値の交換

配列要素の並びを反転するのが、網かけ部の for 文です。その挙動を、図を見ながら理解しましょう（*NUMBER* は 7 として考えていきます）。

この for 文では、《2値の交換》を次のように行っています。

- x[0] の値と x[6] の値を交換
- x[1] の値と x[5] の値を交換
- x[2] の値と x[4] の値を交換

交換の回数は、要素数を2で割った商です。

▶ 割り切れない場合の剰余は切り捨てます。そのため、要素数が 8 や 9 であれば 4 回、10 や 11 であれば 5 回、12 や 13 であれば 6 回、… となります。

さて、2値の交換の手順を一般的に示したのが、下図です。a と b の値を交換するために、作業用の変数 t を用意して、やりくりします。

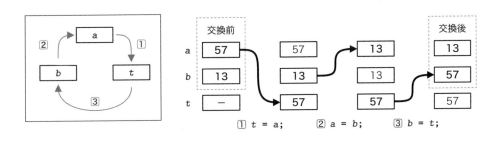

具体的には、次の3ステップで構成されています。

① t = a;　a の値を t に保存。
② a = b;　b の値を a に代入。
③ b = t;　t に保存していた最初の a の値を b に代入。

本プログラムで a, b, t に相当するのは、x[i], x[NUMBER - i - 1], temp です。

for 文の繰返しの過程で、変数 i の値は 0 ⇨ 1 ⇨ 2 と変化して、NUMBER - i - 1 の値は 6 ⇨ 5 ⇨ 4 と変化します。

▶ なお、2値の交換を次のように行うことはできません。
　　a = b;　b = a;
これだと、変数 a と b の両方の値が、代入前の b の値となってしまいます。

問題 5-5

▶『明解』演習 5-5 (p.127)

変数 a が double 型で、変数 b が int 型であるとする。次の代入によって、それぞれの変数の値はどうなるかを説明せよ。

```
a = b = 1.5;
```

```c
// 代入後の変数の値を表示
#include <stdio.h>

int main(void)
{
    double a;
    int b;

    a = b = 1.5;
    printf("a = %.1f  b = %d\n", a, b);

    return 0;
}
```

実行結果
```
a = 1.0  b = 1
```

代入式の評価

まずは、変数 m と n が int 型であるとして、次の代入を考えましょう。

```
m = n = 27;
```

代入演算子 = による代入が行われるのは右側からであるため、次のように解釈されます。

```
m = (n = 27);
```

C言語の仕様により、**代入式の評価で得られるのは、代入後の左オペランドの型と値です。**

そのため、右図に示すように、代入式 n = 27 を評価した値は "int 型の 27" となります。それが m に代入されますので、m と n の両方が 27 になります。

代入演算子 = の連続適用による多重の代入は、頻繁に使われるテクニックです。ただし、本問のように、代入対象の変数の型が異なるときは要注意です。

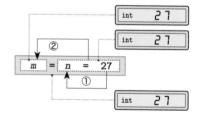

int 型の変数 b は、小数部分を格納できないため、代入式 b = 1.5 を評価した値は int 型の 1 です。その 1 が代入された a の値は、1 すなわち 1.0 となります。

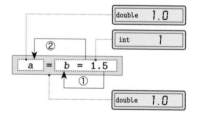

▶ 初期化子を伴う宣言で = を連続適用することはできません。たとえば、二つの変数 a と b を、次のように同時に宣言すると、エラーになります。

```
int a = b = 0;      // エラー：このような初期化はできない
```

正しくは、コンマで区切って

```
int a = 0, b = 0;
```

とするか、2 行に分けて次のように宣言します。

```
int a = 0;
int b = 0;
```

▶『明解』演習 5-6 (p.129)

問題 5-6

　配列に格納するデータ数と要素の値を読み込んで、その値を表示するプログラムを作成せよ。表示
の形式は、全要素の値をコンマとスペースで区切ったものを { と } で囲んだものとする。なお、配列の
要素数は、オブジェクト形式マクロとして定義しておくこと。

```
// 配列の要素に値を読み込んで表示

#include <stdio.h>

#define NUMBER  96          // 配列aの要素数

int main(void)
{
    int num;
    int a[NUMBER];          // 配列

    printf("データ数：");

    do {
        scanf("%d", &num);
        if (num < 1 || num > NUMBER)
            printf("\a1～%dで入力してください：", NUMBER);
    } while (num < 1 || num > NUMBER);

    for (int i = 0; i < num; i++) {
        printf("%2d番：", i + 1);
        scanf("%d", &a[i]);
    }

    printf("{");

    for (int i = 0; i < num - 1; i++)           ■1
        printf("%d, ", a[i]);

    printf("%d}\n", a[num - 1]);                 ■2

    return 0;
}
```

```
          実 行 例
データ数：4⏎
  1番：23⏎
  2番：74⏎
  3番：9⏎
  4番：835⏎
{23, 74, 9, 835}
```

5

配
列

配列と要素数

　本プログラムでは、配列 a は要素数が 96 と宣言されています。ただし、プログラムの実行時
に変数 num に 1 〜 96 の数値を読み込んで、**先頭の num 個の要素のみを使っています**。

　　▶　実行例の場合、num は 4 ですから、96 個の要素中の先頭 4 個の要素、すなわち a[0] 〜 a[3] を
　　　使っているわけです。

繰返しの回数

　本プログラムは、配列用の初期化子と似た形式での表示を行います。実行例の場合、要素
の値の表示は 4 回ですが、コンマの表示は 3 回です。

　そのため、■1 の for 文では num - 1 個の要素の値（すなわち、末尾要素以外の要素の値）を
先頭から順にコンマとスペースを付けて表示して、■2 では末尾要素の値を（コンマではなく } を
付けて）表示しています。

　　▶　実行例の場合、■1 で「23, 」「74, 」「9, 」が表示され、■2 で『835}』が表示されます。

| 問題 5-7 | ▶『明解』演習 5-7 (p.129) |

人数とその人数分のテストの点数（0 以上 100 以下の値）を読み込んで、点数の 10 点ごとの分布を昇順に表示するプログラムを作成せよ。人数の上限はオブジェクト形式マクロとして定義しておくこと。

```c
// 学生の点数を読み込んで分布を表示（横向き棒グラフ）
#include <stdio.h>

#define NUMBER  120      // 人数の上限

int main(void)
{
    int num;                    // 実際の人数
    int tensu[NUMBER];          // 学生の点数
    int bunpu[11] = {0};        // 点数の分布

    printf("人数を入力せよ：");
    do {
        scanf("%d", &num);
        if (num < 1 || num > NUMBER)
            printf("\a1～%dで入力せよ：", NUMBER);
    } while (num < 1 || num > NUMBER);

    printf("%d人の点数を入力せよ。\n", num);

    for (int i = 0; i < num; i++) {
        printf("%2d番：", i + 1);
        do {
            scanf("%d", &tensu[i]);
            if (tensu[i] < 0 || tensu[i] > 100)
                printf("\a0～100で入力せよ：");
        } while (tensu[i] < 0 || tensu[i] > 100);
        bunpu[tensu[i] / 10]++;        // ■ ②
    }

    puts("\n---分布グラフ---");
    for (int i = 0; i <= 9; i++) {                   // 100点未満
        printf("%3d ～%3d：", i * 10, i * 10 + 9);
        for (int j = 0; j < bunpu[i]; j++)
            putchar('*');
        putchar('\n');
    }
    printf("      100：");
    for (int j = 0; j < bunpu[10]; j++)              // 100点
        putchar('*');
    putchar('\n');

    return 0;
}
```

実行例
```
人数を入力せよ：130↵
♪1～120で入力せよ：15↵
15人の点数を入力せよ。
    1番：17↵
    2番：38↵
    3番：100↵
    4番：95↵
    5番：23↵
    6番：62↵
    7番：77↵
    8番：45↵
    9番：69↵
   10番：81↵
   11番：83↵
   12番：51↵
   13番：42↵
   14番：36↵
   15番：60↵

  ---分布グラフ---
   0 ～  9：
  10 ～ 19：*
  20 ～ 29：*
  30 ～ 39：**
  40 ～ 49：**
  50 ～ 59：*
  60 ～ 69：***
  70 ～ 79：*
  80 ～ 89：**
  90 ～ 99：*
      100：*
```

分布と横向き棒グラフ

点数の分布を格納するのが、`int[11]` 型の配列 `bunpu` です。

分布を求める■では、『整数 / 整数』の演算で小数部が切り捨てられることをうまく利用しています。

▶ 実行例では `tensu[0]` は 17 です。17 / 10 で得られるのが 1 となるため、`bunpu[1]` をインクリメントします。

- `tensu[i]` が 0～ 9：`bunpu[0]` をインクリメント
- `tensu[i]` が 10～19：`bunpu[1]` をインクリメント
　　　… 中略 …
- `tensu[i]` が 80～89：`bunpu[8]` をインクリメント
- `tensu[i]` が 90～99：`bunpu[9]` をインクリメント
- `tensu[i]` が　　100：`bunpu[10]` をインクリメント

なお、分布を表示する②では、`bunpu[0]` ～ `bunpu[10]` の個数だけ * を連続表示することで、横向きの棒グラフとして出力しています。

119

▶『明解』演習 5-8 (p.129)

問題 5-8

分布グラフの表示を縦方向に行うように前問を書きかえたプログラムを作成せよ。

```c
puts("\n---分布グラフ---");
int bunpu_max = 0;          // 分布の最大値
for (int i = 0; i <= 10; i++)          // 分布の最大値を求める
    if (bunpu[i] > bunpu_max)
        bunpu_max = bunpu[i];
for (int i = bunpu_max; i >= 1; i--) {
    for (int j = 0; j <= 10; j++) {
        if (bunpu[j] >= i)
            printf(" * ");
        else
            printf("   ");
    }
    putchar('\n');
}
for (int i = 0; i < 34; i++)
    putchar('-');
putchar('\n');
for (int i = 0; i <= 10; i++)
    printf("%2d ", i * 10);
putchar('\n');
```

実行例

```
---分布グラフ---
                        *                    ◀── 3
            *     *     *     *              ◀── 2
      *  *  *  *  *  *  *  *  *  *           ◀── 1
--------------------------------------
 0 10 20 30 40 50 60 70 80 90 100
```

5

配列

縦向き棒グラフ

縦向き棒グラフの表示を行います。横向きよりもプログラムが複雑です。

まず、最初の **for** 文で、分布の最大値を $bunpu\_max$ に求めます（実行例の場合、60 〜 69 点の人数である 3 です）。

続く 2 重の **for** 文が、縦向きの棒グラフ表示のメインとなる箇所です。

外側の **for** 文が開始される時点での変数 i の値は、要素の最大値である $bunpu\_max$ です。

内側の **for** 文では、変数 j を 0 から 10 までインクリメントしながら配列を走査します（先頭要素 $bunpu[0]$ から末尾要素 $bunpu[10]$ までを順に着目します）。

その過程で行うのは、**if** 文の制御式 $bunpu[j] >= i$ の判定結果に基づいた表示です。

- 要素 $bunpu[j]$ の値が i 以上であれば … "□*□" を表示。
- 要素 $bunpu[j]$ の値が i 未満であれば … "□□□" を表示。

実行例の場合で具体的な処理の流れを考えましょう。外側の **for** 文の制御によって、変数 i の値は、3 ⇨ 2 ⇨ 1 とデクリメントされていきます。

3 変数 i の値は 3 です。値が 3 以上の要素の箇所に "□*□" を表示し、3 未満の要素の箇所に "□□□" を表示する作業を、全要素に対して行います。

2 変数 i の値は 2 です。値が 2 以上の要素の箇所に "□*□" を表示し、2 未満の要素の箇所に "□□□" を表示する作業を、全要素に対して行います。

1 変数 i の値は 1 です。値が 1 以上の要素の箇所に "□*□" を表示し、1 未満の要素の箇所に "□□□" を表示する作業を、全要素に対して行います。

これで、グラフの表示は完了します。

問題 5-9

▶『明解』演習 5-9 (p.130)

int[5] 型の配列 a と b を用意して、配列 a の要素の並びを逆順にしたものを b にコピーするプログラムを作成せよ。

```c
// 配列の全要素を別の配列に逆順にコピー
#include <stdio.h>

int main(void)
{
    int a[5];        // コピー元配列
    int b[5];        // コピー先配列

    for (int i = 0; i < 5; i++) {    // 要素に値を読み込む
        printf("a[%d] : ", i);
        scanf("%d", &a[i]);
    }

    for (int i = 0; i < 5; i++)
        b[i] = a[4 - i];

    puts("  a    b");
    puts("---------");
    for (int i = 0; i < 5; i++)
        printf("%4d%4d\n", a[i], b[i]);

    return 0;
}
```

```
実行例
a[0] : 17⏎
a[1] : 32⏎
a[2] : 55⏎
a[3] : 46⏎
a[4] : 62⏎
  a    b
---------
 17   62
 32   46
 55   55
 46   32
 62   17
```

配列のコピー

配列の逆順コピーは、各要素に値を読み込んだ後に実行する2番目の for 文で行っています。

右に示すのが、この for 文を開いて書いたコードです。二つの配列 a と b を同時に走査しています。走査の方向は、配列 b が先頭から末尾で、配列 a は末尾から先頭です。

▶ 配列 a の要素 a[4] ～ a[0] の値を、b[0] ～ b[4] に代入していることが分かるでしょう。

```
// 逆順コピー
b[0] = a[4];
b[1] = a[3];
b[2] = a[2];
b[3] = a[1];
b[4] = a[0];
```

最後の for 文では、二つの配列を同時に走査しながら全要素の値を先頭から順に表示しています。

なお、配列要素の（逆順ではなく）正順でのコピーを次のように行うことはできません。

```
b = a;          // エラー：配列の代入はできない
```

C言語の仕様により、**単純代入演算子 = では、配列の代入は行えない**からです。次のように、要素を1個ずつコピーする必要があります。

```
for (int i = 0; i < 5; i++)
    b[i] = a[i];
```

```
// 正順コピー
b[0] = a[0];
b[1] = a[1];
b[2] = a[2];
b[3] = a[3];
b[4] = a[4];
```

この for 文は、二つの配列 a と b を同時に走査します。開いて書くと、右のようになります。

問題 5-10

int[5] 型の配列 a の要素のうち、値が正である要素の添字を小さいほうから順に配列 b に格納する
プログラムを作成せよ。

```c
// 配列の要素のうち正の要素の添字を別の配列に抽出

#include <stdio.h>

int main(void)
{
    int a[5];          // コピー元配列
    int b[5];          // 抽出先配列

    for (int i = 0; i < 5; i++) {
        printf("a[%d] : ", i);
        scanf("%d", &a[i]);
    }

    int count = 0;                    // 正の要素の個数
    for (int i = 0; i < 5; i++)
        if (a[i] > 0)                 // 正であれば
            b[count++] = i;           // 添字を格納

    printf("正の要素は%d個です。\n", count);
    for (int i = 0; i < count; i++)
        printf("b[%d] = %d    a[%d] = %d\n", i, b[i], b[i], a[b[i]]);

    return 0;
}
```

```
                    実行例
a[0] : 17 ⏎
a[1] : -5 ⏎
a[2] : 55 ⏎
a[3] : 15 ⏎
a[4] : -62 ⏎
正の要素は3個です。
b[0] = 0    a[0] = 17
b[1] = 2    a[2] = 55
b[2] = 3    a[3] = 15
```

1

2

5
配
列

条件を満たす要素の添字の抽出

配列 a の正の要素の添字を抽出して b に格納するのが、**1** です。

- コピーした要素数を格納するための変数 count を 0 で初期化します。
- 配列 a の全要素を走査する for 文では、着目要素 a[i] が正であれば添字 i を格納します。
  格納の代入先は b[count] であって、代入直後に count をインクリメントします。

  ▶ 実行例の場合、次のように3回の代入が行われます。

  　　　i が 0 のとき：b[0] = 0;　　※代入後に count が 0 から 1 へとインクリメントされる
  　　　i が 2 のとき：b[1] = 2;　　※代入後に count が 1 から 2 へとインクリメントされる
  　　　i が 3 のとき：b[2] = 3;　　※代入後に count が 2 から 3 へとインクリメントされる

続く **2** では表示を行っています。実行例の場合、for 文によって3回の繰返しが行われ、4個
の値 i、b[i]、b[i]、a[b[i]] が表示されます（2個目と3個目の b[i] は同じ値です）。

  ▶ 実行例の場合であれば、b[0]、b[1]、b[2] は、それぞれ 0、2、3 となっています。4個目に表示
  される a[b[i]] の値は、次のとおりです。

  　　　i が 0 のとき：b[i] は 0。そのため a[b[i]] は a[0] のことであって、その値は 17。
  　　　i が 1 のとき：b[i] は 2。そのため a[b[i]] は a[2] のことであって、その値は 55。
  　　　i が 2 のとき：b[i] は 3。そのため a[b[i]] は a[3] のことであって、その値は 15。

問題 5-11

▶『明解』演習 5-10 (p.135)

4行3列の行列と3行4列の行列の積を求めるプログラムを作成せよ。各構成要素の値はキーボードから読み込むこと。

```c
// 4行3列の行列と3行4列の行列の積を求める
#include <stdio.h>

int main(void)
{
    int a[4][3];
    int b[3][4];
    int c[4][4];

    printf("4行3列のaと3行4列のbの積をcに求めます。\n");

    puts("aの各要素の値を入力せよ。");
    for (int i = 0; i < 4; i++) {
        for (int j = 0; j < 3; j++) {
            printf("a[%d][%d] : ", i, j);
            scanf("%d", &a[i][j]);
        }
    }
    puts("bの各要素の値を入力せよ。");
    for (int i = 0; i < 3; i++) {
        for (int j = 0; j < 4; j++) {
            printf("b[%d][%d] : ", i, j);
            scanf("%d", &b[i][j]);
        }
    }
    for (int i = 0; i < 4; i++) {
        for (int j = 0; j < 4; j++) {
            c[i][j] = 0;
            for (int k = 0; k < 3; k++)
                c[i][j] += a[i][k] * b[k][j];
        }
    }
    puts("cの値は以下のとおりです。");
    for (int i = 0; i < 4; i++) {
        for (int j = 0; j < 4; j++)
            printf("c[%d][%d] = %d\n", i, j, c[i][j]);
    }

    return 0;
}
```

実行例

4行3列のaと3行4列のbの積をcに求めます。
aの各要素の値を入力せよ。
a[0][0]：15 ↵
a[0][1]：23 ↵
… 以下省略 …

ａ 単一のint型

↓ 3個まとめて配列化

ｂ 1次元配列（int[3]型）

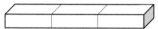

要素型はint型で要素数3

↓ 4個まとめて配列化

ｃ 2次元配列（int[4][3]型）

要素型はint[3]型で要素数は4

4行3列の2次元配列

多次元配列

配列を要素型とする配列は**2次元配列**であり、2次元配列を要素型とする配列は**3次元配列**です（それ以上の次元の配列も作れます）。2次元以上の配列の総称が、**多次元配列**（multidimensional array）です。なお、前問までに学習した『要素型が配列ではない配列』は、多次元配列と区別するために、**1次元配列**と呼ばれます。

上の図に示すのは、2次元配列を**派生する（作り出す）**2段階の過程を示しています。

- **ａ** ⇨ **ｂ**：int 型をまとめて1次元配列を派生（ここでは3個集めています）。
- **ｂ** ⇨ **ｃ**：1次元配列をまとめて2次元配列を派生（ここでは4個集めています）。

2次元配列は、要素が縦横に並んで、**行**と**列**で構成される**表**のイメージです。そのため、図**ｃ**の配列は、『**4行3列の2次元配列**』と呼ばれます。

その4行3列の2次元配列の**宣言**と**内部構造**を示したのが、下図です。多次元配列の宣言では、先にまとめる要素数（2次元配列の場合は列数）を末尾側に置きます。

配列aの**要素**はa[0]、a[1]、a[2]、a[3]の4個です。いずれも、int型が3個まとめられたint[3]型の配列です。すなわち、要素の要素がint型です。

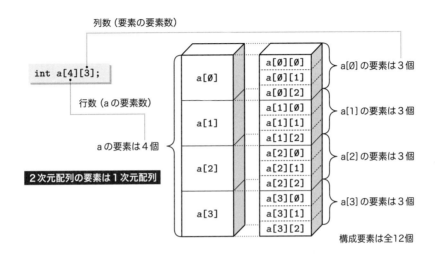

配列でない次元まで分解した要素のことを、本書では**構成要素**と呼びます。各構成要素をアクセスする添字式は、添字演算子[ ]を連続して適用したa[i][j]という形式です。

なお、添字が0から始まることは1次元配列と共通です。そのため、配列aの12個の構成要素をアクセスする添字式は、a[0][0]、a[0][1]、a[0][2]、…、a[3][2]です。

1次元配列と同様に、多次元配列の全要素／全構成要素は、記憶域上に直線状に連続して並びます。

構成要素の並びでは、まず末尾側の添字が順に0、1、…と増えていき、それから先頭側の添字が0、1、…と増えていく順番です。そのため、たとえばa[0][2]の直後にa[1][0]が位置する、あるいは、a[2][2]の直後にa[3][0]が位置する、といったことが保証されます。

行列の積

本問は、行列の積を求めるプログラムです。

一般に、行列aがp行q列であって、行列bがq行r列であるとき、その積cはp行r列となります。このとき、行列cの各構成要素の値は、次の式で求められます。

$$c[i][j] = \sum_{k=0}^{q-1} a[i][k] * b[k][j]$$

プログラムの網かけ部では、この公式に基づいて積を求めています。

▶ 本プログラムの場合、p = 4、q = 3、r = 4です。そのため、c[i][j]の値を求める式は、次のようになります。

c[i][j] = (a[i][0] * b[0][j]) + (a[i][1] * b[1][j]) + (a[i][2] * b[2][j])

問題 5-12 ▶『明解』演習 5-11 (p.135)

6人の2科目（国語と数学）の点数を読み込んで、科目ごとの合計点と平均点、学生ごとの合計点と平均点を求めるプログラムを作成せよ。

```c
// 6人の学生の2科目のテストの点数を読み込んで集計

#include <stdio.h>

#define NINZU  6      // 人数

int main(void)
{
    int tensu[NINZU][2];        // 点数
    int student[NINZU] = {0};   // 各学生の点数の合計
    int subject[2] = {0};       // 各科目の点数の合計

    printf("%d人の点数を入力せよ。\n", NINZU);

    for (int i = 0; i < NINZU; i++) {
        printf("%2d番…国語：", i + 1);
        scanf("%d", &tensu[i][0]);
        printf("        数学：", i + 1);
        scanf("%d", &tensu[i][1]);

        student[i] = tensu[i][0] + tensu[i][1];
        subject[0] += tensu[i][0];  // 国語の合計
        subject[1] += tensu[i][1];  // 数学の合計
    }

    printf("--------------------------\n");
    printf("番号 国語 数学 合計 平均\n");
    printf("--------------------------\n");
    for (int i = 0; i < NINZU; i++)
        printf("%3d%6d%6d%6d%7.1f\n", i + 1, tensu[i][0], tensu[i][1],
                                student[i], (double)student[i] / 2);
    printf("--------------------------\n");
    printf("合計%5d%6d%6d\n", subject[0], subject[1], subject[0] + subject[1]);
    printf("平均 %6.1f%6.1f%6.1f\n", (double)subject[0] / NINZU,
                                (double)subject[1] / NINZU,
                                (double)(subject[0] + subject[1]) / NINZU);
    printf("--------------------------\n");

    return 0;
}
```

```
         実行例
6人の点数を入力せよ。
1番…国語：23⏎
      数学：37⏎
2番…国語：56⏎
      数学：87⏎
3番…国語：100⏎
      数学：58⏎
4番…国語：64⏎
      数学：18⏎
5番…国語：95⏎
      数学：26⏎
6番…国語：15⏎
      数学：35⏎
--------------------------
番号 国語 数学  合計  平均
--------------------------
  1   23   37   60  30.0
  2   56   87  143  71.5
  3  100   58  158  79.0
  4   64   18   82  41.0
  5   95   26  121  60.5
  6   15   35   50  25.0
--------------------------
合計 353  261  614
平均 58.8 43.5 102.3
--------------------------
```

2次元配列の要素の値の集計

三つの配列を利用して6人の2科目の点数を集計しています。

▪ 配列 tensu … 点数

6人の2科目の点数12個を格納する2次元配列です。先頭側の添字は学生（0 ～ 5）を表します。また、後ろ側の添字は科目（0は国語で、1は数学）を表します。

▪ 配列 student … 各学生の点数の合計

各学生の点数の合計点を格納する配列です。要素数は、学生の人数6です。

▪ 配列 subject … 各科目の点数の合計

各科目の点数の合計点を格納する配列です。要素数は、科目数2です。

125

▶『明解』演習 5-12 (p.135)

問題 5-13

　4人の学生の3科目のテスト2回分の合計を求めて表示するプログラムを作成せよ。点数を格納するのは3次元配列 *tensu* とする。

```
// ４人の学生の３科目のテスト２回分の合計を求めて表示
#include <stdio.h>

int main(void)
{
    int tensu[2][4][3] = {
        {{91, 63, 78}, {67, 72, 46}, {89, 34, 53}, {32, 54, 34}},
        {{97, 67, 82}, {73, 43, 46}, {97, 56, 21}, {85, 46, 35}},
    };
    int sum[4][3];             // 合計

    // ２回分の点数の合計を求める
    for (int i = 0; i < 4; i++) {                     // ４人分の
        for (int j = 0; j < 3; j++)                   // ３科目の
            sum[i][j] = tensu[0][i][j] + tensu[1][i][j];    // ２回分を加算
    }
    // 各回の点数を表示
    for (int i = 0; i < 2; i++) {
        printf("%d回目の点数\n", i + 1);
        for (int j = 0; j < 4; j++) {
            for (int k = 0; k < 3; k++)
                printf("%4d", tensu[i][j][k]);
            putchar('\n');
        }
    }
    // 合計点を表示
    puts("合計点");
    for (int i = 0; i < 4; i++) {
        for (int j = 0; j < 3; j++)
            printf("%4d", sum[i][j]);
        putchar('\n');
    }

    return 0;
}
```

```
実行結果
１回目の点数
 91  63  78
 67  72  46
 89  34  53
 32  54  34
２回目の点数
 97  67  82
 73  43  46
 97  56  21
 85  46  35
合計点
188 130 160
140 115  92
186  90  74
117 100  69
```

5
配列

3次元配列

　本プログラムでは、4人の学生の3科目のテスト2回分の点数を**3次元配列 *tensu* で表して**います。*tensu[0]* が1回目の点数で、*tensu[1]* が2回目の点数です。

　▶　4人の学生の3科目の合計は、2次元配列 *sum* に格納しています。この配列の各構成要素の値は、単純な加算で求めています。

Column 5-2　　可変長配列と要素指示子（その2）

　Column 5-1 (p.113) で紹介した**二つの機能は、C++ には取り入れられていません**。プログラミング言語 C++ の開発者である Bjarne Stroustrup 氏は、著書の中で次のように述べられています[8]。

　　C言語が C89 から C99 に進化したときに、C++ は機能として誤っている VLA（可変長配列：variable-length array）と、冗長である指示付き初期化子（designated initializer）以外の、ほとんどの新機能を取り込んだ。

　可変長配列は、言語設計上のミスと考えるべきです。正式に取り入れられたのが、標準Cの第2版のみということもあり、その利用はおすすめできません。

錬成問題

- **int** 型の変数 *n1*、*n2*、*n3* の値が、それぞれ 21、6、0 であるとする。このとき、以下の各式を評価した値を示せ。

    n1 = (*n3* == 0) ··· ⬚(1)   *n1* = *n2* = 15 ··· ⬚(2)

    n1 = (*n2* == 0) ··· ⬚(3)   *n1* = *n2* = *n3* ··· ⬚(4)

- 以下に示すのは、それ以降の *ABC* を 10 に置換するための定義である。*ABC* は ⬚(5) であり、その名前は ⬚(6) と呼ばれる。

```
#define ABC 10
```

- 配列は、同一型の要素が直線上に連続して並んだデータ構造である。配列内の任意の要素を参照するための演算子 **[ ]** の名称は ⬚(7) 演算子である。この演算子を適用した式 *a[i]* は、配列 *a* における先頭から ⬚(8) 個後ろの要素をアクセスする。要素の位置を指定するための **[ ]** 内の整数値のことを ⬚(9) と呼ぶ。

- 代入演算子 **=** で配列の全要素の値を代入する ⬚(10) 。
    ※ ⬚(10) の選択肢 ··· ⓐ ことはできる   ⓑ ことはできない
                        ⓒ と先頭要素の値のみがコピーされる

- 右のように宣言された配列 *a* と *b* を考える。

    a の型は ⬚(11) 型で、*a[0]* の型は ⬚(12) 型である。

    b の型は ⬚(13) 型で、*b[0]* の型は ⬚(14) 型で、*b[0][0]* の型は ⬚(15) 型である。なお、構成要素 *b[2][2]* の一つ前（先頭側）の構成要素は ⬚(16) であり、一つ後ろ（末尾側）の構成要素は ⬚(17) である。

    ```
    int a[5];
    int b[4][3];
    ```

- 配列内の要素を一つずつ順になぞっていく手続きのことを ⬚(18) と呼ぶ。

- 右に示すのは、配列 *a* を先頭要素から順に 1、2、3 で初期化する宣言である。

    ```
    int a[3] = { (19) };
    ```

- 右に示すのは、要素数 5 の **int** 型配列 *a* の要素に、先頭から順に 10、20、30、40、50 を代入するプログラムである。

    ```
    for (int i = 0; i < 5; i++)
        a[i] = (20) ;
    ```

- 右に示すのは、要素数 5 の **double** 型配列 *a* の全要素の合計を変数 *sum* に格納するプログラムである。

    ```
    double sum = (21) ;
    for (int i = 0; i < 5; i++)
        sum += (22) ;
    ```

- 右に示すのは、要素数が n である配列 y の全要素の値を配列 x にコピーするプログラム部分である。

```
for (int i = 0; i < n; i++)
    x[i] =  (23)  ;
```

- 右に示すのは、要素数が n である配列 y の全要素の値を配列 x に逆順にコピーするプログラム部分である。

```
for (int i = 0; i < n; i++)
     (24)   = y[i];
```

- 右に示すのは、要素数が n である配列 a 中の値が正である要素の個数を求めるプログラム部分である。

```
int count = 0;
for (int i = 0; i < n; i++)
    if (  (25)  )
        count++;
```

5

配列

- 以下に示すのは、要素数が n である配列 a の全要素の添字と値を表示するプログラム部分である。

```
for (int i = 0; i < n; i++)
    printf("a[%d] = %d\n",  (26)  ,  (27)  );
```

- 以下に示すのは、要素数が n である int 型配列 a の要素の最大値と最小値の差を求めて表示するプログラム部分である。

```
min = max =  (28)  ;

for (int i =  (29)  ; i < n; i++) {
    if (  (30)   < min) min =  (31)  ;
    if (  (32)   > max) max =  (33)  ;
}
printf("最大値と最小値の差は%dです。\n",  (34)  );
```

- 以下に示すのは、要素数 n の配列 a の全要素を合計する式と合計の値を表示するプログラム部分である。たとえば要素数が 5 であって、要素の値が先頭から順に 11、32、18、24、66 であれば、『11 + 32 + 18 + 24 + 66 = 151』と表示する。

```
sum = 0;
for (int i = 0; i < n - 1; i++) {
    sum +=  (35)  ;
    printf(" (36) ", a[i]);
}
sum +=  (37)  ;
printf("%d = %d\n",  (38)  , sum);
```

```
sum = 0;
for (int i = 0; i < n; i++) {
    sum +=  (39)  ;
    if (  (40)   !=  (41)  )
        printf(" (42) ", a[i]);
    else
        printf(" (43) ", a[i]);
}
printf(" (44) \n", sum);
```

- 以下に示すのは、全構成要素の値が **0** である3行4列の2次元配列の宣言である。

```
int b[ (45) ][ (46) ] =  (47) ;
```

- 以下に示すプログラム部分の誤りを指摘せよ。… ⬜ (48)

```
int a[5] = {0, 1, 2, 3, 4, 5};

for (int i = ; i <= 5; i++)
    printf("a[%d] = %d\n", a[i], i);
```

- 以下に示すのは、要素数が **n** である配列 **a** の全要素の並びを反転するプログラム部分である。

```
for (int i = 0; i <  (49) ; i++) {
    int temp  = a[i];
    a[i]      = a[ (50) ];
    a[ (51) ] = temp;
}
```

- 以下に示すのは、要素数が **n** である配列 **a** の全要素の値を、記号文字 * を横に並べたグラフとして表示するプログラム部分である。

```
for (int i = 0; i <  (52) ; i++) {
    printf("a[%d] :", i);
    for (int j = 0; j <  (53) ; j++)
        putchar( (54) );
    putchar( (55) );
}
```

```
a[0] : ***
a[1] : *****
a[2] : **
a[3] : *******
a[4] : ******
```

- 以下に示すのは、要素数が **n** である **int** 型配列 **a** の全要素の値（値はすべて正であるとする）を、記号文字 * を縦に並べた下向きグラフで表示するプログラムである（実行例に示すのは要素が {3, 5, 2, 7, 8, 4, 1, 9, 1, 0, 3, 4, 5} である場合）。なお、最初の行に出力するのは、添字の最下位桁である。

```
int max =  (56) ;
for (int i = 1; i <  (57) ; i++)
    if (a[i] >  (58) )
         (59)  = a[i];
for (int i = 0; i <  (60) ; i++)
    printf("%d",  (61) );
putchar('\n');
for (int i = 1; i <=  (62) ; i++) {
    for (int j = 0; j <  (63) ; j++)
        if (a[j] >=  (64) )
            putchar( (65) );
        else
            putchar( (66) );
    putchar('\n');
}
```

```
0123456789012
********* ***
****** *  ***
** *** *  ***
 * *** *   **
 * ** *    *
    ** *
    ** *
     * *
     *
```

- 以下に示すのは、要素数が *NUMBER* である配列 *point* の宣言（ここでの *NUMBER* は 10 である とする）と、その配列の全要素に 0 以上 100 以下の値を読み込む（範囲外の値が入力され た場合は、再入力を促す）プログラム部分である。

```
#  (67)   NUMBER  10

int point[  (68)  ];

puts("0～100の値を入力してください。");
for (int i = 0 i <  (69)  ; i++) {
    while (1) {
        printf("point[%d] : ", i);
        scanf("%d",  (70)  );
        if (point[i] >= 0  (71)  point[i] <= 100)
             (72)  ;
        puts("\a範囲外です。");
    }
}
```

- 以下に示すのは、前問のプログラム部分で読み込まれた配列 *point* の全要素の値（0 以上 100 以下の値）をもとに、以下のように変数・配列に値を代入して表示するプログラム部分 である。なお、*count* は全要素が 0 で初期化された要素数 4 の配列であり、*idx* は、4 行 *NUMBER* 列の 2 次元配列であるとする。

　　　count[0] … 不可（値が 60 未満）の要素数

　　　count[1] … 可（値が 60 以上 70 未満）の要素数

　　　count[2] … 良（値が 70 以上 80 未満）の要素数

　　　count[3] … 優（値が 80 以上 100 以下）の要素数

　　　idx[0][0] ～ *idx[0][count[0] - 1]* … 不可の要素の添字

　　　idx[1][0] ～ *idx[1][count[1] - 1]* … 可の要素の添字

　　　idx[2][0] ～ *idx[2][count[2] - 1]* … 良の要素の添字

　　　idx[3][0] ～ *idx[3][count[3] - 1]* … 優の要素の添字

```
for (int i = 0; i < NUMBER; i++) {
    int grade = 0;

    if (point[i] >=  (73)  )
        grade =  (74)  ;
    else if (point[i] >=  (75)  )
        grade =  (76)  ;
    else if (point[i] >=  (77)  )
        grade =  (78)  ;

    idx[grade][count[grade]++] = i;
}

printf("不可："); for (int i = 0; i <  (79)  ; i++) putchar('*'); putchar('\n');
printf(" 可："); for (int i = 0; i <  (80)  ; i++) putchar('*'); putchar('\n');
printf(" 良："); for (int i = 0; i <  (81)  ; i++) putchar('*'); putchar('\n');
printf(" 優："); for (int i = 0; i <  (82)  ; i++) putchar('*'); putchar('\n');
```

- 以下に示すプログラム部分の実行結果を示せ。

```
int i, a[5] = {5, 4, 3, 2, 1};

for (i = 0; i < 5; i++);
    printf("a[%d] = %d\n", i, a[i]);
```
(83)

- 以下に示すプログラム部分の実行結果を示せ。

```
int a[2][2] = {2, 2};

for (int i = 0; i < 2; i++)
    for (int j = 0; j < 2; j++)
        printf("a[%d][%d] = %d\n", i, j, a[i][j]);
```
(84)

- 以下に示すのは、n 行 n 列の2次元配列 m の全構成要素に 0 を代入するプログラム部分である。

```
for (int i = 0; i < n; i++)
    for (int j = 0; j < n; j++)
        m[i][j] = (85) ;
```

- 以下に示すのは、n 行 n 列の2次元配列 m の対角要素（行番号と列番号とが一致する要素）に1を代入して、それ以外の要素に 0 を代入するプログラム部分である。

```
for (int i = 0; i < n; i++)
    for (int j = 0; j < n; j++)
        m[i][j] = (86) ;
```

- 以下に示すのは、h 行 w 列の2次元配列 b の全構成要素の値を a にコピーするプログラム部分である。

```
for (int i = 0; i < h; i++)
    for (int j = 0; j < w; j++)
        (87)  = (88) ;
```

- 以下に示すのは、要素数が n である配列 a 中の値が正である要素の値を配列 b に順にコピーするプログラムである。なお、変数 count は、コピーした要素の個数である。

```
int count = 0;
for (int i = 0; i < n; i++)
    if (a[i] > 0)
        b[ (89) ] = (90) ;
```

- 以下に示すプログラム部分の誤りを指摘せよ。… (91)

```
define MAX 10

double a[MAX];

for (int i = 0; i <= MAX; i++)
    printf("a[%d] = %d\n", i, a[i]);
```

- 以下に示すのは、2行3列の行列を表す2次元配列 mx から my を引いた値を mz に格納して表示するプログラムである。

```c
#include  (92)

int main(void)
{
    int mx[2][3] = { {1, 2, 3}, {4, 5, 6} };
    int my[2][3] = { {6, 3, 4}, {5, 1, 2} };
    int mz[2][3];

    for (  (93)  ; i < 2; i++)
        for (int j = 0; j <  (94)  ; j++)
            mz[i][j] =  (95)  -  (96)  ;

    for (  (97)  ; i < 2; i++) {
        for (int j = 0; j <  (98)  ; j++)
            printf("%3d",  (99)  );
         (100) ('\n');
    }

     (101)  0;
}
```

5

配列

第6章

関　数

問題 6-1

▶『明解』演習 6-1 (p.147)

二つの int 型整数の小さいほうの値を返す関数を作成せよ。

```
int min2(int a, int b);
```

```
// 二つの整数の小さいほうの値を求める
#include <stdio.h>

//--- 小さいほうの値を返す ---//
int min2(int a, int b)
{
    return a < b ? a : b;
}

int main(void)
{
    int n1, n2;

    puts("二つの整数を入力せよ。");
    printf("整数1：");    scanf("%d", &n1);
    printf("整数2：");    scanf("%d", &n2);

    printf("小さいほうの値は%dです。\n", min2(n1, n2));

    return 0;
}
```

関数はプログラムの部品!!
- 関数の名前は min2。
- int 型の仮引数 a と b に値を受け取る。
- 小さいほうの値を求める。
- 求めた int 型の値を呼出し元に返却する。

実行例
```
二つの整数を入力せよ。
整数1：83↵
整数2：45↵
小さいほうの値は45です。
```

関数定義

二つの整数を受け取って、小さいほうの値を求めて返す関数 *min2* の**関数定義**（function definition）の構造と各パーツを、下図と対比しながら理解していきましょう。

▪ 関数頭部（function header）
プログラムの部品である関数の名前と仕様を記述した、関数の"顔"ともいえる部分です。

❶ 返却値型（return type）
関数が戻す値である**返却値**（return value）の型です。

❷ 関数名（function name）
関数の名前です。他の部品から呼び出される際は、この名前で呼び出されます。

❸ 仮引数型並び（parameter type list）
（ ）で囲まれた部分は、補助的な指示を受け取るための変数である**仮引数**（parameter）の宣言です。複数の仮引数を受け取る場合は、コンマ , で区切ります。

▪ 関数本体（function body）
関数の本体は、呼び出されたときに実行される複合文＝ブロックです。

関数 *min2* にはありませんが、もし関数の中でのみ利用する変数があれば、関数本体の中で宣言・利用するのが原則です（仮引数と同じ名前の変数を宣言することはできません）。

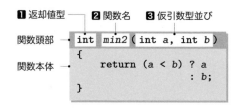

関数呼出し

関数を使う際に"**関数を呼び出す**"ことは、第 1 章で学習しました。

図中の ▭ 部の式は、『関数 *min2* さん、`int` 型の変数 *n1* と *n2* の値を渡しますので、それらの小さいほうの値を教えてください!』という依頼です。

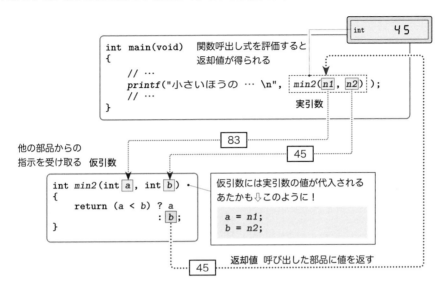

関数呼出しの際に関数名の後ろに置く**( )** は、**関数呼出し演算子**（function call operator）ですから、関数を呼び出す式は、**関数呼出し式**（function call expression）です。

なお、関数呼出し演算子 **( )** の中に、補助的な指示である**実引数**（argument）を与えることや、実引数が 2 個以上ある場合にコンマ**,** で区切ることは、第 1 章で学習しました。

● 関数呼出し演算子

関数呼出し演算子　*x(arg)*	関数 *x* に実引数 *arg* を渡して呼び出す（*arg* は 0 個以上の実引数をコンマで区切ったもの）。（返却値型が `void` でなければ）関数 *x* が返却した値を生成する。

さて、関数呼出しが行われると、プログラムの流れは、その関数へと一気に移ります。具体的には、`main` 関数の実行が一時的に中断されて、関数 *min2* の実行が開始します。

呼び出された関数では、仮引数用の変数が生成されて、実引数の値が**代入されます**。実行例の場合、仮引数 *a* と *b* のそれぞれに、*n1* と *n2* の値 83 と 45 が代入されます。

仮引数への値の代入が完了すると、関数本体が実行されます。そして、プログラムの流れが **return 文**（return statement）に出会うか、関数本体の末尾の **}** に到達すると、その関数から抜け出して、呼び出した場所へと戻ります。

戻る際の《手みやげ》が、`return` の後ろに置かれた式の値（図では、式 *b* の値 45）です。

その返却値は、**関数呼出し式の評価**によって得られます。返却される値が 45 ですから、図中の ▭ で示した関数呼出し式を評価した値は『`int` 型の 45』となります。

その結果、関数 *min2* の返却値 45 が `printf` 関数に渡されて、その値が表示されます。

問題 6-2

▶『明解』演習 6-2 (p.147)

三つの int 型整数の最小値を返す関数を作成せよ。

```
int min3(int a, int b, int c);
```

```c
// 三つの整数の最小値を求める
#include <stdio.h>

//--- 三つの整数の最小値を返す ---//
int min3(int a, int b, int c)
{
    int min = a;
    if (b < min) min = b;
    if (c < min) min = c;

    return min;
}

int main(void)
{
    int a, b, c;

    puts("三つの整数を入力せよ。");
    printf("整数a：");    scanf("%d", &a);
    printf("整数b：");    scanf("%d", &b);
    printf("整数c：");    scanf("%d", &c);

    printf("最小値は%dです。\n", min3(a, b, c));

    return 0;
}
```

```
実 行 例
三つの整数を入力せよ。
整数a：5↵
整数b：3↵
整数c：4↵
最小値は3です。
```

return 文と返却

前ページでは、関数の実行を終了するとともに、値を返却する return 文を学習しました。下図に示すのが、その構文図です。

返却するのは、return に続く**式**の値です。

構文図が示すように、指定できる式は、0個あるいは1個です。

すなわち、**関数は2個以上の値の返却は行えません。**

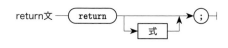

実引数と仮引数

関数が受け取る仮引数や、関数内で定義される変数は、その関数に独自のものです。本プログラムの場合、関数 min3 の仮引数 a、b、c と、main 関数の変数 a、b、c は、名前がたまたま同じですが、それぞれ別個のものです。

もちろん、『実引数と仮引数の変数名が同じでも大丈夫だろうか。』といった心配は無用です。

▶ 関数 min3 を呼び出す際に、main 関数で宣言された a、b、c の値が実引数として渡されて、それぞれが関数 min3 の仮引数 a、b、c に代入されます。

なお、仮引数の名前は、関数名と同じでも構いません（関数 min3 に、min3 という名前の仮引数があっても OK ということです）。

問題 6-3 ▶『明解』演習 6-3 (p.148)

int 型整数の3乗値を返す関数を作成せよ。

```
int cube(int x);
```

```
// 整数の3乗値を求める
#include <stdio.h>

//--- xの3乗値を返す ---//
int cube(int x)
{
    return x * x * x;
}

int main(void)
{
    int n;

    printf("整数値：");
    scanf("%d", &n);

    printf("%dの3乗は%dです。\n", n, cube(n));

    return 0;
}
```

実行例
整数値：5⏎ 5の3乗は125です。

6

関
数

3乗値

関数 cube では、x を3回掛け合わせることで3乗値を求めています。

なお、int 型でなく、double 型の値の3乗値
を求めて double 型で返すのであれば、関数は
右のようになります。

```
// double型xの3乗値をdouble型で返却
double fcube(double x)
{
    return x * x * x;
}
```

▶ 関数名が fcube となっています。整数用の
関数と同等の浮動小数点用の関数名の先頭に
f を付けるのは、C言語の慣習です。

関数と main 関数

これまで学習してきたプログラムは、下図に示す形式であり、白い部分は、**main 関数**（main function）と呼ばれます。

main 関数は1個だけ必要であり、プログラムの実行時
には、その関数本体が実行されます。

なお、*printf* 関数、*puts* 関数、*scanf* 関数といった
C言語が標準で提供する関数は、**ライブラリ関数**（library
function）と呼ばれます。

```
#include <stdio.h>

int main(void)
{
    // … 中略 …

    return 0;
}
```

▶ ほとんどの処理系は、C言語の規格で定められている
もの以外にも、独自のライブラリ関数を提供します。お使いの処理系のマニュアルを調べてみると
よいでしょう。

なお、『関数』という名称は、数学用語の**関数**（function）に由来します。その function には、
『機能』『作用』『働き』『仕事』『効用』『職務』『役目』などの意味があります。

問題 6-4

▶『明解』演習 6-4 (p.149)

int 型整数の 2 乗値を返す関数 *sqr* と 4 乗値を返す関数 *pow4* を作成せよ。

```
int sqr(int x);
```

```
int pow4(int x);
```

関数 *pow4* の内部で、関数 *sqr* を呼び出すこと。

```c
// 整数の4乗値を求める
#include <stdio.h>
//--- xの2乗値を返す ---//
int sqr(int x)
{
    return x * x;
}
//--- xの4乗値を返す ---//
int pow4(int x)
{
    return sqr(x) * sqr(x);
}

int main(void)
{
    int n;

    printf("整数値：");
    scanf("%d", &n);

    printf("%dの4乗は%dです。\n", n, pow4(n));

    return 0;
}
```

実行例
整数値：3⏎
3の4乗は81です。

プログラムの部品

関数は、プログラムの《部品》です。もし部品を作るときに、それを実現するのに便利な部品があるのならば、積極的に使います（たとえば、表示を行う関数の中では、*printf* や *puts* や *putchar* などの部品を使います）。

関数 *sqr* は、仮引数 *x* に受け取った値の 2 乗値を求めて返却する関数です。

その部品＝関数 *sqr* を、関数 *pow4* の中でうまく使っています。下図に示すように、*x* の 4 乗値を、『"*x* の 2 乗値" と "*x* の 2 乗値" を乗じた値』として計算しています。

なお、関数 *pow4* は、次のようにも実現できます。

```
//--- xの4乗値を返す（別解） ---//
int pow4(int x)
{
    return sqr(sqr(x));
}
```

すなわち、『"*x* の 2 乗値" の 2 乗値』としても求められます。

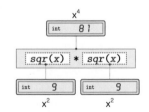

▶ 関数名の *pow* は、『べき乗』という意味の power に由来します。

問題 6-5

▶『明解』演習 6-5 (p.151)

1から *n* までの全整数の和を求めて返却する関数を作成せよ。

```
int sumup(int n);
```

```
// 1からnまでの和を求める
#include <stdio.h>

//--- 1からnまでの和を返す ---//
int sumup(int n)
{
    int sum = 0;

    for (int i = 1; i <= n; i++)
        sum += i;    // sumにiを加える
    return sum;
}

int main(void)
{
    int no;

    printf("整数値：");
    scanf("%d", &no);

    printf("1から%dまでの和は%dです。\n", no, sumup(no));

    return 0;
}
```

```
実 行 例
整数値：5▢
1から5までの和は15です。
```

6

関
数

値渡し

1から *n* までの和を求める方法は、問題 **4-14**（p.83）で学習しました。ここでは、関数間の引数の受渡しについて学習しましょう。

関数 *sumup* が呼び出される際は、**main** 関数の実引数 *no* の**値**が渡されて、関数 *sumup* の仮引数 *n* に**代入**されることは分かるでしょう。このような、引数として《値》がやりとりされるメカニズムは、**値渡し**（pass by value）と呼ばれます。

やりとりされるのが単なる**値**ですから、仮引数 *n* は実引数 *no* の**コピー**にすぎません。

そのため、呼び出された側の関数 *sumup* の中で、受け取った仮引数 *n* の値を変更しても、呼出し側の実引数 *no* が影響を受けることはありません。本のコピーをとって、そのコピーに赤鉛筆で何かを書き込んでも、もとの本には何の影響もないのと同じ理屈です。

このことを利用すると、関数 *sumup* は、次のようにも実現できます。

```
//--- 1からnまでの和を返す（別解）---//
int sumup(int n)
{
    int sum = 0;

    while (n > 0)
        sum += n--;      // sumにnを加えてnをデクリメント
    return sum;
}
```

n の値を5、4、… 、1とカウントダウンしながら加算していきます。関数終了時に *n* の値は 0 になりますが、**main** 関数の *no* は、5 のままであって 0 にはなりません。

問題 6-6　　　　　　　　　　　　　　　　　　　　　▶『明解』演習 6-6 (p.153)

警報を n 回連続して発する関数を作成せよ。

```
void alert(int n);
```

```
// 警報を繰り返し発する
#include <stdio.h>

//--- 文字chをn個連続して表示 ---//
void put_chars(int ch, int n)
{
    while (n-- > 0)
        putchar(ch);
}

//--- 文字chをn個連続して表示して改行 ---//
void put_chars_ln(int ch, int n)
{
    put_chars(ch, n);          // 文字chをn個連続して表示
    putchar('\n');             // 改行
}

//--- 警報をn回連続して発する ---//
void alert(int n)
{
    put_chars('\a', n);        // 警報文字をn個連続して出力
}

int main(void)
{
    int n;

    put_chars_ln('=', 24);                   // '='を24個表示して改行
    printf("警報を発する回数：");
    scanf("%d", &n);
    put_chars_ln('-', 24);                   // '-'を24個表示して改行

    alert(n);                                // 警報をn回出力
    putchar('\n');

    put_chars_ln('=', 24);                   // '='を24個表示して改行

    return 0;
}
```

```
            実行例
========================
警報を発する回数：3␘
------------------------
♪♪♪
========================
```

値を返さない関数

警報を n 回発する関数 **alert** は、実質的な処理を関数 **put_chars** にゆだねています。

その関数 **put_chars** が行うのは、文字 **ch** を n 個連続して表示することであり、任意の文字を、任意の個数表示できるという点で、極めて**汎用性**の高い関数です（この関数は、関数 **alert** と関数 **put_chars_ln** の両方から呼び出されています）。

なお、三つの関数は、いずれも表示を行うだけであって、返却すべき値がありません。このような関数の返却値型は、<ruby>void<rt>ボイド</rt></ruby>とします。

▶ **void** は、『<ruby>空<rt>から</rt></ruby>の』という意味です。

C言語では、値を返すものと返さないものとを、一括して関数として扱いますが、他のプログラミング言語では、値を返さないものを**サブルーチン**（Fortran などの言語）や**手続き**（Pascal などの言語）などと、関数と区別することもあります。

▶『明解』演習 6-7（p.155）

問題 6-7

画面に『こんにちは。』と表示する関数を作成せよ。

```
void hello(void);
```

```
// 『こんにちは。』と表示する
#include <stdio.h>

//--- 『こんにちは。』と表示する ---//
void hello(void)
{
    puts("こんにちは。");
}

int main(void)
{
    hello();

    return 0;
}
```

実行結果
こんにちは。

6

関
数

引数を受け取らない関数

関数 *hello* は、決まり切った文字列を表示するだけであって、受け取るべき引数がありません。このように、引数を受け取らない関数は、（）の中の仮引数型並びを **void** と宣言します。

もちろん、呼出し側も実引数を与える必要がないため、関数呼出し演算子（）の中には何も与えずに空とします。

▶ **main** 関数の定義の関数頭部である

　　`int main(void)`

は、**main** 関数が仮引数を受け取らないことを示します（本書の学習の対象外ですが、仮引数を受け取る形式の **main** 関数も定義できます）。

Column 6-1	警告

プログラムが文法的に誤りではないものの、何らかのミスが潜んでいる可能性がある（たとえば、関数原型宣言が与えられていない関数を呼び出している）ときなどに、多くの処理系は、**警告メッセージ**を発します。

警告 warning の発音をカタカナで表すと『ウォーニング』が近いのですが、多くのC言語の書籍では「ワーニング」と書かれています。ちなみに「ワーニング」と読むのならば Star Wars は「スターワーズ」に、warming up は「ワーミングアップ」となってしまいます。

142

問題 6-8

2個の int 型変数の平均値を int 型で返却する関数を作成せよ。

```
int ave_of(int a, int b);
```

```
// 2個の整数値の平均を求める

#include <stdio.h>

//--- int型の整数値を読み込んで返却 ---//
int scan_int(void)
{
    int temp;

    printf("整数値：");
    scanf("%d", &temp);

    return temp;
}

//--- int型の整数値aとbの平均値をint型で返却 ---//
int ave_of(int a, int b)
{
    return (a + b) / 2;
}

int main(void)
{
    int n1 = scan_int();       // n1にint型整数値を読み込む
    int n2 = scan_int();       // n2にint型整数値を読み込む
    int n3 = scan_int();       // n3にint型整数値を読み込む
    int ave;                   // 平均値

    //--- n1とn2の平均値 ---//
    if ((ave = ave_of(n1, n2)) == 0)
        printf("n1とn2の平均値はゼロです。\n");
    else if (ave > 0)
        printf("n1とn2の平均値は正で値は%dです。\n", ave);
    else
        printf("n1とn2の平均値は負で値は%dです。\n", ave);

    //--- n1とn3の平均値 ---//
    if ((ave = ave_of(n1, n3)) == 0)
        printf("n1とn3の平均値はゼロです。\n");
    else if (ave > 0)
        printf("n1とn3の平均値は正で値は%dです。\n", ave);
    else
        printf("n1とn3の平均値は負で値は%dです。\n", ave);

    //--- n2とn3の平均値 ---//
    if ((ave = ave_of(n2, n3)) == 0)
        printf("n2とn3の平均値はゼロです。\n");
    else if (ave > 0)
        printf("n2とn3の平均値は正で値は%dです。\n", ave);
    else
        printf("n2とn3の平均値は負で値は%dです。\n", ave);

    return 0;
}
```

実行例
整数値：3 ⏎
整数値：-5 ⏎
整数値：4 ⏎
n1とn2の平均値は負で値は-1です。
n1とn3の平均値は正で値は3です。
n2とn3の平均値はゼロです。

関数の返却値での初期化

まず最初に、main 関数冒頭の変数 n1、n2、n3 の宣言に着目しましょう。いずれも初期化子
として、関数呼出し式 scan_int() が与えられています。

そのため、これら三つの変数は、関数 scan_int の返却値（すなわち、プログラム実行時にキーボードから読み込んだ int 型の整数値）で初期化されます。

▶ このように、プログラムの実行時に初期値が決定するタイプの初期化は、この後で学習する**自動記憶域期間**をもつオブジェクトに限られます。

代入と判定

関数 ave_of は、仮引数 a と b の平均値を返却する関数です（加算結果 a + b は、int 型の整数値であり、それを整数 2 で割るため、平均値は整数値として求められます）。

さて、関数が返却した値が 0 であるかどうかを判定する網かけ部は、構造が複雑です。下図を見ながら理解していきましょう。

式の中で、二つの演算子 = と == が使われています。演算を優先させるための ( ) が置かれていますので、この式の評価は、次のように 2 段階で行われます。

① 代入演算子 = による代入

関数 ave_of の返却値（すなわち n1 と n2 の平均値）が変数 ave に代入されます。

② 等価演算子 == による等価性の判定

左オペランドの代入式 ave = ave_of(n1, n2) と、右オペランドの 0 が等しいかどうかの判定が行われます。

代入式の評価で得られるのは、代入後の左オペランドの値ですから、この制御式を日本語で表現すると、次のようになります。

関数呼出し式の返却値を ave に代入して、代入後の値が 0 と等しければ …

▶ 等価演算子 == の優先度が代入演算子 = よりも高いため、代入を囲む ( ) は省略できません。
なお、この制御式で求めた ave の値は、正か負であれば、if 文の後半部で表示されます。

なお、代入と等価性の判定を一つの式に詰めこまずに実現するのであれば、次のようなコードとなります（プログラムが 1 行長くなります）。

```
//--- n1とn2の平均値（別解）---//
ave = ave_of(n1, n2);
if (ave == 0)
    printf("n1とn2の平均値はゼロです。\n");
else if (ave > 0)
    printf("n1とn2の平均値は正で値は%dです。\n", ave);
else
    printf("n1とn2の平均値は負で値は%dです。\n", ave);
```

144

問題 6-9

7人の学生の点数を読み込んで、合格者（60点以上の学生）の一覧を表示するプログラムを作成せよ。一覧の表示を行う部分は、独立した関数として実現すること。

```c
// 点数を読み込んで合格者（60点以上）の一覧を表示
#include <stdio.h>

int point[7];          // 点数          ←１ 定義

void print_success(void);                ←Ａ 宣言

int main(void)
{
    extern int point[7];                 ←２ 宣言

    puts("７人の点数を入力せよ。");
    for (int i = 0; i < 7; i++) {
        printf("%d：", i + 1);
        scanf("%d", &point[i]);
    }
                                         ←Ｘ 呼出し
    print_success();

    return 0;
}
//--- 合格者の一覧を表示 ---//
void print_success(void)
{
    extern int point[7];                 ←３ 宣言

    puts("合格者一覧表");
    puts("-------------");
    for (int i = 0; i < 7; i++) {
        if (point[i] >= 60)
            printf("%d番：%d\n", i + 1, point[i]);
    }
    puts("-------------");
}
```

Ｂ 定義

```
実 行 例
７人の点数を入力せよ。
1：53↵
2：67↵
3：56↵
4：85↵
5：41↵
6：27↵
7：92↵

合格者一覧表
-------------
2番：67
4番：85
7番：92
-------------
```

有効範囲

変数や関数の識別子＝名前は、どこからどこまで通用するかという**範囲**が決められています。その範囲を表すのが、**有効範囲**（scope）です。

・ブロック有効範囲（block scope）

ブロック（複合文）の中で宣言された変数の名前に与えられる有効範囲であり、変数が宣言された場所から、その宣言を囲むブロック終端の } まで通用します。

▶ たとえば、main 関数と関数 print_success の両方に、同じ識別子（名前）をもった変数 i がありますが、それぞれのブロックに独自のものであり、その中でのみ通用します。

・ファイル有効範囲（file scope）

関数の外で宣言された変数の名前に与えられる有効範囲であり、宣言された場所から、そのソースプログラムの終端まで名前が通用します。

なお、ファイル有効範囲とブロック有効範囲をもつ同じ名前の変数が存在する場合、ブロック有効範囲のものが**見えて**、ファイル有効範囲の名前は**隠されます**。

また、入れ子になったブロックにおいて、ブロック有効範囲をもつ同じ名前の変数が存在する場合は、より内側のブロックのものが見えて、より外側のものが隠されます。

宣言と定義

1で宣言された配列 *point* は、**2**と**3**でも宣言されています。先頭の**1**は、`int[7]` 型の配列 *point* を作り出す宣言であり、次のニュアンスです。

- **定義（definition）でもある宣言**　　　実体を作り出すための宣言　　**1**

一方、`extern` 付きの**2**と**3**は、『どこか別の箇所で作られている *point* を使います。』といったニュアンスです。

- **定義ではない、単なる宣言**　　　　実体を使うための宣言　　**2**と**3**

> ▶ 配列 *point* は、ファイル有効範囲が与えられているため、`main` 関数や関数 *print_success* の中では、わざわざ宣言しなくとも、ちゃんと利用できます。すなわち、**2**と**3**の宣言は、省略可能です。

関数原型宣言と関数定義の順序

私たち人間と同様に、コンパイラはプログラムを先頭から末尾へと読み進めます。そのため、関数 *print_success* を呼び出すための関数呼び出し式のコード**X**に出会ったときに、

関数 *print_success* は、引数を受け取らず、値を返却しない関数である。

という情報が（コンパイラにとっても、私たち人間にとっても）必要です。その情報を与えているのが**A**の宣言です。

この宣言は、**関数の仕様**ともいうべき、関数の返却値型／関数名／仮引数が記述されていることから、**関数原型宣言**（function prototype declaration）と呼ばれます。

> ▶ この宣言の末尾には、セミコロン ; が必要です。

コンパイラやプログラムの読み手に対して、関数の仕様に関する情報を与える関数原型宣言は、関数の実体を定義するわけではありません。すなわち、次のようになります。

- **B** 関数 *print_success* の関数定義　…　定義でもある宣言
- **A** 関数 *print_success* の関数原型宣言　…　定義ではない、単なる宣言

ちなみに、関数 *print_success* の仕様（返却値型や仮引数など）を変更する場合は、関数定義**B**と関数原型宣言**A**の両方の変更が必要となります。

＊

関数 *print_success* の定義である**B**を、`main` 関数より前に配置しておけば、**A**の関数原型宣言は不要となります（コンパイラも私たちも、プログラムを先頭から読み進めるからです）。

関数の仕様を変更する場合も、その関数定義のみの変更ですみます。

一般的には、`main` 関数を最後に配置し、呼び出される側の関数を前方に配置したほうが、何かと都合がよいのです。

問題 6-10

▶『明解』演習 6-8 (p.169)

要素数が n である int の配列 v の要素の最小値を返す関数を作成せよ。

```c
int min_of(const int v[], int n);
```

```c
// 英語の点数と数学の点数の最低点を求める
#include <stdio.h>

#define NUMBER  5          // 学生の人数

//--- 要素数nの配列vの最小値を返す ---//
int min_of(const int v[], int n)
{
    int min = v[0];

    for (int i = 1; i < n; i++)
        if (v[i] < min)
            min = v[i];
    return min;
}

int main(void)
{
    int eng[NUMBER];        // 英語の点数
    int mat[NUMBER];        // 数学の点数

    printf("%d人の点数を入力せよ。\n", NUMBER);
    for (int i = 0; i < NUMBER; i++) {
        printf("[%d] 英語：", i + 1);  scanf("%d", &eng[i]);
        printf("    数学：");          scanf("%d", &mat[i]);
    }
    int min_e = min_of(eng, NUMBER);    // 英語の最低点
    int min_m = min_of(mat, NUMBER);    // 数学の最低点

    printf("英語の最低点＝%d\n", min_e);
    printf("数学の最低点＝%d\n", min_m);

    return 0;
}
```

```
              実行例
5人の点数を入力せよ。
[1] 英語：53↵
    数学：82↵
[2] 英語：49↵
    数学：35↵
[3] 英語：21↵
    数学：72↵
[4] 英語：91↵
    数学：35↵
[5] 英語：77↵
    数学：12↵
英語の最低点＝21
数学の最低点＝12
```

配列を受け取る関数と const 型修飾子

本プログラムは、英語の点数と数学の点数を読み込んで、両方の最低点を求めるものであり、関数 min_of の呼出しを2回行っています。

まずは、関数 min_of の頭部に着目します。配列を受け取る仮引数 v が『型名 引数名 []』の形式で宣言されています（要素数は別の仮引数 n として宣言されています）。

一方、関数を呼び出す側は、添字演算子 [ ] を付けずに、配列の名前だけを実引数として与えています。main 関数では、配列 eng（あるいは mat）を実引数として渡しており、呼び出された関数 min_of は、その配列を仮引数 v に受け取ります。

右ページの図にも示すように、関数呼出し式 min_of(eng, NUMBER) で呼び出された関数 min_of の中では、仮引数の配列 v は、（実質的に）実引数の配列 eng そのものとなります。たとえば、v[0] は eng[0] を表し、v[1] は eng[1] を表します。

そのため、関数に配列を渡す側は、次のような不安を感じることになります。

渡す配列の中身を書きかえられると困るのだが、大丈夫だろうか？

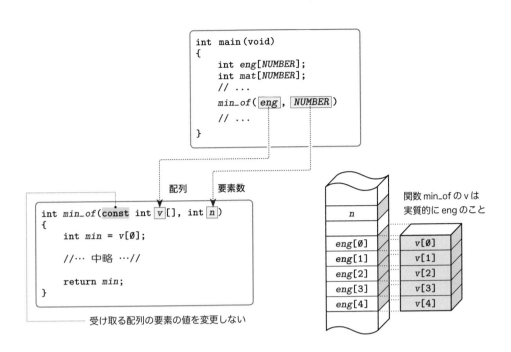

ただし、仮引数の宣言に const という**型修飾子**（type qualifier）を置いて宣言するだけで、受け取った配列は関数内で書きかえられなくなります。

関数 min_of の仮引数 v は、const 型修飾子付きで宣言されていますので、この関数の中で配列 v の要素の値を書きかえることは不可能です。

▶ もし関数 min_of 中に、次のようなコードがあれば、エラーとなります。

v[1] = 5;   // エラー：const宣言された配列の要素には代入できない

受け取った配列の要素の値を参照するだけで書きかえないのであれば、配列を受け取る仮引数には const を付けて宣言すべきであることが分かりました。関数を呼び出す側も、安心して呼び出せる（配列を渡せる）ようになります。

ヘッダとインクルード

printf 関数や putchar 関数などの関数原型宣言は、<stdio.h> の中にあります。C言語のほとんどのプログラム（入出力を行うプログラム）に置かれている

```
#include <stdio.h>              // ヘッダ<stdio.h>をインクルード
```

は、<stdio.h> の内容を取り込むための、**#include 指令**（#include directive）と呼ばれる宣言です。

ライブラリ関数の関数原型宣言などが置かれた <stdio.h> は、**ヘッダ**（header）と呼ばれ、それを #include 指令によって取り込むことを**インクルード**するといいます。

▶ ヘッダの実現方法は、処理系によって異なります（個々のヘッダが単独のファイルで供給される保証もありません）。そのため、『ヘッダファイル』ではなく、『ヘッダ』と呼ばれるのです。

```
問題 6-11                                          ▶『明解』演習 6-9 (p.169)
```

要素数が n である int の配列 v の要素の並びを反転する関数を作成せよ。

```
void rev_intary(int v[], int n);
```

```
// 配列の全要素の並びを反転する
#include <stdio.h>

#define NUMBER  7                      // 配列xの要素数

//--- 要素数nの配列vの要素の並びを反転する ---//
void rev_intary(int v[], int n)
{
    for (int i = 0; i < n / 2; i++) {    // 要素の並びを反転
        int temp     = v[i];
        v[i]         = v[n - i - 1];
        v[n - i - 1] = temp;
    }
}

int main(void)
{
    int x[NUMBER];                      // int[NUMBER]型の配列

    for (int i = 0; i < NUMBER; i++) {  // 要素に値を読み込む
        printf("x[%d] : ", i);
        scanf("%d", &x[i]);
    }

    rev_intary(x, NUMBER);              // 要素の並びを反転

    puts("反転しました。");
    for (int i = 0; i < NUMBER; i++)          // 要素の値を表示
        printf("x[%d] = %d\n", i, x[i]);

    return 0;
}
```

```
            実行例
x[0] : 15↵
x[1] : 67↵
x[2] : 28↵
x[3] : 77↵
x[4] : 35↵
x[5] : 91↵
x[6] : 83↵
反転しました。
x[0] = 83
x[1] = 91
x[2] = 35
x[3] = 77
x[4] = 28
x[5] = 67
x[6] = 15
```

受け取った配列の値を更新する関数

前問では、配列を受け取る仮引数 v の宣言に const が置かれていましたが、本問では置かれていません。関数 rev_intary の中で要素の値を更新するからです。

▶ もし仮に、v の宣言に const が置かれていたら、配列 v の要素に対して書き込みを行う、次の 2箇所がエラーとなります。

```
v[i]         = v[n - i - 1];
v[n - i - 1] = temp;
```

関数 rev_intary は、受け取った配列 v の要素の並びを反転します。

▶ 反転の手順は、問題 5-4 (p.114) と同じです。

▶『明解』演習 6-10 (p.169)

問題 6-12

要素数が n である int の配列 v2 の並びを反転したものを配列 v1 に格納する関数を作成せよ。

```
void intary_rcpy(int v1[], const int v2[], int n);
```

```
// 配列の全要素の並びを反転したものを別の配列に格納

#include <stdio.h>

#define NUMBER  7                    // 配列x1とx2の要素数

//--- 要素数nの配列v2の要素の並びを反転したものをv1に格納 ---//
void intary_rcpy(int v1[], const int v2[], int n)
{
    for (int i = 0; i < n; i++)
        v1[i] = v2[n - i - 1];
}

int main(void)
{
    int x1[NUMBER], x2[NUMBER];

    for (int i = 0; i < NUMBER; i++) {   // 要素に値を読み込む
        printf("x1[%d] : ", i);
        scanf("%d", &x1[i]);
    }

    intary_rcpy(x2, x1, NUMBER);         // x1を反転したものをx2にコピー

    puts("反転コピーしました。");
    for (int i = 0; i < NUMBER; i++)         // 要素の値を表示
        printf("x2[%d] = %d\n", i, x2[i]);

    return 0;
}
```

```
実 行 例
x1[0] : 15⏎
x1[1] : 67⏎
x1[2] : 28⏎
x1[3] : 77⏎
x1[4] : 35⏎
x1[5] : 91⏎
x1[6] : 83⏎
反転コピーし
ました。
x2[0] = 83
x2[1] = 91
x2[2] = 35
x2[3] = 77
x2[4] = 28
x2[5] = 67
x2[6] = 15
```

配列を逆順にコピー

関数 intary_rcpy は、配列 v2 の要素の並びを反転したものを、配列 v1 にコピーする関数です。引数 v2 の宣言に const が置かれているのは、コピー元の配列の要素の値は読み取るだけで更新することがないからです。

▶ コピー先の配列 v1 の宣言に const を置くと、エラーとなります。

関数本体では、要素の並びを逆順にコピーします。問題 5-9 (p.120) で学習したものと同じ方法で行っています。

＊

なお、要素の並びを逆順ではなくて正順にコピーするのであれば、次のように実現します。

```
//--- 要素数nの配列v2の要素をv1にコピー- ---//
void intary_cpy(int v1[], const int v2[], int n)
{
    for (int i = 0; i < n; i++)
        v1[i] = v2[i];
}
```

問題 6-13

要素数が *n* である `int` の配列 *v* から、*key* と同じ値をもつ要素の添字を返却する関数を作成せよ。なお、複数の要素が *key* と同じ値をもつ場合、最も末尾側の要素の添字を返却すること。

```c
int searchr(const int v[], int key, int n);
```

```c
// 線形探索（逐次探索）
#include <stdio.h>

#define NUMBER  5       // 要素数
#define FAILED  -1      // 探索失敗

//--- 要素数nの配列vからkeyと一致する要素を末尾側から線形探索 ---//
int searchr(const int v[], int key, int n)
{
    for (int i = n - 1; i >= 0; i--) {
        if (v[i] == key)
            return i;       // 探索成功
    }
    return FAILED;          // 探索失敗
}

int main(void)
{
    int ky, idx;
    int x[NUMBER];

    for (int i = 0; i < NUMBER; i++) {
        printf("x[%d]：", i);
        scanf("%d", &x[i]);
    }
    printf("探す値：");
    scanf("%d", &ky);

    if ((idx = searchr(x, ky, NUMBER)) == FAILED)
        puts("\a探索に失敗しました。");
    else
        printf("%dは%d番目にあります。\n", ky, idx + 1);

    return 0;
}
```

```
              実行例
  ① x[0]：83⏎
    x[1]：49⏎
    x[2]：77⏎
    x[3]：49⏎
    x[4]：25⏎
    探す値：49⏎
    49は4番目にあります。
  ② x[0]：83⏎
    x[1]：49⏎
    x[2]：77⏎
    x[3]：49⏎
    x[4]：25⏎
    探す値：16⏎
    ♪探索に失敗しました。
```

線形探索

　配列の要素を順に走査して、目的とするものと同じ値をもつ要素をみつける手続きは、**線形探索**（linear search）あるいは**逐次探索**（sequential search）と呼ばれます。

　関数 *searchr* は、配列 *v* を末尾から先頭へと逆順に走査していき、その過程で *key* と等しい要素を見つけると、その添字 *i* を返却します。ただし、全要素を走査しても見つからない場合は *FAILED* すなわち -1 を返却します。

▶ 関数の返却値を判定する網かけ部の構造は複雑です。この式は、返却値が代入された後の *idx* の値が *FAILED* と等しいかどうかを判定します。問題 **6-8**（p.142）の制御式と同様です。

　なお、先頭から末尾へと走査すれば、*key* と同じ値の要素が複数存在する場合、最も先頭側の要素を見つけることになります。

　右に示すのが、その実現例です。

```c
//--- 最も先頭の要素を線形探索 ---//
int search(const int v[], int key, int n)
{
    for (int i = 0; i < n; i++) {
        if (v[i] == key)
            return i;   // 探索成功
    }
    return FAILED;      // 探索失敗
}
```

▶『明解』演習 6–11 (p.169)

問題 6–14

要素数 n の配列 v 内の key と等しい全要素の添字を配列 idx に格納する関数 $search\_idx$ を作成せよ。返却するのは key と等しい要素の個数とする。

```
int search_idx(const int v[], int idx[], int key, int n);
```

たとえば、v に受け取った配列の要素が {1, 7, 5, 7, 2, 4, 7} で key が 7 であれば、idx に {1, 3, 6} を格納した上で 3 を返却すること。

```c
// 配列中のある値をもつ全要素の添字を抽出

#include <stdio.h>

#define NUMBER  7       // 要素数
#define FAILED  -1       // 探索失敗

//--- 要素数nの配列vから値がkeyの全要素の添字をidxに格納して個数を返却 ---//
int search_idx(const int v[], int idx[], int key, int n)
{
    int count = 0;

    for (int i = 0; i < n; i++) {
        if (v[i] == key)
            idx[count++] = i;
    }
    return count;
}

int main(void)
{
    int ky, num;
    int vx[NUMBER];
    int pt[NUMBER];

    for (int i = 0; i < NUMBER; i++) {
        printf("vx[%d] : ", i);
        scanf("%d", &vx[i]);
    }
    printf("探す値：");
    scanf("%d", &ky);

    if ((num = search_idx(vx, pt, ky, NUMBER)) == 0)
        puts("\aその値は含まれません。");
    else {
        printf("%dは%d個含まれます。\n", ky, num);
        for (int i = 0; i < num; i++)
            printf("vx[%d] = %d\n", pt[i], vx[pt[i]]);
    }

    return 0;
}
```

実行例

```
vx[0]：1
vx[1]：7
vx[2]：5
vx[3]：7
vx[4]：2
vx[5]：4
vx[6]：7
探す値：7
7は3個含まれます。
vx[1] = 7
vx[3] = 7
vx[6] = 7
```

線形探索の応用

線形探索を応用した問題です。関数 $search\_idx$ は、配列 v を先頭から末尾へと走査していき、その過程で、key と等しい要素を見つけたら、その添字を $idx[count]$ に格納します。

実行例の場合、7 と等しい要素の添字は 1 と 3 と 6 であり、$idx[0]$ に 1 を格納し、$idx[1]$ に 3 を格納し、$idx[2]$ に 6 を格納します。

最初に 0 で初期化された $count$ は、格納のたびにインクリメントされますので、最終的な $count$ の値は、key と一致する要素数（idx に格納した個数）となります。

問題 6-15

▶『明解』演習 6-12 (p.170)

4行3列の行列 *a* と3行4列の行列 *b* の積を、4行4列の行列 *c* に格納する関数を作成せよ。

```
void mat_mul(const int a[4][3], const int b[3][4], int c[4][4]);
```

```c
// 行列の積を求める

#include <stdio.h>

//--- 4行3列の行列aと3行4列の行列bの積を4行4列の行列cに格納する ---//
void mat_mul(const int a[4][3], const int b[3][4], int c[4][4])
{
    for (int i = 0; i < 4; i++) {
        for (int j = 0; j < 4; j++) {
            c[i][j] = 0;
            for (int k = 0; k < 3; k++)
                c[i][j] += a[i][k] * b[k][j];
        }
    }
}

int main(void)
{
    int mx[4][3];
    int my[3][4];
    int mz[4][4];

    printf("4行3列のmxと3行4列のmyの積を求めます。\n");

    puts("行列mx");
    for (int i = 0; i < 4; i++) {
        for (int j = 0; j < 3; j++) {
            printf("mx[%d][%d] : ", i, j);
            scanf("%d", &mx[i][j]);
        }
    }
    puts("行列my");
    for (int i = 0; i < 3; i++) {
        for (int j = 0; j < 4; j++) {
            printf("my[%d][%d] : ", i, j);
            scanf("%d", &my[i][j]);
        }
    }
    mat_mul(mx, my, mz);

    puts("行列の積");
    for (int i = 0; i < 4; i++) {
        for (int j = 0; j < 4; j++)
            printf("%4d", mz[i][j]);
        putchar('\n');
    }
    return 0;
}
```

実行例

```
4行3列のmxと3行4列の
myの積を求めます。
行列mx
mx[0][0] : 1⏎
mx[0][1] : 3⏎
mx[0][2] : 5⏎
mx[1][0] : 6⏎
mx[1][1] : 8⏎
mx[1][2] : 4⏎
mx[2][0] : 9⏎
mx[2][1] : 1⏎
mx[2][2] : 5⏎
mx[3][0] : 7⏎
mx[3][1] : 6⏎
mx[3][2] : 4⏎
行列my
my[0][0] : 2⏎
my[0][1] : 5⏎
my[0][2] : 8⏎
my[0][3] : 1⏎
my[1][0] : 9⏎
my[1][1] : 5⏎
my[1][2] : 3⏎
my[1][3] : 1⏎
my[2][0] : 4⏎
my[2][1] : 5⏎
my[2][2] : 6⏎
my[2][3] : 8⏎
行列の積
  49  45  47  44
 100  90  96  46
  47  75 105  50
  84  85  98  45
```

行列の積

行列の積を求めるプログラムです。三つの仮引数 *a* と *b* と *c* は、受け取る配列の要素数（行数と列数）が固定されています（別の引数としてのやりとりは行っていません）。

行列の積を求める方法は、問題 **5-11**（p.122）で学習しました。本プログラムでは、同じ方法で求めています。

▶ 行列 *a* と *b* の積を求めて *c* に格納するため、値を読み取るだけの *a* と *b* の宣言には const が置かれています。

▶『明解』演習 6–13 (p.170)

問題 6-16

4人の学生の3科目のテスト2回分の合計を求めて表示するプログラムを作成せよ。点数は3次元配列に格納するものとし、合計を求める処理と点数を表示する処理を関数として実現すること。

```c
// 4人の学生の3科目のテスト2回分の合計を求めて表示

#include <stdio.h>

//--- n行3列の行列aとbの和をcに格納する ---//
void mat_add(const int a[][3], const int b[][3], int c[][3], int n)
{
    for (int i = 0; i < n; i++)
        for (int j = 0; j < 3; j++)
            c[i][j] = a[i][j] + b[i][j];
}

//--- n行3列の行列mを表示 ---//
void mat_print(const int m[][3], int n)
{
    for (int i = 0; i < n; i++) {
        for (int j = 0; j < 3; j++)
            printf("%4d", m[i][j]);
        putchar('\n');
    }
}

int main(void)
{
    int tensu[2][4][3] = {
        {{91, 63, 78}, {67, 72, 46}, {89, 34, 53}, {32, 54, 34}},
        {{97, 67, 82}, {73, 43, 46}, {97, 56, 21}, {85, 46, 35}},
    };
    int sum[4][3];            // 合計

    mat_add(tensu[0], tensu[1], sum, 4);        // 2回分の点数の合計を求める

    // 各回の点数を表示
    for (int i = 0; i < 2; i++) {
        printf("%d回目の点数\n", i + 1);
        mat_print(tensu[i], 4);
        putchar('\n');
    }

    // 合計点を表示
    puts("合計点");
    mat_print(sum, 4);

    return 0;
}
```

```
実行結果
1回目の点数
  91  63  78
  67  72  46
  89  34  53
  32  54  34

2回目の点数
  97  67  82
  73  43  46
  97  56  21
  85  46  35

合計点
 188 130 160
 140 115  92
 186  90  74
 117 100  69
```

行列の和と多次元配列の受渡し

C言語の仕様により、多次元配列を受け取る関数は、最も高い次元未満の要素数は、必ず**定数**でなければなりません。可変なのは、最も高い次元の要素数のみであるため、その要素数だけを、配列とは別の引数としてやりとりします。

関数 mat_add と mat_print は、2次元の要素数を仮引数 n として受け取る仕様です。そのため、4行3列の行列だけではなく、5行3列や2行3列などの配列を受け取れます。

▶ すなわち、2次元配列を受け取る場合、列数は固定（関数 mat_add の場合は3）で、行数が自由（仮引数 n に受け取る値）となります。

問題 6-17

▶『明解』演習 6-14 (p.177)

静的記憶域期間が与えられた double 型配列の全要素が 0.0 で初期化されることを確認するプログラムを作成せよ。

```c
// 静的記憶域期間をもつオブジェクトの暗黙の初期化を確認
#include <stdio.h>

double a1[5];                    // 全要素が0.0で初期化される

int main(void)
{
    static double a2[5];      // 全要素が0.0で初期化される

    for (int i = 0; i < 5; i++)
        printf("a1[%d] = %.1f\n", i, a1[i]);

    for (int i = 0; i < 5; i++)
        printf("a2[%d] = %.1f\n", i, a2[i]);

    return 0;
}
```

```
実行結果
a1[0] = 0.0
a1[1] = 0.0
a1[2] = 0.0
a1[3] = 0.0
a1[4] = 0.0
a2[0] = 0.0
a2[1] = 0.0
a2[2] = 0.0
a2[3] = 0.0
a2[4] = 0.0
```

記憶域期間

オブジェクト（変数）の**生存期間**である寿命を表す**記憶域期間**（storage duration）には、次の2種類があります。

■ 自動記憶域期間（automatic storage duration）

関数の中で、**記憶域クラス指定子**（storage duration specifier）**static** を付けずに定義されたオブジェクト（変数）に与えられる記憶域期間です。

プログラムの流れが宣言を通過する際に、生成されると同時に初期化されます。

> プログラムの流れが宣言を通過する際に、オブジェクトが生成される。宣言を囲むブロックの終点すなわち } を通過するときに、そのオブジェクトは破棄される。初期化子が与えられなければ、その初期値は不定値となる。

■ 静的記憶域期間（static storage duration）

関数の中で **static** を付けて宣言されたオブジェクトや、関数の外で宣言・定義されたオブジェクトに与えられる記憶域期間です。

main 関数の実行が開始される前に初期化が行われます（プログラムの流れが宣言を通過するたびに初期化が行われることはありません）。

> プログラムの開始時、具体的には main 関数を実行する前の準備段階でオブジェクトが生成され、プログラムの終了時に破棄される。初期化子が与えられずに宣言されると、自動的に 0 で初期化される。

本プログラムの配列 a1 と a2 は、静的記憶域期間が与えられていますので、初期化子を与えていないにもかかわらず、すべての要素が 0 で初期化されています。

問題 6-18

▶『明解』演習 6-15 (p.177)

呼び出された回数を表示する関数 *put_count* を作成せよ。

```
void put_count();
```

```c
// 呼び出された回数を表示する関数
#include <stdio.h>

//--- 呼び出された回数を表示する ---//
void put_count(void)
{
    static int count = 0;
    printf("put_count：%d回目\n", ++count);
}

int main(void)
{
    int n;

    printf("呼出し回数：");
    scanf("%d", &n);

    for (int i = 0; i < n; i++)
        put_count();

    return 0;
}
```

```
実行例
呼出し回数：3↵
put_count：1回目
put_count：2回目
put_count：3回目
```

6

関数

記憶域期間の対比

　本問の変数 *count* は、静的記憶域期間が与えられた上で、初期化子として 0 が与えられています（たとえ初期化子の 0 を省略しても、*count* は 0 で初期化されます）。

　その変数 *count* の値は、関数 *put_count* が呼び出されるたびにインクリメントされますので、関数が呼び出された回数となります。

＊

　2種類の記憶域期間の性質の概要をまとめたのが下表です。

● オブジェクトの記憶域期間

	自動記憶域期間	静的記憶域期間
生 成	プログラムの流れが宣言を通過するとき	プログラム実行開始時の準備段階
初期化	明示的に初期化しなければ不定値	明示的に初期化しなければ 0
破 棄	その宣言を含むブロックを抜け出るとき	プログラム実行終了時の後始末の段階

▶　関数の中で、記憶域クラス指定子 auto または register を付けて定義された変数に対しても、自動記憶域期間が与えられます（auto はあってもなくても同じであり、付ける必要はありません）。

```
auto int ax = 0;        // int ax = 0;と同じ
```

　　また、register 記憶域クラス指定子を付けて

```
register int ax = 0;
```

　　と宣言すると、コンパイラに対して、『変数 ax を、主記憶よりも（高速な）レジスタに格納したほうがよい。』というヒントが与えられます（その結果、演算が高速になることが期待できます）。

錬成問題

- 関数は、プログラムの部品である。各部の名称を記入せよ。

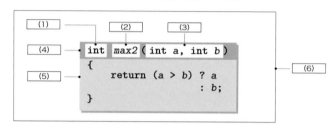

- 関数の中で宣言する変数の名前に対して、関数と同じ名前を与えることは (7) 。
  また、仮引数と同じ名前を与えることは (8) 。
  ※ 共通の選択肢：(a) できる　(b) できない

- `max2(1, 3)` は、上に示した関数 `max2` を呼び出す式である。
  ここで使われている演算子 `( )` の名称は、 (9) 演算子である。また、関数に対して補助的な指示を与える 1 や 3 は、 (10) と呼ばれる。関数が呼び出されると、プログラムの流れは、その関数へと移る。
  呼び出された関数 `max2` の仮引数 `a` と `b` には、 (10) の値が代入される。このような受渡しのメカニズムのことを (11) と呼ぶ。
  関数 `max2` は、受け取った 2 個の整数値の大きいほうの値を求めて、呼出し元に返す。呼出し元に返す値の型を示すのが、図中の (1) である。値を返さない関数の (1) は、 (12) と宣言する。なお、関数は 2 個以上の値を一度に返すことが (13) 。
  関数が返した値は、関数を呼び出した式を評価することによって得られる。`max2(1, 3)` を評価して得られるのは、型は (14) 型で、値は (15) である。
  ※ (13) の選択肢：(a) できる　(b) できない

- 右に示すプログラム部分の実行結果を示せ。

- 変数の寿命、すなわち生存期間のことを (17) と呼ぶ。
  (17) には、五十音順で (18) (17) や (19) (17) などがある。
  宣言時に初期化子が与えられない場合、前者の寿命をもつ変数は (20) で初期化され、後者の寿命をもつ変数は (21) で初期化される。

```
int test(int x, int y)
{
    int tmp = x + y;
    x = 0;
    y = 0;
    return tmp;
}

int main(void)
{
    int n1 = 15, n2 = 37;

    printf("%d ", test(n1, n2));
    printf("%d %d\n", n1, n2);

    return 0;
}
```
(16)

- 以下に示すのは、*c* が 0、1、2 であるときに、それぞれ「R」「G」「B」と表示して、それ以外の値であれば何も表示しない関数である。

```
  (22)   print_rgb(int c)
{
    switch (c) {
     case 0 : putchar(  (23)  );    (24)  ;
     case 1 : putchar(  (25)  );    (24)  ;
     case 2 : putchar(  (26)  );    (24)  ;
    }
}
```

- 以下に示すのは、いずれも改行文字を *n* 回出力する関数である。

```
  (27)   put_newline(int n)
{
    while (  (28)   > 0)
        putchar('\n');
}
```

```
  (27)   put_newline(int n)
{
    for (int i = 1; i <=  (29)  ; i++)
        putchar('\n');
}
```

- 右に示すのは、*a* と *b* の平均値を double 型の実数値として返却する関数である。

```
double ave_of(int a, int b)
{
    return   (30)  (a + b);
}
```

- 以下に示すのは、1個の整数値を読み込んで返却する関数である。なお、読み込む値は、*a* 以上 *b* 以下でなければならず、そうでない値を読み込んだ場合は再入力を促す。

```
int scan_a_to_b(int a, int b)
{
    int tmp;

    do {
        scanf("%d", &tmp);
    } while (  (31)  );

    return tmp;
}
```

```
int scan_a_to_b(int a, int b)
{
    int tmp;

    while (  (32)  ) {
        scanf("%d", &tmp);
        if (  (33)  )
            return tmp;
    }
}
```

- 以下に示すのは、いずれも *n* の符号を求める関数である。*n* の値が正であれば 1、負であれば -1、ゼロであれば 0 を返却する。

```
int sign_of(int n)
{
    int sign = 0;

    if (n > 0)
        sign =   (34)  ;
    else if (n < 0)
        sign =   (35)  ;
    return sign;
}
```

```
int sign_of(int n)
{
    if (n > 0)
          (36)  ;
    else if (n < 0)
          (37)  ;
    return 0;
}
```

- プログラム中に関数 *f* と `main` 関数があるとする。関数 *f* のほうが先頭側に定義されていれば ⬚(38)⬚ 。また、`main` 関数のほうが先頭側に定義されていれば ⬚(39)⬚ 。
  ※ 共通の選択肢：(a) 関数 *f* が先に実行される。　(b) `main` 関数が先に実行される。

- *printf* や *puts* や *scanf* など、C言語によって提供される関数は、 ⬚(40)⬚ と呼ばれる。

- 関数の外で定義された変数には ⬚(41)⬚ 有効範囲が与えられ、関数の中で定義された変数には ⬚(42)⬚ 有効範囲が与えられる。
  ⬚(41)⬚ 有効範囲と ⬚(42)⬚ 有効範囲をもつ同じ名前の変数が存在する場合、 ⬚(43)⬚ のほうが隠される。また、入れ子になったブロック中に、有効範囲をもつ同じ名前の変数が存在する場合、より ⬚(44)⬚ のブロックのものが "見えて"、より逆のものが "隠され" る。
  ※ ⬚(43)⬚ の選択肢：(a) 前者　　(b) 後者
  ※ ⬚(44)⬚ の選択肢：(a) 内側　　(b) 外側

- 右に示すのは、受け取った二つの整数の和を求めて返却する関数である。

```
int sum_of(int a, int b)
{
    return  (45) ;
}
```

- 右に示すのは、受け取った二つの整数の差を求めて返却する関数である。

```
int diff_of(int a, int b)
{
    return  (46)  ? a - b :  (47) ;
}
```

- 以下に示すのは、要素数が *n* である配列 *a* 中の値が負である要素を配列 *b* に順にコピーした上で、コピーした要素の個数を返却する関数である。

```
int plus_of( (48)  int a[], int b[], int n)
{
    int count = 0;
    for (int i = 0; i < n; i++)
        if (a[i] < 0)
            b[ (49) ] =  (50) ;
    return  (51) ;
}
```

- 以下に示すのは、*x* の *n* 乗を求めて返す関数である。

```
double power(double x, int n)
{
    double tmp =  (52) ;

    for (int i = 1;  (53) ; i++)
        tmp  (54)  x;
    return tmp;
}
```

```
double power(double x, int n)
{
    double tmp =  (55) ;

    while ( (56)  > 0)
        tmp  (57)  x;
    return tmp;
}
```

- 以下に示すのは、いずれも受け取った x と y の大きいほうの値を求めて返す関数である。

```c
int max2(int x, int y)
{
    return  (58)  ? x : y;
}
```

```c
int max2(int x, int y)
{
    int max;

    if (x > y)
        max =  (59) ;
    else
        max =  (60) ;

    return  (61) ;
}
```

```c
int max2(int x, int y)
{
    if (x > y)
         (62)  x;
    else
         (63)  y;
}
```

```c
int max2(int x, int y)
{
    int max = x;

    if (  (64)  )
        max = y;

    return  (65) ;
}
```

- 右に示すのは、前問の関数 max2 を利用して、受け取った a、b、c、d の最大値を求めて返す関数である。

```c
int max4(int a, int b, int c, int d)
{
    return max2(max2(a, b),  (66)  );
}
```

- 右に示すのは、呼び出された回数を返却する関数である（たとえば、最初に呼び出されたときは 1 を返却し、2 回目に呼び出されたときは 2 を返却する）。

```c
int counter(void)
{
     (67)  c = 0;

    return  (68) ;
}
```

- 右に示すのは、3 行 4 列の 2 次元配列 v の全構成要素に 0 を代入する関数である。
  仮引数 v の宣言において、[3] 内の 3 は　(69)　。また、[4] 内の 4 は　(70)　。
  ※ 共通の選択肢：
  (a) 省略できる
  (b) 省略できない

```c
void ary34_set0(int v[3][4])
{
    for (int i = 0; i < 3; i++) {
        for (int j = 0; j < 4; j++) {
             (71)  =  (72) ;
        }
    }
}
```

- 以下に示すのは、要素数 n の配列 a で、btm 以上 top 以下の値をもつ要素の中で最も先頭側に位置する要素の添字を返却する（該当要素が存在しない場合は -1 を返却する）関数である。

```c
int search_range(const int a[], int btm, int top, int n)
{
    for (int i = 0; i < n; i++)
        if (  (73)  )
            return  (74) ;
    return  (75) ;
}
```

- 各変数の記憶域期間を示せ。
  - 関数の外で定義された変数　　　　　　　　… (76)
  - 関数の中で **static** 付きで定義された変数 … (77)
  - 関数の中で **static** 無しで定義された変数 … (78)

  ※ 共通の選択肢：(a) 自動記憶域期間　　(b) 静的記憶域期間

- 以下に示すのは、要素数 *n* の配列 *a* で、正の値をもつ要素の中で最も末尾側に位置する要素の添字を返却する（該当要素が存在しない場合は -1 を返却する）関数である。

```
int search_plus_r(const int a[], int n)
{
    while (  (79)  )
        if (  (80)  )
            return   (81)  ;
    return   (82)  ;
}
```

- 以下に示すのは、配列 *a* の先頭 *n* 個の要素に *v* を代入する関数と、その関数を利用して、配列 *x* の全要素に **0** を代入する関数である。

```
void fill(int   (83)  , int n, int v)
{
    for (int i = 0; i < n; i++)
        a[i] =   (84)  ;
}
```

```
void fill0(int   (85)  , int n)
{
    fill(  (86)  ,   (87)  ,   (88)  );
}
```

- 右に示すプログラム部分の実行結果を示せ。

  なお、網かけ部は、関数 *fn* の返却型や引数に関する仕様を明らかにするための (89) 宣言である。

```
#include <stdio.h>
int main(void)                          (90)
{
    void fn(int i);

    for (int i = 0; i < 3; i++)
        fn(i);

    return 0;
}
void fn(int c)
{
    int a = 0;
    static int b = 0;
    printf("%d %d %d\n", ++a, ++b, ++c);
}
```

- 以下に示すのは、1 から *n* までの合計を求めて返却する関数である（*n* は正の値とする）。

```
int sumup(int n)
{
      (91)        // 関数本体のすべてを自分で考えること
}
```

▪ 右に示すプログラム部分において、a には [(92)] 有効範囲
が、b には [(93)] 有効範囲が、c には [(94)] 有効範囲が
与えられる。
また、このプログラムの実行において、∅ で初期化されるこ
とが保証される変数は [(95)] である。
 ※ [(95)] の選択肢：(a) a   (b) b   (c) c
                    (d) a と b   (e) a と c   (f) b と c

```
int a;

int main(void)
{
    int b;
    static int c;

    return ∅;
}
```

▪ 以下に示すのは、配列 b の先頭 n 個の要素を配列 a にコピーする関数である。

```
void cpy_ary(int a[], [(96)] int b[], int n)
{
    for (int i = ∅; i < n; i++)
        a[i] = [(97)] ;
}
```

▪ 以下に示すのは、n 行 3 列の 2 次元配列 a の全構成要素の合計を求めて返す関数である。

```
int sum_ary2D(const int a[(98)] , int n)
{
    int sum = [(99)] ;

    for (int i = ∅; i < [(100)] ; i++)
        for (int j = ∅; j < 3; j++)
            sum += [(101)] ;
    return sum;
}
```

▪ 以下に示す関数が何を行うのかを説明せよ。… [(102)]

```
int val(int no)
{
    static int v;
    int temp = v;

    v = no;
    return temp;
}
```

▪ 前問の関数 val を呼び出してテストする main 関数を作成せよ。… [(103)]

第7章

基本型

問題 7-1

整数型で表現できる数値の範囲を表示するプログラムを作成せよ。

```c
// 整数型の表現範囲を表示する
#include <stdio.h>
#include <limits.h>

int main(void)
{
    puts("本環境での整数型の値の範囲");
    printf("short             : %d～%d\n",     SHRT_MIN , SHRT_MAX);
    printf("int               : %d～%d\n",     INT_MIN  , INT_MAX);
    printf("long              : %ld～%ld\n",   LONG_MIN , LONG_MAX);
    printf("long long         : %lld～%lld\n", LLONG_MIN, LLONG_MAX);
    printf("unsigned short    : %u～%u\n",     0       , USHRT_MAX);
    printf("unsigned          : %u～%u\n",     0U      , UINT_MAX);
    printf("unsigned long     : %lu～%lu\n",   0LU     , ULONG_MAX);
    printf("unsigned long long: %llu～%llu\n", 0LLU    , ULLONG_MAX);

    return 0;
}
```

実行結果一例
```
本環境での各整数型の値の範囲
short             : -32768～32767
int               : -32768～32767
… 以下省略 …
```

符号無し整数型の最小値は0
マクロは定義されていない

整数型と文字型

文字型（character type）を含む**整数型**（integer type）は、**有限範囲の連続した整数**を表現する型であって、次に示すように、2種類を使い分けできます。

- ⓐ **符号付き整数型**（signed integer type）　　　負／0／正を表現する整数型
- ⓑ **符号無し整数型**（unsigned integer type）　　　0／正を表現する整数型

どちらを使うのかは、宣言の際に **signed** あるいは **unsigned** の**型指定子**（type specifier）を置いて指定します。ただし、型指定子を与えなければ、符号付き型とみなされるのが基本です。

次に示すのが、宣言のパターンです（"単なる"**int**は、**singed int**型です）。

```
int          x;    // xは符号付きint型（負／0／正を表現）  ┐
signed int   y;    // yは符号付きint型（負／0／正を表現）  │同じ型
unsigned int z;    // zは符号無しint型（    0／正を表現）
```

符号付き／無しだけでなく、表現可能な値の**範囲**によっても、使い分けが行えます。何個の整数値を表すかによって、右に示す5種類の型の使い分けが可能です。

① char
② short int
③ int
④ long int
⑤ long long int

▶ 上のほうは**低い型**、下のほうは**高い型**と呼ばれます。

なお、charについては、型指定子の付かない "単なる" **char** 型は、**signed char** 型と区別されます。

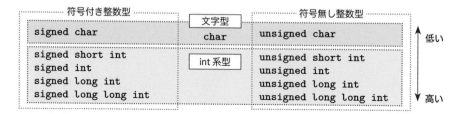

char 以外の型名は、複数のキーワードで構成される（長い）名前です。そのため、一部を省略できることになっており、その場合、次の規則に基づいて解釈されます。

- signed あるいは unsigned が省略された int 系型は、signed とみなされる。
- 単なる short と long と long long は、int が省略されたものとみなされる。
- 単なる signed と unsigned は、（short や long や long long でない）int とみなされる。

下表に示すのが、型名の一覧です。各行は、同じ型を表します。

▶ 左端の型名が**フルネーム**で、**右端の型名**が最も短い表記です。これ以降は、最も短い表記を（原則として）使っていきます。

◉ 整数型（文字型・int 系型）の名称と短縮名

文字型	char			
	signed char			
	unsigned char			
int 系型	signed short int	signed short	short int	short
	signed int	signed		int
	signed long int	signed long	long int	long
	signed long long int	signed long long	long long int	long long
	unsigned short int	unsigned short		
	unsigned int	unsigned		
	unsigned long int	unsigned long		
	unsigned long long int	unsigned long long		

各型で表現できる最小値と最大値は処理系によって異なるため、オブジェクト形式マクロとして <limits.h> ヘッダで提供される仕組みとなっています。次に示すのが定義の一例です。

本書で想定する <limits.h> の一部

```
#define UCHAR_MAX    255U                         // unsigned charの最大値

#define SCHAR_MIN    -128                          // signed charの最小値
#define SCHAR_MAX    +127                          // signed charの最大値

#define CHAR_MIN     0                             // charの最小値
#define CHAR_MAX     UCHAR_MAX                      // charの最大値

#define SHRT_MIN     -32768                         // shortの最小値
#define SHRT_MAX     +32767                         // shortの最大値

#define INT_MIN      -32768                         // intの最小値
#define INT_MAX      +32767                         // intの最大値

#define LONG_MIN     -2147483648L                   // longの最小値
#define LONG_MAX     +2147483647L                   // longの最大値

#define LLONG_MIN    -9223372036854775807LL         // long longの最小値
#define LLONG_MAX    +9223372036854775807LL         // long longの最大値

#define USHRT_MAX    65535U                         // unsigned shortの最大値
#define UINT_MAX     65535U                         // unsignedの最大値
#define ULONG_MAX    4294967295UL                   // unsigned longの最大値
#define ULLONG_MAX   18446744073709551615ULL        // unsigned long longの最大値
```

▶ 解答プログラムと、上に示したコメントでは、最も短い表記の型名（例: short）で記述しています。なお、本プログラムの実行結果は一例です。表示される値は処理系によって異なります。

表現可能な数値の範囲（最小値と最大値）が処理系によって異なるとはいえ、最低限の範囲は、言語としてきちんと決められています。次に示すのが、その値です。

● 整数型（文字型とint系型）で表現できる値の範囲（標準Cで保証された値）

型	最小値	最大値	
char	0	255	どちらになるのかは
	-127	127	処理系依存
signed char	-127	127	
unsigned char	0	255	
short	-32767	32767	
int	-32767	32767	⇐ この型を使うのが基本
long	-2147483647	2147483647	
long long	-9223372036854775807	9223372036854775807	
unsigned short	0	65535	
unsigned	0	65535	
unsigned long	0	4294967295	
unsigned long long	0	18446744073709551615	

さて、数多くの整数型の中で、`int`型は、最も取り扱いが容易で、高速な演算が可能な型です。次のように使い分けるのが、一つの目安です。

- 基本的には`int`型を使う。
- `int`型で表現不能な大きな数値が必要なときは、`long`型／`long long`型を使う。
- ハードウェア制御など、0と正値のみが必要とされる状況では、**符号無し型**を使う。

算術型と基本型

`int`型や`double`型は、加算や減算などの算術演算が適用できることから、**算術型**（arithmetic type）と呼ばれます。下図に示すように、多くの型の総称です。

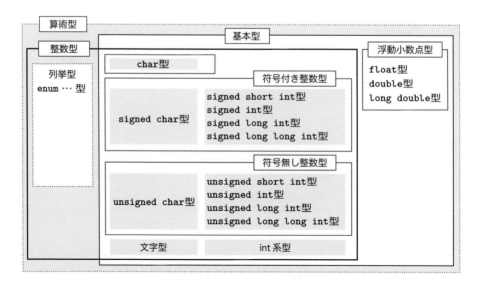

問題 7-2

文字型のビット数と表現できる数値の範囲を表示するプログラムを作成せよ。

```
// 文字型の表現範囲を表示
#include <stdio.h>
#include <limits.h>

int main(void)
{
    printf("本環境では文字型は%dビットです。\n", CHAR_BIT);
    printf("char         : %d〜%d\n", CHAR_MIN , CHAR_MAX);
    printf("signed char  : %d〜%d\n", SCHAR_MIN, SCHAR_MAX);
    printf("unsignd char : %d〜%d\n", 0        , UCHAR_MAX);

    return 0;
}
```

実行結果一例
```
本環境では文字型は8ビットです。
char         : 0〜255
signed char  : -128〜127
unsignd char : 0〜255
```

──符号無し整数型の最小値は0
　マクロは定義されていない

文字型の表現範囲

char 型は、**文字**を格納するための型です。signed と unsigned が付かない " 単なる " char 型が、符号付き型なのか、符号無し型なのかは、処理系によって異なるものの、表現できる数値の範囲は、次のようになります。

ⓐ 単なる char 型が符号付き型であれば、signed char 型 と同じ範囲。
ⓑ 　　〃　　　　符号無し型であれば、unsigned char 型と同じ範囲。

本プログラムでは、<limits.h> で定義されている各マクロ（p.165）の値を表示しています。
▶ 本プログラムの実行によって表示される値は、処理系に依存します。

ビットと CHAR_BIT

コンピュータは 0 と 1 の**ビット**（bit）でデータを表現しますので、数値を格納する《箱》の内部は、0 と 1 の並びです（ここでの箱は、変数や定数のことです）。
▶ 次に示すのが、C言語における**ビット**の定義です。
　　2種類の値のうちの一つをもちうるオブジェクトを保持するために十分な大きさをもつ実行環境でのデータ記憶域の単位。オブジェクトの個々のビットのアドレスを表現できる必要はない。
　　ビットがもちうる2種類の値のうちの一方を値0という。ビットの値を値0以外にすることを、" ビットを**セットする**（set）" という。

char 型の構成ビット数は、『**最低でも8ビット**』と決められています。具体的なビット数は、処理系まかせであって、<limits.h> ヘッダでオブジェクト形式マクロ CHAR_BIT として提供される仕組みとなっています。次に示すのが、定義の一例です。

```
#define CHAR_BIT  8     // 定義の一例：値は処理系によって異なる
```

CHAR_BIT 個のビットを並べたものが char 型の 1 個の箱というイメージです。
▶ 右図は、CHAR_BIT が 8 の場合のイメージです。

文字型で表現できる値の範囲は、CHAR_BIT に依存します。

1バイトのビット数

```
問題 7-3
```

文字型と整数型が記憶域に占有するバイト数を表示するプログラムを作成せよ。

```c
// 文字型と整数型の大きさを表示する
#include <stdio.h>

int main(void)
{
    printf("char型 は%zuバイト\n", sizeof(char));
    printf("short型は%zuバイト\n", sizeof(short));
    printf("int型  は%zuバイト\n", sizeof(int));
    printf("long型 は%zuバイト\n", sizeof(long));

    return 0;
}
```

必ず1になる

実行結果一例

```
char型 は1バイト
short型は2バイト
int型  は2バイト
long型 は4バイト
```

処理系に依存

sizeof 演算子

文字型と整数型（int 型や long 型など）で表現できる値の範囲が処理系に依存するのは、記憶域上に占有する大きさが処理系によって異なるからです。本問は、その大きさをバイト数として調べて表示する問題です。

▶ 文字型、int 系型、列挙型の総称が**整数型**ですが、厳密な区別の必要のない文脈では、int 系型のことを『**整数型**』と呼びます。

char 型が占有する大きさは、定義により1です。それ以外の型の大きさは、処理系に依存するものの、**sizeof 演算子**（sizeof operator）で調べられるようになっています。

● sizeof 演算子

sizeof 演算子	sizeof a	a（オブジェクト、定数、型名など）の大きさを求める。

この演算子が生成するのは、**char** 型の大きさの何倍であるか、という値であって、いわゆる**バイト数**と一致します。本プログラムでは、この演算子を使って、4種類の整数型のバイト数を取得・表示しています。

＊

int 系型の大きさに対しては、次の関係が成立します。

$$\text{sizeof(short)} \leq \text{sizeof(int)} \leq \text{sizeof(long)} \leq \text{sizeof(long long)}$$

すなわち、右側の高い型の大きさは、左側の低い型と等しいか、より大きくなります。

▶ 処理系によっては、四つすべてが同じ大きさになることも（理論上は）あり得ます。

また、各型の符号付き版と符号無し版の大きさは同一です。

すなわち、右に示す関係が成立します。

```
sizeof(short)     = sizeof(unsigned short)
sizeof(int)       = sizeof(unsigned)
sizeof(long)      = sizeof(unsigned long)
sizeof(long long) = sizeof(unsigned long long)
```

typedef 宣言

さて、`printf`関数での表示の際に使われている書式指定は、初登場の`"%zu"`です。`sizeof`演算子が生成する値は、`int`型ではありません。

`sizeof`演算子が生成するのは、**符号無し整数型**の値ですが、`unsigned short`から`unsigned long long`までの4種類の符号無し整数型の、どの型であるのかは定められていません。

そこで取り入れられているのが、どの型であるのかを`<stddef.h>`ヘッダ中で定義して提供する、という仕組みです。次に示すのが、その定義の一例です。

```
typedef unsigned size_t;     // 定義の一例：具体的な型は処理系によって異なる
```

ここで使われている**typedef宣言**（typedef declaration）は、初登場です。

まずは、この宣言について、右図を例に理解していきましょう。

そもそも`typedef`宣言は、型の**別名／同義語／あだ名**を作り出す宣言です。

`typedef`の後ろに置かれた*A*が既存の型名で、その後ろの*B*が、新しく与える**別名**です。ちょうど、

型Aに対して、Bというあだ名を与えます！

というニュアンスです。

この宣言によって、*B*は**型名として振る舞える**ようになります。なお、*B*のように、新しく作られた名前は、**typedef名**と呼ばれます。

typedef宣言が、既存の型に対して、新しい別の名前＝typedef名を与える宣言であることが分かりました（決して、新しい型を作るのではありません）。

＊

さて、`sizeof`演算子が生成する値の型は、`unsigned short`／`unsigned`／`unsigned long`／`unsigned long long`のいずれかの型であることは、先ほども学習しました。

ある処理系で`sizeof`演算子が生成する値の型が`unsigned`型であれば、その`unsigned`型に対して、**`size_t`型**という別名を`typedef`宣言によって与えます。

また、`unsigned long`型であれば、それに対して`size_t`型という別名を与えます。その場合、`typedef`宣言は、次のようになります。

```
typedef unsigned long size_t;    // 定義の一例
```

こうすることによって、どの処理系でも『`sizeof`演算子が生成するのは`size_t`型』と表現できるようになっているのです。

▶『明解』演習 7-1 (p.195)

問題 7-4

以下に示す各式の値を表示するプログラムを作成するとともに、各式の値を説明せよ。

```
sizeof 1      sizeof(unsigned)-1    sizeof n+2

sizeof+1      sizeof(double)-1      sizeof(n+2)

sizeof-1      sizeof((double)-1)    sizeof(n+2.0)      ※ n は int 型の変数であるとする。
```

```c
// sizeof演算子を使用した式を評価した値を表示する
#include <stdio.h>

int main(void)
{
    int n;

    printf("sizeof 1           = %zu\n", (sizeof 1));
    printf("sizeof+1           = %zu\n", (sizeof+1));
    printf("sizeof-1           = %zu\n", (sizeof-1));
    printf("sizeof(unsigned)-1 = %zu\n", (sizeof(unsigned)-1));
    printf("sizeof(double)-1   = %zu\n", (sizeof(double)-1));
    printf("sizeof((double)-1) = %zu\n", (sizeof((double)-1)));
    printf("sizeof n+2         = %zu\n", (sizeof n+2));
    printf("sizeof(n+2)        = %zu\n", (sizeof(n+2)));
    printf("sizeof(n+2.0)      = %zu\n", (sizeof(n+2.0)));

    return 0;
}
```

```
実行結果一例
sizeof 1           = 2
sizeof+1           = 2
sizeof-1           = 2
sizeof(unsigned)-1 = 1
sizeof(double)-1   = 7
sizeof((double)-1) = 8
sizeof n+2         = 4
sizeof(n+2)        = 2
sizeof(n+2.0)      = 8
```

sizeof 演算子の使い方

sizeof 演算子には、次の2種類の使い方があります。

Ⓐ sizeof （型名）   ※（）は必須であって省略不可

Ⓑ sizeof　式

大きさを調べる対象が**型**であればⒶの形式を利用して、**変数**や**定数**や、それらを演算子で結んだ**式**であればⒷの形式を利用します。

▶ Ⓑの形式では、式を囲む（）は不要です。ただし、文脈によっては紛らわしくなるため、（）を付けるようにしましょう。

本プログラムで調べている式の値の意味は、次のとおりです。

---

sizeof 1	sizeof(int) と同じ（ 1 が int 型であるため）
sizeof+1	sizeof(int) と同じ（+1 が int 型であるため）
sizeof-1	sizeof(int) と同じ（-1 が int 型であるため）
sizeof(unsigned)-1	sizeof(unsigned) から 1 を引いた値
sizeof(double)-1	sizeof(double) から 1 を引いた値
sizeof((double)-1)	sizeof(double) と同じ（-1 を double にキャストした式は double 型）
sizeof n+2	sizeof(int) に 2 を加えた値
sizeof(n+2)	sizeof(int) と同じ（n + 2 が int 型であるため）
sizeof(n+2.0)	sizeof(double) と同じ（n + 2.0 が double 型であるため）

▶ 本プログラムの実行によって表示される値は、処理系に依存します。

sizeof 演算子と配列の要素数

sizeof 演算子を配列に適用すると、配列全体の大きさが生成されます。

その大きさを、1個の要素の大きさで割れば、配列の要素数となります（右図）。

配列 a の要素数を求める式

```
sizeof(a) / sizeof(a[0])
```

は、公式的に覚えておくとよいでしょう。

▶ 念のために確認しましょう。sizeof(int) が 2 の処理系であれば、10 / 2 で 5 が得られますし、sizeof(int) が 4 の処理系であれば 20 / 4 で 5 が得られます。

なお、char の配列の要素数は sizeof(a) のみで求められます（要素の大きさが 1 だからです）。

整数の内部表現

整数の内部は、**純2進記数法**（pure binary numeration system）で表現されています。

- **符号無し整数**

符号無し整数の内部は、値の2進表現を、そのままビットに対応させたものです。

ここでは、unsigned 型の 25 を例にとって考えてみます。10 進数の 25 を 2 進数で表すと 11001 です。右に示すように、上位側のビットすべてを 0 で埋めつくした 0000…11001 で表現します。

▶ ここに示すのは、unsigned 型が 16 ビットである処理系での例です（各ビットは、下位から順に B_0、B_1、B_2、…、B_{n-1} と呼ばれます）。

- **符号付き整数**

符号付き整数の内部表現には、**2の補数表現**、**1の補数表現**、**符号と絶対値表現**の3種類があり、どれを採用するのかが処理系にゆだねられています。いずれの表現でも、**数値の符号を最上位ビットで表す**ことが共通です。その**符号ビット**は、数値が負であれば **1** として、非負であれば **0** とします。

各表現法のビット構成は次のように求めます。

- **符号と絶対値**

もとの正値の符号ビットを 0 から 1 に変更します。

- **1の補数**

全ビットを反転します。

- **2の補数**

全ビットを反転した1の補数に **1** を加えます。

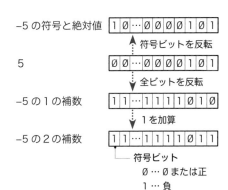

▶『明解』演習 7-2 (p.209)

問題 7-5

符号無し整数を左右にシフトした値が、上位ビットが弾き出されない限り、2のべき乗での乗算や除算の演算結果と一致することを確認するプログラムを作成せよ。

```c
// 符号無し整数のシフトが２のべき乗での乗除算と等しいことを確認
#include <stdio.h>

//--- ２のno乗を返す ---//
unsigned pow2(unsigned no)
{
    unsigned pw = 1;

    while (no--)
        pw *= 2;
    return pw;
}

int main(void)
{
    unsigned x, n;

    printf("符号無し整数xをnビットシフトします。\n");
    printf("x：");    scanf("%u", &x);
    printf("n：");    scanf("%u", &n);

    unsigned m_pow = x * pow2(n);        // ２のn乗を乗じた値
    unsigned d_pow = x / pow2(n);        // ２のn乗で除した値

    unsigned l_sht = x << n;             // nビット左にシフトした値
    unsigned r_sht = x >> n;             // nビット右にシフトした値

    printf("[a] x × (2の%u乗) = %u\n", n, m_pow);
    printf("[b] x ÷ (2の%u乗) = %u\n", n, d_pow);
    printf("[c] x << %u = %u\n", n, l_sht);
    printf("[d] x >> %u = %u\n", n, r_sht);

    printf("[a]と[c]の値は一致%s。\n" ,
            (m_pow == l_sht) ? "します" : "しません");

    printf("[b]と[d]の値は一致%s。\n" ,
            (d_pow == r_sht) ? "します" : "しません");

    return 0;
}
```

```
                    実行例
符号無し整数xをnビットシフトします。
x：100 ⏎
n：3 ⏎
[a] x × (2の3乗) = 800
[b] x ÷ (2の3乗) = 12
[c] x << 3 = 800
[d] x >> 3 = 12
[a]と[c]の値は一致します。
[b]と[d]の値は一致します。
```

シフト演算

<<演算子（<< operator）と**>>演算子**（>> operator）は、整数中の全ビットを、左または右にシフトした（ずらした）値を生成する演算子です。

これら二つの演算子の総称は、**ビット単位のシフト演算子**（bitwise shift operator）です。

● ビット単位のシフト演算子

<<演算子 a << b	a を b ビット左にシフトする。空いたビットには 0 を埋める。
>>演算子 a >> b	a を b ビット右にシフトする。

関数 pow2 は、2 の no 乗を求めて返却する関数です。本プログラムでは、シフト演算子によるシフト結果と、関数 pow2 で求めたべき乗値が一致することを確認しています。

- 演算子 << による左シフト

　式 x << n は、x の全ビットを n ビット左にシフトして、右側（下位側）の空いたビットに0を埋めます（図 a ）。n が符号無し整数型であれば、シフト結果は $x × 2^n$ です。

- 演算子 >> による右シフト

　式 x >> n は、x の全ビットを n ビット右にシフトします。x が符号無し整数型であるか、符号付き整数型の非負値であれば、$x ÷ 2^n$ の商の整数部がシフト結果です（図 b ）。

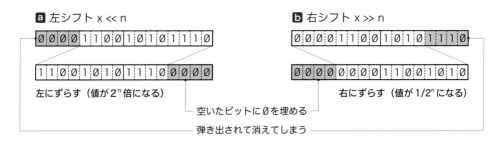

　x が符号付き整数型で、かつ、負の値をもつ場合にシフト演算を行った結果は、**処理系に依存する**ことになっています。プログラムの可搬性が損なわれますので、特別な必要がない限り、**負数のシフトは行うべきではありません**。

ビット単位の論理演算

　整数型の内部を構成する個々のビットに対しては、4種類の論理演算が行えます。下図に示すのが、それらの論理演算と真理値表です（これらの演算子は次問で使います）。

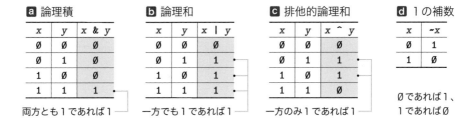

　各論理演算を行う演算子の概要をまとめたのが、次の表です。

● ビット単位の論理演算子

ビット単位の AND 演算子	a & b	a と b のビット単位の論理積を求める。
ビット単位の OR 演算子	a | b	a と b のビット単位の論理和を求める。
ビット単位の排他 OR 演算子	a ^ b	a と b のビット単位の排他的論理和を求める。
~演算子	~a	a の1の補数（すべてのビットを反転した値）を求める。

▶ いずれの演算子のオペランドも、整数型（文字型／int 系型／列挙型）でなければなりません。浮動小数点型などのオペランドに適用するとエラーが発生します。

問題 7-6

unsigned 型の整数値を読み込んで、その内部のビット構成を表示するプログラムを作成せよ。

```c
// unsigned型の構成ビットを表示
#include <stdio.h>

//--- 整数x中のセットされたビット数を返す ---//
int count_bits(unsigned x)
{
    int bits = 0;
    while (x) {
        if (x & 1U) bits++;    // ■1
        x >>= 1;               // ■2
    }
    return bits;
}

//--- unsigned型のビット数を返す ---//
int int_bits(void)
{
    return count_bits(~0U);
}

//--- unsigned型のビット内容を表示 ---//
void print_bits(unsigned x)
{
    for (int i = int_bits() - 1; i >= 0; i--)
        putchar(((x >> i) & 1U) ? '1' : '0');
}

int main(void)
{
    unsigned x;
    printf("非負の整数：");  scanf("%u", &x);
    printf("その整数の中身は");  print_bits(x);  printf("です。\n");

    return 0;
}
```

実行結果一例
非負の整数：10 ↵ その整数の中身は00000000000001010です。

整数型の内部とビット数

本プログラムでは、unsigned 型のビット数（既に学習したように、int 型のビット数と一致します）を求めた上で表示を行っています。

そのビット数を求めるのが関数 int_bits であって、その下請けとして呼び出されているのが関数 count_bits です。

▶ int 型のビット数（unsigned 型のビット数）は、多くの処理系で CHAR_BIT * sizeof(int) として求められます。たとえば、CHAR_BIT が 8 で sizeof(int) が 4 であれば、32 ビットです。

ところが、C言語の仕様により、32 ビットのうちの下位 24 ビットのみを利用して int 型の値を表現する、ということも（暗に）認められています。すなわち、CHAR_BIT * sizeof(int) で正しく求められるとは限らないわけです。

▪ int count_bits(unsigned x); … 整数 x 中のセットされたビット数を求める

仮引数 x に受け取った符号無し整数中に、セットされた（"1" である）ビットが何個あるのかをカウントする関数です。

カウントの手順を、右ページの図を見ながら理解していきましょう（図は、x の値が 10 である場合を示したものです）。

❶ xと、1U（最下位ビットのみが1の符号無し整数）との論理積を求めることで、xの最下位ビットが1であるかどうかを判定します。判定の結果、最下位ビットが1であればbitsをインクリメントします。

▶ 1UのUは、整数定数を**符号無し整数型**にする記号です（p.184）。xの最下位ビットが1であればx & 1Uは1となり、そうでなければx & 1Uは0となります。

❷ 調べ終わった最下位ビットを弾き出すために、全ビットを1ビット右にシフトします。

▶ >>=は複合代入演算子ですから、x >>= 1は、x = x >> 1と同じ働きをします。

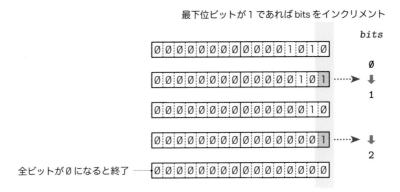

以上の作業を、xの値が0になる（xの全ビットが0になる）まで繰り返すと、セットされたビットの個数が変数bitsに入ります。

- int int_bits(void); … int型／unsigned型のビット数を調べる

関数int_bitsは、int型（unsigned型）が何ビットで構成されるのかを調べる関数であって、行っているのはcount_bits(~0U)を返却することです。

~0Uは、全ビットが1であるunsigned型整数ですから、それを関数count_bitsに渡すことによって、unsigned型のビット数を求めているのです。

▶ 全ビットが0の0Uに対して~演算子を適用するのですから、~0Uは全ビットが1となります。
　その~0Uは、UINT_MAXと同じです。というのも、符号無し整数型の最大値は、すべてのビットが1だからです。

- void print_bits(unsigned x); … 整数xの全ビット構成を表示

関数print_bitsは、unsigned型整数の最上位ビットから最下位ビットまでの全ビットを、1と0の並びとして表示する関数です。

for文のループ本体内で、putchar関数に与えている式内の(x >> i) & 1Uに着目します。これは、第iビットすなわちB_iが1かどうかの判定です。その結果が1であれば'1'と表示し、0であれば'0'と表示します。

問題 7-7

▶『明解』演習 7-3 (p.209)

符号無し整数 x の全ビットを右に n ビット回転した値を返す関数 rrotate と、左に n ビット回転した値を返す関数 lrotate を作成せよ。

```
unsigned rrotate(unsigned x, int n);

unsigned lrotate(unsigned x, int n);
```

※回転とは、最下位ビットと最上位ビットがつながっているとみなしてシフトすることである。

```
// 符号無し整数のビットを左右に回転する
#include <stdio.h>

int count_bits(unsigned x)  { /*-- 省略：問題7-6 (p.174) と同じ --*/ }
int int_bits(void)          { /*-- 省略：問題7-6 (p.174) と同じ --*/ }
void print_bits(unsigned x) { /*-- 省略：問題7-6 (p.174) と同じ --*/ }

//--- xを右にnビット回転した値を返す ---//
unsigned rrotate(unsigned x, int n)
{
    unsigned lrotate(unsigned, int);

    if (n < 0)
        return lrotate(x, -n);                        ←■1
    else {
        int bits = int_bits();                        ←■2
        n %= bits;                                    ←■3
        return n ? (x >> n) | (x << (bits - n)) : x;  ←■4
    }
}

//--- xを左にnビット回転した値を返す ---//
unsigned lrotate(unsigned x, int n)
{
    if (n < 0)
        return rrotate(x, -n);
    else {
        int bits = int_bits();
        n %= bits;
        return n ? (x << n) | (x >> (bits - n)) : x;
    }
}

int main(void)
{
    unsigned x, n;

    printf("符号無し整数xをnビット回転します。\n");
    printf("x：");    scanf("%u", &x);
    printf("n：");    scanf("%u", &n);

    printf("\n回転前＝");  print_bits(x);
    printf("\n右回転＝");  print_bits(rrotate(x, n));
    printf("\n左回転＝");  print_bits(lrotate(x, n));
    putchar('\n');

    return 0;
}
```

実行結果一例

```
符号無し整数xをnビット回転します。
x：12345 ⏎
n：4 ⏎

回転前＝0011000000111001
右回転＝1001001100000011
左回転＝0000001110010011
```

ビットの回転

関数 rrotate はビットの右回転、関数 lrotate は左回転を行う関数です。

▶ これ以降、int 型および unsigned int 型のビット数は 16 として学習していきます（プログラム自体は、ビット数には依存していません）。

まずは、右回転を行う関数 rrotate を理解しましょう。

❶ n に負の値が指定された場合の処理です。たとえば、右方向への -7 ビット回転は、左方向への 7 ビット回転とみなせます。左方向に回転する関数 lrotate に処理をゆだねた上で、関数呼出し lrotate(x, -n) の返却値をそのまま返します。

▶ 関数 rrotate の冒頭に関数 lrotate の関数原型宣言が置かれているのは、関数 lrotate の定義が関数 rrotate よりも後方にあるからです。

❷ unsigned 型のビット数を、前問と同じ方法で bits に求めます。

❸ 仮引数 n に unsigned 型のビット数を超える値が渡されたときに行う、n の値の調整です。たとえば、20 ビット回転は、『1 回転（16 ビット回転）＋ 4 ビット回転』ですから、実際には 4 ビットだけ回転すればいいわけです。そこで、n の値を n % bits に更新します。

❹ 回転したビットを求めます。ただし、n が 0 であれば、回転は不要なため、そのまま x を返却します。n が 0 でない場合に返却するのが (x >> n) | (x << (bits - n)) です。この式は、次に示すように、3 つのステップで構成されます。

- Step 1
  x を n ビットだけ右に論理シフトして図 ⓐ のビットを作ります。上位側（左側）の n ビット（白い部分）は、すべて 0 になります。

- Step 2
  x を 16 - n ビットだけ左にシフトして図 ⓑ のビットを作ります。下位側（右側）の 16 - n ビット（白い部分）は、すべて 0 になります。

- Step 3
  ⓐ と ⓑ のビット単位の論理和を求めます。これで完成です。

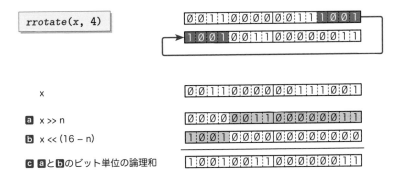

なお、関数 lrotate は、左右の方向が異なるのみで、処理の原理は同じです。

▶ 関数 lrotate の中には関数 rrotate の関数原型宣言は置かれていません。関数 rrotate の定義が関数 lrotate よりも前方にあるからです。

```
問題 7-8                                              ▶『明解』演習 7-4 (p.209)

    符号無し整数 x の第 pos ビットを、セットした値を返す関数 set、リセットした値を返す関数 reset、
反転した値を返す関数 inverse を作成せよ。

    unsigned set(    unsigned x, int pos);

    unsigned reset(  unsigned x, int pos);

    unsigned inverse(unsigned x, int pos);
```

```c
// 符号無し整数の任意のビットを操作する
#include <stdio.h>

int count_bits(unsigned x)  { /*-- 省略：問題7-6 (p.174) と同じ --*/ }
int int_bits(void)          { /*-- 省略：問題7-6 (p.174) と同じ --*/ }
void print_bits(unsigned x) { /*-- 省略：問題7-6 (p.174) と同じ --*/ }

//--- xを左にnビットシフトした値を返す ---//
unsigned lsft(unsigned x, int n)
{
    return (n <= 0 || n >= int_bits()) ? x : (x << n);
}

//--- xのposビット目を1にした値を返す ---//
unsigned set(unsigned x, int pos)
{
    return x | lsft(1U, pos);
}

//--- xのposビット目を0にした値を返す ---//
unsigned reset(unsigned x, int pos)
{
    return x & ~lsft(1U, pos);
}

//--- xのposビット目を反転した値を返す ---//
unsigned inverse(unsigned x, int pos)
{
    return x ^ lsft(1U, pos);
}

int main(void)
{
    unsigned x, pos;

    puts("符号無し整数xの第posビットを操作します。");
    printf("x   :");   scanf("%u", &x);
    printf("pos :");   scanf("%u", &pos);

    printf("\nx             =");   print_bits(x);
    printf("\nset(x, pos)   =");   print_bits(set(x, pos));
    printf("\nreset(x, pos) =");   print_bits(reset(x, pos));
    printf("\ninverse(x, pos)=");  print_bits(inverse(x, pos));
    putchar('\n');

    return 0;
}
```

```
                                    実行結果一例
                          符号無し整数xの第posビットを操作
                          します。
                          x   : 12345⏎
                          pos : 4⏎

                          x             =0011000000111001
                          set(x, pos)   =0011000000111001
                          reset(x, pos) =0011000000101001
                          inverse(x, pos)=0011000000101001
```

任意のビットの操作（セット／リセット／反転）

    三つの関数のすべてに、関数呼出し式 lsft(1U, pos) が含まれています。

    この関数呼出しで生成されるのは、unsigned 型の 1 すなわち 00…0001 を pos ビット左にシ
フトすることによって、第 pos ビット（最下位から 0、1、2、… と数えます）のみが 1 となって
いる整数です。これ以降、この式を P と呼ぶことにします。

    ▶ たとえば、pos が 4 であれば、P は 00…0010000 となります。

pos が 4 であるとして、下図を見ながら、二つの整数（ビット構成が `0101010101010101` の整数と `1010101010101010` の整数）に対する各関数の操作を確認しましょう。

▪ **ビットのセット**：関数 `set`

x と *P* の**ビット単位の論理和**を求めます。*x* の第 *pos* ビットが 1 であれば 1 のまま、0 であれば 1 になった値が生成されます。

演算対象ビットが 0 であっても 1 であっても、1 との論理和をとると 1 になり、0 との論理和をとっても変化しないことを利用しています。

▪ **ビットのリセット**：関数 `reset`

P のビットを反転したもの（すなわち第 *pos* ビットだけが 0 で、それ以外のビットが 1 となっているもの）と、*x* との**ビット単位の論理積**を求めます。*x* の第 *pos* ビットが 1 であれば 0 に、0 であれば 0 のままになった値が生成されます。

演算対象ビットが 0 であっても 1 であっても、0 との論理積をとると 0 になり、1 との論理積をとっても変化しないことを利用しています。

▪ **ビットの反転**：関数 `inverse`

x と *P* の**ビット単位の排他的論理和**を求めます。*x* の第 *pos* ビットが 0 であれば 1 に、1 であれば 0 になった値が生成されます。

演算対象ビットが 0 であっても 1 であっても、1 との排他的論理和をとった結果は、もとのビットを反転したビットとなり、0 との排他的論理和をとっても変化しないことを利用しています。

a セット　`set(x, 4)`

b リセット　`reset(x, 4)`

c 反転　`inverse(x, 4)`

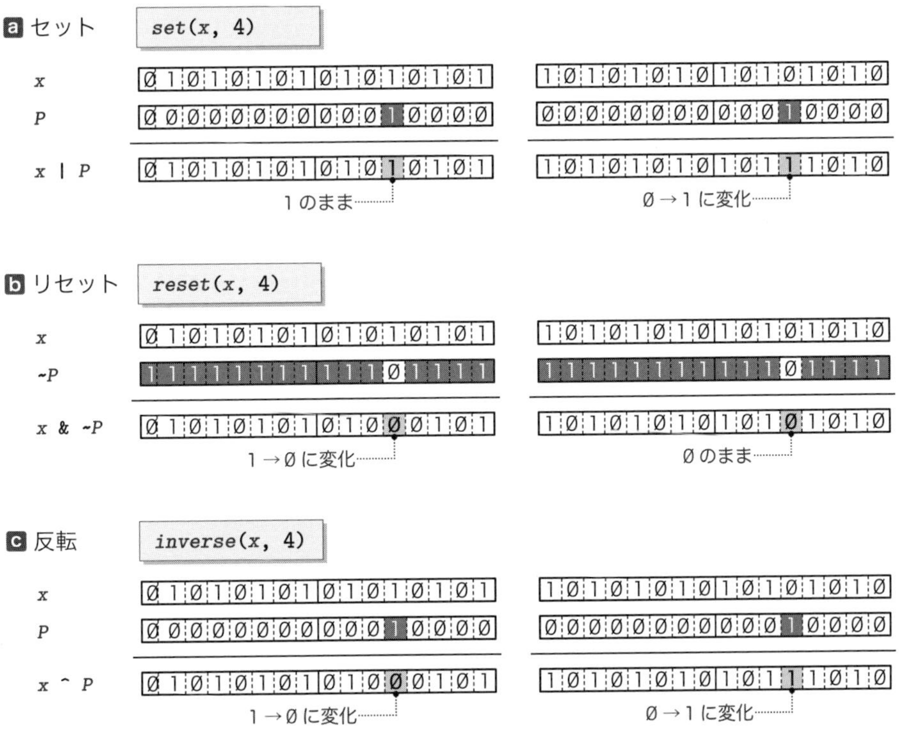

問題 7-9

▶『明解』演習 7-5 (p.209)

符号無し整数 x の第 pos ビットから第 $pos + n - 1$ ビットまでの n 個のビットを、セットした値を返す
関数 set_n、リセットした値を返す関数 $reset\_n$、反転した値を返す関数 $inverse\_n$ を作成せよ。

```
unsigned set_n(   unsigned x, int pos, int n);

unsigned reset_n( unsigned x, int pos, int n);

unsigned inverse_n(unsigned x, int pos, int n);
```

```c
// 符号無し整数の任意の連続ビットを操作する
#include <stdio.h>

int count_bits(unsigned x)  { /*-- 省略：問題7-6 (p.174) と同じ --*/ }
int int_bits(void)          { /*-- 省略：問題7-6 (p.174) と同じ --*/ }
void print_bits(unsigned x) { /*-- 省略：問題7-6 (p.174) と同じ --*/ }
unsigned lsft(unsigned x, int n) { /*-- 省略：問題7-8 (p.178) と同じ --*/ }

//--- xのposビット目からnビットを1にした値を返す ---//
unsigned set_n(unsigned x, int pos, int n)
{
    return x | lsft(~lsft(~0, n), pos);
}

//--- xのposビット目からnビットを0にした値を返す ---//
unsigned reset_n(unsigned x, int pos, int n)
{
    return x & ~lsft(~lsft(~0, n), pos);
}

//--- xのposビット目からnビットを反転した値を返す ---//
unsigned inverse_n(unsigned x, int pos, int n)
{
    return x ^ lsft(~lsft(~0, n), pos);
}

int main(void)
{
    unsigned x, pos, n;

    puts("符号無し整数xの第posビット～"
         "第pos+n-1ビットを操作します。");
    printf("x  :");    scanf("%u", &x);
    printf("pos:");    scanf("%u", &pos);
    printf("n  :");    scanf("%u", &n);

    printf("\nx                 =");  print_bits(x);
    printf("\nset_n(x, pos, n)   =");  print_bits(set_n(x, pos, n));
    printf("\nreset_n(x, pos, n) =");  print_bits(reset_n(x, pos, n));
    printf("\ninverse_n(x, pos, n)=");  print_bits(inverse_n(x, pos, n));
    putchar('\n');

    return 0;
}
```

```
              実行結果一例
符号無し整数xの第posビット～第pos+n-1ビットを
操作します。
x  :12345␃
pos:4␃
n  :3␃

x                  =0011000000111001
set_n(x, pos, no)  =0011000001111001
reset_n(x, pos, no) =0011000000001001
inverse_n(x, pos, no)=0011000001001001
```

連続するビットの操作（セット／リセット／反転）

三つの関数のすべてに、関数呼出し式 $lsft(\sim lsft(\sim 0, n), pos)$ が含まれています。

▶ 関数 $lsft$ は、前問のプログラムで作成した関数です。

この式で生成されるのは、第 pos ビットから第 $pos + n - 1$ ビットまでの n 個のビットが 1 で
あり、それ以外のビットが 0 である整数です。これ以降、この式のことを Q と呼ぶことにします。

▶ たとえば、pos が 4 で n が 3 あれば、Q は $000\cdots0001110000$ となります。

pos が 4 で n が 3 である場合を例に、Q を生成する様子を示したのが、下図です。次のように処理を行っています。

① 左に 3 ビットシフトする。
② すべてのビットを反転する。
③ 左に 4 ビットシフトする。

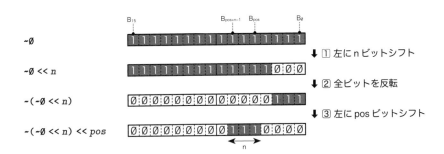

この Q を求めた後に行うことは、前問と同じです（操作の対象が単一のビットではなく、連続する n 個のビットとなっている点のみが異なります）。

pos が 4 で n が 3 である場合に、二つの整数（ビット構成が 0101010101010101 の整数と 1010101010101010 の整数）に対する各関数の操作を示したのが、下の図です。

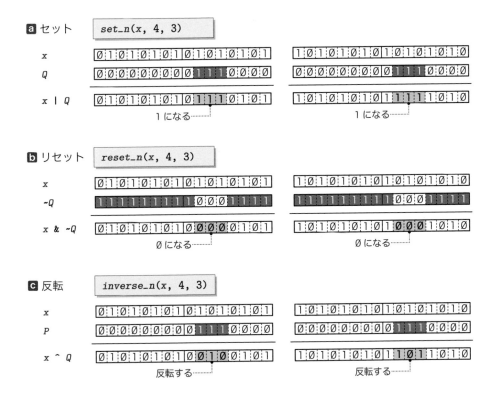

問題 7-10

unsigend型の符号無し整数 *a* と *b* と *c* に値を読み込んで、式 *a* & *b* == *b* & *c* の値を表示するプログラムを作成せよ。

```c
// 式a & b == b & cの値を表示
#include <stdio.h>

int main(void)
{
    unsigned a, b, c;
    printf("a : ");  scanf("%u", &a);
    printf("b : ");  scanf("%u", &b);
    printf("c : ");  scanf("%u", &c);

    printf("a & b == b & cの値は%uです。\n", a & b == b & c);

    return 0;
}
```

```
          実行例
a : 1
b : 3
c : 5
a & b == b & cの値は1です。
```

演算子の優先順位と結合性

直感にそぐわない実行結果が出力されます。というのも、*a* & *b* == *b* & *c* は、

> (a & b) == (b & c)

とみなされるのではなく、次のように解釈されるからです。

> (a & (b == b)) & c

▪ 優先順位

C言語のすべての演算子をまとめた表を右ページに示しています。この表は、**優先順位** (precedence) が高いほうから順に並べられたものです。たとえば、乗除の * と / が、加減算の + や - より優先順位が高いのは、日常生活で使用する計算と同じ規則です。そのため、

> a + b * c

は、(a + b) * c ではなく、a + (b * c) と解釈されます。すなわち、+ のほうが先に書かれているにもかかわらず、優先順位の高い * の演算が優先されます。

▪ 結合性

次に、**結合性** (associativity) について理解しましょう。

たとえば、二つのオペランドを要する2項演算子を○と表した場合、式 *a* ○ *b* ○ *c* が

    (a ○ b) ○ c　　　　　　　　※左結合：例 a - b - c ⇨ (a - b) - c

とみなされるのが左結合の演算子であり、

    a ○ (b ○ c)　　　　　　　　※右結合：例 a = b = c ⇨ a = (b = c)

とみなされるのが右結合の演算子です。このように、同じ優先度の演算子が並んでいるときに、左右どちらの演算が結び付けられるのかを示すのが結合性です。

● 演算子の一覧

優先順位	演算子	形式	名称（通称）	結合性
1	()	x(y)	関数呼出し演算子	左
	[]	x[y]	添字演算子	左
	.	x . y	. 演算子（ドット演算子）	左
	->	x -> y	-> 演算子（アロー演算子）	左
	++	x++	後置増分演算子	左
	--	y--	後置減分演算子	左
2	++	++x	前置増分演算子	右
	--	--y	前置減分演算子	右
	sizeof	sizeof x	sizeof 演算子	右
	&	&x	単項 & 演算子（アドレス演算子）	右
	*	*x	単項 * 演算子（間接演算子）	右
	+	+x	単項 + 演算子	右
	-	-x	単項 - 演算子	右
	~	~x	~ 演算子（補数演算子）	右
3	!	!x	論理否定演算子	右
	()	(x)y	キャスト演算子	右
4	*	x * y	2項 * 演算子	左
	/	x / y	/ 演算子	左
	%	x % y	% 演算子	左
5	+	x + y	2項 + 演算子（加算演算子）	左
	-	x - y	2項 - 演算子（減算演算子）	左
6	<<	x << y	<< 演算子	左
	>>	x >> y	>> 演算子	左
7	<	x < y	< 演算子	左
	<=	x <= y	<= 演算子	左
	>	x > y	> 演算子	左
	>=	x >= y	>= 演算子	左
8	==	x == y	== 演算子	左
	!=	x != y	!= 演算子	左
9	&	x & y	ビット単位の AND 演算子	左
10	^	x ^ y	ビット単位の排他 OR 演算子	左
11	|	x | y	ビット単位の OR 演算子	左
12	&&	x && y	論理 AND 演算子	左
13	||	x || y	論理 OR 演算子	左
14	? :	x ? y : z	条件演算子	右
15	=	x = y	単純代入演算子	右
	+= -= *= /= %= <<= >>= &= ^= |=		複合代入演算子 ★	右
16	,	x , y	コンマ演算子	左

★ 複合代入演算子の形式は、すべて x ⓐ= y である。

問題 7-11

正の整数値を 10 進数で読み込んで、その値を 8 進数と 16 進数で表示するプログラムを作成せよ。8 進定数および 16 進定数と同じ形式で表示すること。

```c
// 10進数で読み込んだ正の整数値を 8 進数と16進数で表示
#include <stdio.h>

int main(void)
{
    unsigned n;

    printf("正の整数値：");
    scanf("%u", &n);

    printf("8 進数は0%oです。\n", n);
    printf("16進数は0x%xです。\n", n);

    return 0;
}
```

```
           実行例
正の整数値：357 ↵
8 進数は0545です。
16進数は0x165です。
```

整数を表示する際の基数の指定

printf 関数では、10 進数だけでなく、8 進数と 16 進数での出力も可能です。8 進数での出力には **%o** を使い、16 進数での出力には **%x** あるいは **%X** を使います。

▶ o は <u>o</u>ctal に由来し、x は he<u>x</u>adecimal に由来します。なお、**%x** では小文字 **a** 〜 **f** で表示され、**%X** では大文字 **A** 〜 **F** で表示されます。

整数定数

整数定数は、3種類の基数で表せます。

▪ 10 進定数（decimal constant）

10 や **57** といった 10 進数で表された整数定数が、10 進定数です。

▪ 8進定数（octal constant）

8 進定数は、10 進定数と区別が付くように、先頭に **0** を置いて表記します。たとえば、**015** は 10 進定数ではなく 8 進数です（10 進数での **13** です）。

▪ 16 進定数（hexadecimal constant）

16 進定数は、先頭に **0x** または **0X** を置いて表記します。10 進数の **10** 〜 **15** に相当する **A** 〜 **F** は、大文字でも小文字でも構いません。

さて、p.165 の **<limits.h>** の定義例の整数定数には**整数接尾語**（integer suffix）と呼ばれる **U** や **L** などの記号が末尾に付いているものが含まれています。これは、次の指示です。

- **u** および **U** … その整数定数が符号無しであることを明示する。
- **l** および **L** …   〃   **long** であることを明示する。
- **ll** および **LL** …   〃   **long long** であることを明示する。

たとえば、**3517U** は **unsigned** 型となり、**127569L** は **long** 型となります。

| 問題 7-12 | ▶『明解』演習 7-6 (p.213) |

符号無し整数に対する算術演算では、計算結果が表現可能な範囲を超えた場合、その型で表現できる最大値に 1 を加えた値で割った剰余が演算結果となることを確認するプログラムを作成せよ。

```
// 符号無し整数の算術演算がオーバフローを起こさないことを確認

#include <stdio.h>
#include <limits.h>

int main(void)
{
    unsigned a;
    unsigned b;

    puts("符号無し整数値の和と積を求めます。");
    printf("UINT_MAXは%uです。\n", UINT_MAX);
    printf("これを超えた演算結果は(UINT_MAX + 1)で割った剰余となります。\n");
    printf("a : ");    scanf("%u", &a);
    printf("b : ");    scanf("%u", &b);

    printf("a + b = %u\n", a + b);
    printf("a * b = %u\n", a * b);

    return 0;
}
```

```
実行結果一例
符号無し整数値の和と積を求めます。
UINT_MAXは65535です。
これを超えた演算結果は(UINT_MAX + 1)で割った剰余となります。
a : 65530␣
b : 7␣
a + b = 1
a * b = 65494
```

オーバフローと例外

演算の結果が、**オーバフロー**（overflow）すなわち**桁あふれ**などによって、表現可能な値の範囲を超える場合や、0 による除算などによって値を数学的に定義できない場合は、**例外**（exception）が発生します。

例外発生時のプログラムの挙動は、処理系に依存します。多くの環境では、**プログラムの実行が中断されて強制終了します。**

＊

ただし、**符号無し整数型の演算に限っては、オーバフローが発生しません。** 符号無し整数の演算結果が表現可能な範囲を超えた場合、**その型で表現できる最大値に 1 を加えた値で割った剰余が演算結果となる**という規則があるからです。

たとえば、unsigned 型の表現できる範囲が 0 から 65535 である処理系で、次の演算を行ったとします。

```
unsigned x, y, z;
x = 37000;
y = 30000;
z = x + y;
```

実行すると、加算結果 67000 を 65536 で割った剰余である 1464 が z に代入されます（例外は発生しません）。

▶ 念のために、具体例を示します（unsigned で表現できる最大値が 65535 であるとします）。
- 数学的な演算結果が 65536 であれば、プログラムとしての演算結果は 0 となる。
- 数学的な演算結果が 65537 であれば、プログラムとしての演算結果は 1 となる。
- 数学的な演算結果が 65538 であれば、プログラムとしての演算結果は 2 となる。

すなわち、最小値 0 から最大値 65535 までの値が順繰りに使われます。

問題 7-13

▶『明解』演習 7-7 (p.216)

float 型の変数と double 型の変数と long double 型の変数にキーボードから数値を読み込んで、その値を表示するプログラムを作成せよ。いろいろな値を入力して、動作を検証すること。

```c
// 浮動小数点型変数の値を表示
#include <stdio.h>

int main(void)
{
    float a;
    double b;
    long double c;

    puts("３個の実数値を入力せよ。");
    printf("float型         a : ");    scanf("%f", &a);
    printf("double型        b : ");    scanf("%lf", &b);
    printf("long double型   c : ");    scanf("%Lf", &c);

    printf("a = %f\n",  a);
    printf("b = %f\n",  b);
    printf("c = %Lf\n", c);

    return 0;
}
```

```
実行結果一例
３個の実数値を入力せよ。
float型      a : 12345678901234567890123456789Ø.Ø⏎
double型     b : 12345678901234567890123456789Ø.Ø⏎
long double型 c : 12345678901234567890123456789Ø.Ø⏎
a = 123456789182729271864492818432.000000
b = 123456789Ø123456778777195970̸56.000000
c = 123456789Ø123456778777195970̸56.000000
```

long double 型のみ f ではなく Lf

浮動小数点型

実数を表す**浮動小数点型**（floating point type）には、右に示す３種類があります。

- float
- double
- long double

▶ 型名の float は**浮動小数点**（floating-point）に由来し、double は**２倍の精度**（double precision）に由来します。

本プログラムでは、これら三つの型の変数に数値を読み込んで表示しています。

▶ 実行によって表示される値は、処理系によって異なります。

実行結果から、変数に入れた数値が正確に表現されていないことが分かります。そうなるのは、浮動小数点型で表す値が、**大きさ**と**精度**の両方の制限を受けるからです。

このことを、"たとえ話"で説明すると、次のようになります。

大きさとしては 12 桁まで表すことができ、精度としては 6 桁が有効である。

数値 1234567890 を例に考えていきましょう。この値は 10 桁ですから、**大きさ**としては 12 桁に収まっています。ところが、**精度**としては 6 桁に収まっていません。そこで、左から 7 桁目を四捨五入すると 1234570000 となります。

これを数学的な形式で表現したのが、右の図です。
1.23457 は**仮数**と呼ばれ、9 は**指数**と呼ばれます。仮数の桁数が「精度」に相当し、指数の値が「大きさ」に相当します。

たとえ話として 10 進数で考えてきましたが、実際には、仮数部や指数部は、内部的に 2 進数で表現されています。

問題 7-14

▶『明解』演習 7-8 (p.217)

3種類の浮動小数点型の大きさを sizeof 演算子で求めて表示するプログラムを作成せよ。

```
// 浮動小数点型の大きさを表示する
#include <stdio.h>

int main(void)
{
    printf("sizeof(float)       = %zu\n", sizeof(float));
    printf("sizeof(double)      = %zu\n", sizeof(double));
    printf("sizeof(long double) = %zu\n", sizeof(long double));

    return 0;
}
```

実行結果一例
```
sizeof(float)       = 4
sizeof(double)      = 8
sizeof(long double) = 8
```

浮動小数点型 （左ページの解説の続き）

そのため、大きさと精度を "12 桁" や "6 桁" といった具合に、10 進整数でピッタリ表現することはできません。

右の図が、浮動小数点数の内部表現です。**指数部のビット数が多ければ大きな数値を表せますし、仮数部のビット数が多ければ精度の高い数値を表せます。**

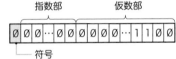

指数部と仮数部に対して、具体的に何ビットを割り当てるのかは、処理系と型に依存します。

＊

三つの型 float、double、long double は、この並びでの左側の型と同等、もしくは、より大きな "表現範囲" をもちます。そのため、次の関係が成立します。

sizeof(float) ≦ sizeof(double) ≦ sizeof(long double)

本書では、第 2 章から、double 型を中心に使ってきました。浮動小数点型については、次の指針をとるのが一般的です。

- 基本的には double 型を使う。
- 記憶域の節約の必要があれば float 型を使う。
- 計算精度が要求されるときは long double 型を使う。

▶ 本プログラムの実行によって表示される値は、処理系によって異なります。

浮動小数点定数

3.14 や 57.3 のような、実数を表す定数が**浮動小数点定数**（floating-point constant）です。

整数定数に接尾語 U と L を置けるのと同様に、浮動小数点定数の末尾にも型指定のための**浮動小数点接尾語**（floating suffix）を置けます。

float 型を指定するのが f と F であり、long double 型を指定するのが l と L です。なお、接尾語がなければ double 型となります。

▶ 小文字の l は数字の 1 と見分けがつきにくいため、大文字の L を使うべきです（整数接尾語と同様です）。

問題 7-15　　　　　　　　　　　　　　　　　　　　　　　　▶『明解』演習 7-9（p.217）

実数値の面積を読み込んで、その面積をもつ正方形の一辺の長さを求めるプログラムを作成せよ。

```c
// 正方形の面積から一辺の長さを求める

#include <math.h>
#include <stdio.h>

int main(void)
{
    double area;            // 面積

    puts("正方形の面積から一辺の長さを求めます。");
    printf("面積：");
    scanf("%lf", &area);

    printf("一辺の長さは%fです。\n", sqrt(area));

    return 0;
}
```

```
                    実行例
正方形の面積から一辺の長さを求めます。
面積：25.5 ⏎
一辺の長さは5.049752です。
```

\<math.h\> ヘッダ

　技術計算などをサポートするために、各種の数学関数が用意されています。それらが宣言されているのは、**\<math.h\> ヘッダ**です。

　本プログラムで平方根を求めるために使っている **sqrt 関数**は、次のように宣言されています。

> ```c
> double sqrt(double);
> ```

　この関数が返却するのは、引数の平方根です。

> ▶ 平方根とは、平方すると、もとの値に等しくなる数のことです。換言すると、数 a に対して、b^2 が a と等しくなる b のことです。なお、float 型の引数を受け取って float 型を返却する **sqrtf 関数**、long double 型の引数を受け取って long double 型を返却する **sqrtl 関数**も提供されます。

Column 7-1	**小数部をもつ2進数**

　10 進数の各桁は 10 のべき乗の重みをもっています。

　たとえば、10 進数の **13.25** という値を例に考えましょう。整数部の 1 は 10^1、3 は 10^0 で、小数部の 2 は 10^{-1}、5 は 10^{-2} の重みをもちます。

　同様なことが 2 進数でも成立します。2 進数の各桁は、2 のべき乗の重みをもちます。

● **2進数と10進数**

2進数	10進数	
0.1	0.5	※2の-1乗
0.01	0.25	※2の-2乗
0.001	0.125	※2の-3乗
0.0001	0.0625	※2の-4乗
⋮	⋮	

　そのため、2 進数の小数点以下の桁を 10 進数と対応させると、右の表に示す関係となります。

　0.5、0.25、0.125、… の和でない値は、有限桁の 2 進数では表現できません。具体例で検証しましょう。

・**有限桁で表現できる例**

　10 進数の **0.75** ＝ 2 進数の **0.11**　※ 0.75 は 0.5 と 0.25 の和

・**有限桁で表現できない例**

　10 進数の **0.1** ＝ 2 進数の **0.00011001…**

問題 7-16

▶『明解』演習 7-10 (p.219)

float 型の変数を 0.0 から 1.0 まで 0.01 ずつ増やしていく様子と、int 型の変数を 0 から 100 までインクリメントした値を 100.0 で割った値を求める様子を、横に並べて表示するプログラムを作成せよ。

```c
// 0.0から1.0まで0.01単位で繰り返して表示
#include <stdio.h>

int main(void)
{
    float x = 0.0;

    for (int i = 0; i <= 100; i++) {
        printf("x = %f   x = %f\n", x, i / 100.0);
        x += 0.01;
    }

    return 0;
}
```

実行結果一例
x = 0.000000   x = 0.000000
x = 0.010000   x = 0.010000
x = 0.020000   x = 0.020000
… 中略 …
x = 0.979999   x = 0.980000
x = 0.989999   x = 0.990000
x = 0.999999   x = 1.000000

繰返しの制御と計算の精度

本プログラムでは、for 文を繰り返すたびに、float 型の x の値と、int 型の i を 100.0 で割った商を並べて表示しています。

- **float 型の x**

float 型の変数 x の値は、0.0 から始めて 0.01 ずつ増やしながら表示しています。

 ▶ 変数 x は、0.0 で初期化されています。繰返しのたびに、ループ本体の中で複合代入演算子 += によって 0.01 が加えられます。

 なお、演算結果は float 型の精度に依存するため、実行結果は処理系によって異なります。

最後の x の値が、1.0 ではなく 0.999999 となっています。これは、浮動小数点数が、すべての桁の情報を失うことなく表現できるとは限らないからです。100 回の加算が行われているため、x には 100 個分の誤差が累積しています。

- **int 型の i を 100.0 で割った商**

本プログラムの for 文は、変数 i の値を 0 から 100 までインクリメントします。繰返しの過程では、毎回変数 i を 100.0 で割る除算を行って、その結果を表示しています。

この値が目的とする実数値をピッタリと表現できるとは限りません。しかし、繰返しのたびに値を求め直すわけであり、**誤差が累積しないという点で、float 型の x よりも正確です。**

可能であるかぎり、繰返しの判定の基準とする変数は、浮動小数点型でなく整数型とするようにしましょう。

問題 7-17 ▶『明解』演習 7-11（p.219）

0.0 から 1.0 まで 0.01 ずつ増やした値すべての累計を求めるプログラムを作成せよ。float 型の変数を 0.01 ずつ増やしていった値を累計するものと、int 型の変数をインクリメントした値を 100.0 で割った値を累計するものの両方を作成し、実行結果に対する考察を行うこと。

```c
// 0.0から1.0まで0.01単位で繰り返して累計を求める（floatによる繰返し）
#include <stdio.h>

int main(void)
{
    float sum = 0.0;

    for (float x = 0.0; x <= 1.0; x += 0.01)
        sum += x;

    printf("0.00、0.01、0.02、 … 、1.00の合計は%fです。\n", sum);

    return 0;
}
```

実行結果一例
0.00、0.01、0.02、 … 、1.00の合計は**50.499985**です。

```c
// 0.0から1.0まで0.01単位で繰り返して累計を求める（intによる繰返し）
#include <stdio.h>

int main(void)
{
    float sum = 0.0;

    for (int i = 0; i <= 100; i++)
        sum += i / 100.0;

    printf("0.00、0.01、0.02、 … 、1.00の合計は%fです。\n", sum);

    return 0;
}
```

実行結果一例
0.00、0.01、0.02、 … 、1.00の合計は**50.500004**です。

繰返しの制御と計算の精度

前問でも学習したように、**可能であるかぎり、繰返しの判定の基準とする変数は、浮動小数点型でなく整数型とすべきです。**二つのプログラムともに、sum の計算結果に誤差が含まれるのですが、for 文の繰返しを int 型の変数を使って制御するプログラムのほうが誤差が少なくなります（数学的に正確な累計は **50.5** です）。

整数定数と浮動小数点定数の構文図

整数定数と浮動小数点定数の構文図を右ページに示しています。

構文図から分かるように、浮動小数点定数は、整数部や小数部を省略することもできます。ただし、すべての部分が省略できるわけではありません。構文図をよく読んで理解しましょう。たとえば、小数点 . と小数部の両方を省略した場合は、整数部は省略できません。

▶ 標準Cの第2版からは、浮動小数点定数は、16進表記も行えます。その形式は『**0x 整数部 . 小数部 P 指数部　浮動小数点接尾語**』です。整数部と小数部を16進数で表記して、P 以降の指数部は2進数で与えます（10進表記とは異なり、指数部は省略できません）。

なお、printf 関数に与える変換指定を "**%a**" あるいは "**%A**" とすると、浮動小数点数が16進数で出力されます。

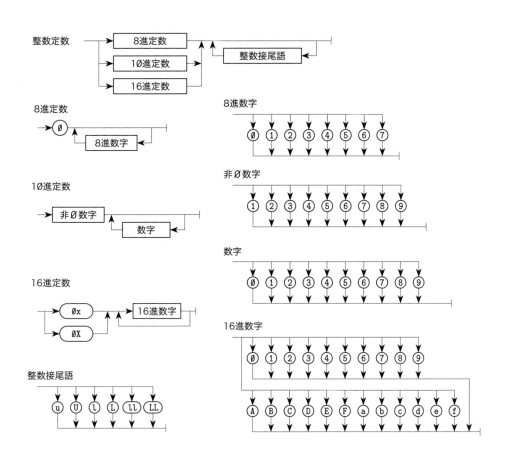

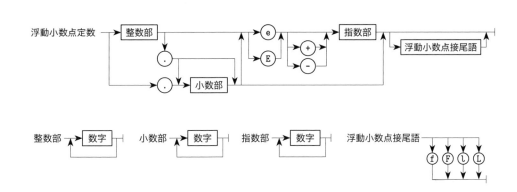

錬成問題

- $a + b * c$ では、左側の加算よりも右側の乗算のほうが先に行われる。これは、演算子 $*$ の ___(1)___ が、演算子 $+$ のそれよりも高いためである。なお、同じ ___(1)___ の演算子が連続する場合に、左右どちらの演算が先に行われるかは、演算子の ___(2)___ に基づいて決定される。

- 加算を行う $+$ 演算子は ___(3)___ 結合であり、代入を行う $=$ 演算子は ___(4)___ 結合である。

- int 型の変数 $n1$、$n2$、$n3$ の値が、それぞれ 17、9、0 であるとする。このとき、以下の各式を評価した値を示せ。

$n1$ & $n2$ … ___(5)___		$n2$ & $n3$ … ___(6)___
$n1$ | $n2$ … ___(7)___		$n2$ | $n3$ … ___(8)___
$n1$ ^ $n2$ … ___(9)___		$n2$ ^ $n3$ … ___(10)___
$n1$ >> 2 … ___(11)___		$n2$ << 3 … ___(12)___
$n1$ >>= 2 … ___(13)___		$n2$ <<= 3 … ___(14)___
$n1$ & ($n2$ && $n3$) … ___(15)___		$n1$ & ($n2$ || $n3$) … ___(16)___

- signed あるいは unsigned の ___(17)___ 子が与えられていない、"ただの" int 型は、___(18)___ であり、"ただの" char 型は、___(19)___ である。
  ※ ___(18)___ と ___(19)___ の選択肢
    - (a) 符号付き型
    - (b) 符号無し型
    - (c) 符号付き型か符号無し型かは処理系によって異なるもの

- sizeof(char) の値は ___(20)___ であり、その型は ___(21)___ 型である。

- 符号無し整数型の演算において、オーバフローは ___(22)___ 。
  ※ ___(22)___ の選択肢… (a) 起こり得る　(b) 起こらない

- 各整数型で表現できる最小値と最大値は、以下の名前で < ___(23)___ > ヘッダ内で定義されている。

char 型の最小値	… ___(24)___	char 型の最大値	… ___(25)___
int 型の最小値	… ___(26)___	int 型の最大値	… ___(27)___
unsigned char 型の最大値	… ___(28)___	unsigned int 型の最大値	… ___(29)___

- 配列 v の要素数・要素型のいかんにかかわらず、その要素数は、___(30)___ / ___(31)___ の除算によって得られる。

- 以下に示すのは、整数 *n1* から *n2* までの値を8進、1Ø進、16進で表示するプログラム部分である。

```
int n1 = 77, n2 = 8Ø;

for (int i = n1;  (32) ; i++)
    printf(" (33) \n", i, i, i);
```

```
115 77 4D
116 78 4E
117 79 4F
12Ø 8Ø 5Ø
```

- `int` 系の整数型には、低い型から順に、 (34) 、 (35) 、 (36) 、 (37) の4種類があり、右側のものは左側と同じまたはより広い表現範囲をもつ。

- 浮動小数点型には、 (38) 、 (39) 、 (40) の3種類の型がある。なお、この並びにおいて、各型は、左側の型と同等、もしくは、より大きな"表現範囲"をもつ。

- 整数定数には3種類の基数表記がある。基数の小さいほうから順に、 (41) 進定数、 (42) 進定数、 (43) 進定数である。
  Ø は (44) 進定数、Ø1 は (45) 進定数、1Ø は (46) 進定数、Ø1Ø は (47) 進定数、Øx1 は (48) 進定数である。

- 整数定数には、それが符号無しであることを示す (49) または (50) の整数接尾語や、`long` 型であることを示す (51) または (52) の整数接尾語などを付けることができる。

- 浮動小数点定数は、基本的には (53) 型である。ただし、それが `float` 型であることを示す (54) または (55) の浮動小数点接尾語を、`long double` 型であることを示す (56) または (57) の浮動小数点接尾語を付けることができる。

- `typedef` 宣言は、 (58) 宣言である。
  ※ 選択肢：(a) 新しい型を定義する　　(b) 既存の型に新しい名前を与える

- 以下に示す表の空欄を埋めよ（*a* と *b* は1ビットであるとする）。

a	b	a & b
Ø	Ø	(59)
Ø	1	(60)
1	Ø	(61)
1	1	(62)

a	b	a | b
Ø	Ø	(63)
Ø	1	(64)
1	Ø	(65)
1	1	(66)

a	b	a ^ b
Ø	Ø	(67)
Ø	1	(68)
1	Ø	(69)
1	1	(70)

a	~a
Ø	(71)
1	(72)

- 右に示すのは、x の全ビットを反転した値を返却する関数である。

```
unsigned rev_of(unsigned x)
{
    return   (73)  ;
}
```

- 右に示すのは、全ビットが 0 である符号無し整数を返却する関数である。

```
unsigned all0(void)
{
    return   (74)  ;
}
```

- 右に示すのは、全ビットが 1 である符号無し整数を返却する関数である。

```
unsigned all1(void)
{
    return   (75)  ;
}
```

- 右に示すのは、x が指す符号無し整数の最下位ビットを 1 にする関数である。

```
void setLSB(unsigned *x)
{
      (76)  ;
}
```

- 右に示すのは、x が指す符号無し整数の最下位ビットを 0 にする関数である。

```
void resetLSB(unsigned *x)
{
      (77)  ;
}
```

- 右に示すのは、x が指す符号無し整数の最下位ビットを反転する関数である。

```
void invLSB(unsigned *x)
{
      (78)  ;
}
```

- 右に示すのは、x が指す符号無し整数の最下位ビットを 0 あるいは 1 で返却する関数である。

```
int LSBof(unsigned *x)
{
    return   (79)  ;
}
```

- 右に示すのは、x が指す符号無し整数の第 n ビットを 0 あるいは 1 で返却する関数である。

```
int Bitof(unsigned *x, int n)
{
    return   (80)  ;
}
```

- 以下に示すプログラム部分の実行結果を示せ。

```
#include <stdio.h>
#include <limits.h>

unsigned x = UINT_MAX;                    (81)

printf("x + 1 = %u\n", x + 1);
printf("x + 7 = %u\n", x + 7);
```

195

- 以下に示すのは、受け取った **unsigned** 型の第 15 ビットから第 0 ビットまでの 16 ビットを 0 と 1 の並びとして表示する（最後に改行文字を出力する）関数である。

```
void print16bits(unsigned x)
{
    for (int i =  (82) ; i >= 0; i--)
        putchar(( (83)  & 1U) ? '1' : '0');
    putchar('\n');
}
```

- 前問の関数 *print16bits* を呼び出す、以下に示すプログラム部分の実行結果を示せ。

```
print16bits(0);
print16bits(1);
print16bits(~0);
print16bits(~1);
print16bits(170 & 240);
print16bits(170 | 240);
print16bits(170 ^ 240);
for (int i = 0; i < 3; i++) {
    print16bits(170 << i);
    print16bits(170 >> i);
}
print16bits(~0 << 3);
```

                                        (84)

7

基本型

- 以下に示すのは、受け取った **unsigned char** 型の値を構成するビットのうち、0 であるビットの個数を求めて返却する関数である。

```
int count0bits(unsigned char x)
{
    int bits = 0;

    for (int i = 0; i <  (85) ; i++) {
        if ( (86) )
            bits++;
        x  (87)  1;
    }
    return bits;
}
```

- 以下に示すのは、0、0.01、0.02、… 、1.00 の 101 個の値と、その平方根を表示するプログラム部分である。

```
#include < (88) >
#include <stdio.h>

//--- 中略 ---//

for (int i =  (89) ; i <=  (90) ; i++) {
    printf("%4.2f  %4.2f\n",  (91) ,  (92) );
}
```

▪ 以下に示す定数の型を示せ。

0 　…　(93) 型　　　　10 　…　(94) 型　　　　0x10 　…　(95) 型

10U 　…　(96) 型　　　10L 　…　(97) 型　　　10UL 　…　(98) 型

10.0 　…　(99) 型　　　10.0F 　…　(100) 型　　　10.0L 　…　(101) 型

▪ 以下に示すプログラム部分の誤りを指摘せよ。 … (102)

```
#include <stdio.h>
#include <limit.h>

printf("unsigned charの表現範囲～：%u～%u\n", UCHAR_MIN, UCHAR_MAX);
printf("unsigned int の表現範囲～：%u～%u\n", UINT_MIN,  UINT_MAX);
```

第8章

いろいろなプログラムを作ってみよう

```
問題 8-1                                            ▶『明解』演習 8-1 (p.231)

    二つの値xとyの差を求める関数形式マクロを定義せよ。

        diff(x, y)
```

```
//  二つの値の差を求める関数形式マクロ

#include <stdio.h>

//--- xとyの差を求める関数形式マクロ ---//
#define diff(x, y) (((x) > (y)) ? ((x) - (y)) : ((y) - (x)))

int main(void)
{
    int a, b;

    puts("二つの整数を入力せよ。");
    printf("整数a：");    scanf("%d", &a);
    printf("整数b：");    scanf("%d", &b);

    printf("それらの差は%dです。\n", diff(a, b));

    return 0;
}
```

```
          実行例
二つの整数を入力せよ。
整数a：5↵
整数b：2↵
それらの差は3です。
```

関数形式マクロ

本プログラムの **#define** 指令で定義している**関数形式マクロ**（function-like macro）は、次の指示です。

これ以降に、*diff*（☆ , ★）という形の式があれば、次のように**展開**せよ。

   (((☆) > (★)) ? ((☆) - (★)) : ((★) - (☆)))

その結果、**main**関数内の*printf*関数の呼出しは、下図のように展開された上で、コンパイル・実行されます。

```
printf("それらの差は%dです。\n", diff(a, b));
                  ↓ 展開
printf("それらの差は%dです。\n", (((a) > (b)) ? ((a) - (b)) : ((b) - (a))));
```

▶ aとbの、大きいほうの値から小さいほうの値を引いた結果が表示されます。

さて、本プログラムでは試していませんが、関数形式マクロ *diff* は、**long** 型や **float** 型などにも対応します。すなわち、演算子 **>** で比較可能であって、かつ、演算子 **-** で減算できる型であれば、あらゆる型に対して適用できます。

▶ 関数であれば、定義時に仮引数の型や返却値の型を一意に決めた上で各型ごとに用意する必要があるとともに、呼出し側も使い分けが必要です（右に示すのは、**int** 型専用の関数です）。

```
int diff(int x, int y)
{
    return x > y ? x - y : y - x;
}
```

展開された式が埋め込まれる関数形式マクロは、実行効率が高くなります。

▶ 関数のように、引数の受渡し、関数の呼出しや関数から戻る作業、返却値の受渡しなどが内部的に行われないからです。

▶『明解』演習 8-2 (p.231)

問題 8-2

二つの値 x と y の大きいほうの値を求める関数形式マクロは次のように定義できる。

```
#define max(x, y)  (((x) > (y)) ? (x) : (y))
```

このマクロを利用して、四つの値 a、b、c、d の最大値を求める、次に示す各式がどのように展開されるかを示し、考察を加えよ。

```
max(max(a, b), max(c, d))            max(max(max(a, b), c), d)
```

```
// 二つの整数値の大きいほうの値を求める関数形式マクロ

#include <stdio.h>

//--- xとyの大きいほうの値を求める関数形式マクロ ---//
#define max(x, y)  (((x) > (y)) ? (x) : (y))

int main(void)
{
    int a, b, c, d;

    puts("四つの整数を入力せよ");
    printf("整数a：");    scanf("%d", &a);
    printf("整数b：");    scanf("%d", &b);
    printf("整数c：");    scanf("%d", &c);
    printf("整数d：");    scanf("%d", &d);

    printf("最大値は%dです。\n", max(max(a, b), max(c, d)));
    printf("最大値は%dです。\n", max(max(max(a, b), c), d));

    return 0;
}
```

```
実 行 例
四つの整数を入力せよ。
整数a：5 ⏎
整数b：2 ⏎
整数c：3 ⏎
整数d：4 ⏎
最大値は5です。
最大値は5です。
```

関数形式マクロの効率と副作用

問題文で与えられたマクロ diff を使って、4 値の最大値を求める各式を展開すると、次のようになります。

```
max(max(a, b), max(c, d))      // a、b、c、dの最大値を求める（その1）
    ↓ 展開
((((a) > (b) ? (a) : (b))) > (((c) > (d) ? (c) : (d)))) ?
 (((a) > (b) ? (a) : (b))) : (((c) > (d) ? (c) : (d))))
```

```
max(max(max(a, b), c), d)      // a、b、c、dの最大値を求める（その2）
    ↓ 展開
((((((a) > (b) ? (a) : (b))) > (c) ? (((a) > (b) ? (a) : (b))) : (c))) > (d) ?
 (((((a) > (b) ? (a) : (b))) > (c) ? (((a) > (b) ? (a) : (b))) : (c))) > (d))
```

関係演算子 > の比較回数を数えるまでもなく、効率が悪いことは明らかです。

展開された式が複雑で大きくなって、その結果コンパイルによって作られる実行プログラムが低効率となる可能性があることや、そのことにプログラマが気付きにくいことなど、関数形式マクロには、デメリットがあります。

それだけではありません。たとえば max(a++, b) は、((a++) > (b) ? (a++) : b) と展開されるため、a の値のインクリメントが（最大）2 回行われます。

このように、式が複数回評価されることなどに起因して、意図しない結果となることは、マクロの**副作用**（side effect）と呼ばれます。

問題 8-3

▶『明解』演習 8-3 (p.231)

type 型の二つの値を交換する、関数形式マクロを次の形式で定義せよ。

　swap(type, a, b)

たとえば、*int* 型の変数 *x* と *y* の値が 5 と 10 であるとき、*swap(int, x, y)* を呼び出した後は、*x* と *y* には 10 と 5 が格納されていなければならない。

```
// 同一型の二つの値を交換する関数形式マクロ
#include <stdio.h>

#define swap(type, a, b)  do { type t = a; a = b; b = t; } while (0)
int main()
{
    int x, y;
    double a, b;

    puts("二つの整数を入力せよ。");
    printf("整数x : ");    scanf("%d", &x);
    printf("整数y : ");    scanf("%d", &y);
    swap(int, x, y);
    printf("交換しました。\nxは%dでyは%dです。\n", x, y);

    puts("\n二つの実数を入力せよ");
    printf("実数a : ");    scanf("%lf", &a);
    printf("実数b : ");    scanf("%lf", &b);
    swap(double, a, b);
    printf("交換しました。\naは%.3fでbは%.3fです。\n", a, b);

    return 0;
}
```

実行例
```
二つの整数を入力せよ。
整数x : 5↵
整数y : 10↵
交換しました。
xは10でyは5です。

二つの実数を入力せよ。
実数a : 6.72↵
実数b : 12.53↵
交換しました。
aは12.530でbは6.720です。
```

2値の交換

　網かけ部で定義されている *swap* が、*type* 型の変数 *a* と *b* の値を交換する関数形式マクロです。この定義を理解していきます。

　まずは、問題 5-4（p.114）で学習した**2値の交換**を思い出しましょう。{ と } とで囲まれたブロックでは、下図に示すように、作業用の変数 *t* を使って *a* と *b* の値を交換します。

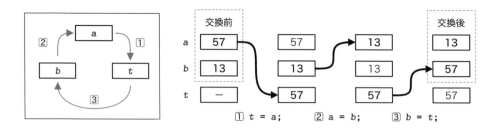

　さて、関数形式マクロを呼び出す *swap(int, x, y)* は、次のように展開されます。

```
do { int t = x; x = y; y = t; } while (0);
```

　展開された do 文の制御式 0 は、**偽**を意味します。そのため、{ から } までのループ本体が実行されるのは**1回だけ**であって、（2回以上）繰り返されることはありません。

　ブロックが1回だけ実行されて、2値の交換が期待どおりに行われます。

| **Column 8-1** | do 文で囲まれている理由 |

　同一型の2値を交換する関数形式マクロ *swap* の定義において、ブロック **{ }** が do 文で囲まれている理由を学習します。

▪ 誤った定義（ブロックを do 文で囲んでいない）

　関数形式マクロ *swap* の定義例を下図**a**に示しています。この**１**の定義では、2値を交換するブロックが do 文で囲まれていません（誤った定義です）。

　この定義が与えられると、右に示すコード**A**（*x* が *y* より大きければ *x* と *y* を交換し、そうでなければ *x* と *z* を交換するという意図の if 文）がコンパイルエラーとなります。

```
A  if (x > y)
       swap(int, x, y);
   else
       swap(int, x, z);
```

　そうなる理由を、図内の展開後プログラムを見ながら理解していきましょう。

　x > y の成立時の実行対象は、**{** から **}** までのブロックです。この直後に else が位置しなければならないのですが、余分なセミコロン **;** があります（単独のセミコロンは、**空文**（null statement）と呼ばれる、何も実行しない文です）。

　if 文とみなされるのは、図内の網かけ部のみとなり、else に対応する if が存在しないことになります。

```
B  if (x > y)
       swap(int, x, y)
   else
       swap(int, x, z)
```

　エラーを回避するには、右に示す**B**のように、セミコロンを取らなければなりません。これは、おかしいですね。

a 関数形式マクロswapの誤った定義

１ `#define swap(type, a, b)  { type t = a; a = b; b = t; }`

```
if (x > y)
    { type t = x; x = y; y = t; }   ;
else
    { type t = x; x = z; z = t; }   ;
```

この構文は →

```
if （式）
      文 文
└ else
        文 文
```

この else は if と対応しない　　**この部分のみが if 文**

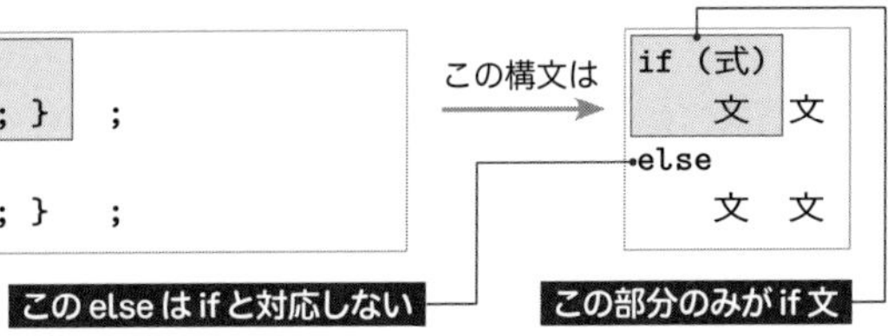

▪ 正しい定義（ブロックを do 文で囲んでいる）

　解答プログラムで示した関数形式マクロ *swap* の定義と、それを使ってコード**A**の展開の様子を示したのが、図**b**です。展開後のコード全体が正しい if 文とみなされます。

　do 文の構文は『do 文 while （式）;』であり、do から ; までが単一の文となるからです。

b 関数形式マクロswapの正しい定義

２ `#define swap(type, a, b)  do { type t = a; a = b; b = t; } while (∅)`

```
if (x > y)
    do { type t = x; x = y; y = t; } while (∅);
else
    do { type t = x; x = z; z = t; } while (∅);
```

この構文は →

```
if （式）
    文
else
    文
```

全体が if 文

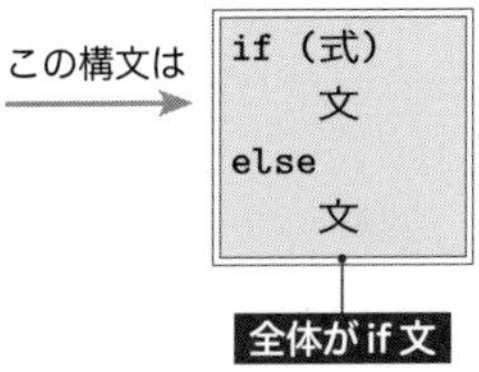

問題 8-4

警報を2回出力する関数形式マクロ alert2 と、警報を2回出力した直後に文字列 s と改行文字を順に出力する関数形式マクロ puts_alert2 を次の形式で定義せよ。

```
    alert2(n)                    puts_alert2(s, n)
```

```
// 警報を発するマクロ
#include <stdio.h>

// 警報を2回発する
#define alert2()   (printf("\a\a"))

// 警報を2回発した後に文字列strと改行文字を出力
#define puts_alert2(str)  ( alert2() , puts(str) )

int main(void)
{
    int n;

    printf("整数を入力せよ：");
    scanf("%d", &n);

    if (n)
        puts_alert2("その数はゼロではありません。");
    else
        puts_alert2("その数はゼロです。");

    return 0;
}
```

実行例

```
整数を入力せよ：0␣
♪♪その数はゼロです。
```

引数のない関数形式マクロ

警報を2回発する alert2() のように、引数を受け取らない関数形式マクロは、（ ）の中を空にして定義します。関数とは異なり、（ ）の中に void を置くことはできません。

コンマ演算子

関数形式マクロ puts_alert2 は、まず alert2 を呼び出して警報を2回発し、その後で文字列 str を puts 関数で表示するように定義されています。

この定義内で利用されているのが、下表に示す**コンマ演算子**（comma operator）です。

● コンマ演算子

コンマ演算子	a, b	a と b を順番に評価し、式全体としては b の評価値を生成。

▶ コンマ演算子を利用したコンマ式 a, b では、式 a と b が順に評価されます。

左側の式 a は評価が行われるものの、その値は切り捨てられます。そして、右側の式 b の評価によって得られる型と値が、コンマ式 a, b 全体の型と値になります。

たとえば、i の値が3で j の値が5のときに、

```
x = ++i, ++j;
```

を実行すると、i と j の両方がインクリメントされて、インクリメント後の j の値である6が x に代入されます。

二つの式 *a* と *b* をコンマ演算子で結んだコンマ式 *a*, *b* は、構文上一つの式となります。

▶ 二つの式 *a* と *b* をコンマ演算子 , で結んだコンマ式 *a*, *b* が、一つの**式**になるのは、*a* と *b* を + 演算子で結んだ *a* + *b* が式になるのと同じ理屈です。

コンマ演算子を利用して、二つの式を結んでいるのは、展開後のコードを正しい構文とするためです。**main** 関数内の **if** 文の展開後のコードで確認しましょう（下図）。

```
if (n)
    ( alert2() , puts("その数はゼロではありません。") ) ;  ───── 式文
else
    ( alert2() , puts("その数はゼロです。") ) ;  ───── 式文
```

▶ 式の後ろにセミコロン ; を置いたものは、式文です。図の場合、(から) までが式で、その後ろにセミコロン ; が置かれて、式文となっています。

2箇所の網かけ部が式文となっています。このように、**複数の式に置きかえる関数形式マクロは、コンマ演算子で結び付けて、構文的に一つの式となるように定義するのが定石です。**

＊

次のように、コンマ演算子を使わずに実現すると、どうなるかを検証しましょう。

```
#define puts_alert2(str)  { alert2(); puts(str); }
```

この定義が与えられた場合、**if** 文は次のように展開されます。

```
┌─ if文                                                    ┌─ 空文
if (n)
    { alert2(); puts("その数はゼロではありません。"); }  ;
┌─• else
│     { alert2(); puts("その数はゼロです。"); }   ;
└─• if とは対応しない
```

if 文は、最初のブロックの終端 } で完結します。というのも、その後ろの ; が空文とみなされるからです。そのため、『**if** がないのに、どうして **else** が出てくるのだろう？』と考えたコンパイラはエラーを発生します。

▶ だからといって、マクロ定義の { } を取ってしまうわけにもいきません。別のエラーが発生するからです（ご自身で確認してみましょう）。

Column 8-2　関数形式マクロとオブジェクト形式マクロ

次に示すのは、2乗値を求める関数形式マクロの定義です。

```
（正）#define sqr(x)  ((x)*(x))      // 関数形式マクロ
（誤）#define sqr (x)  ((x)*(x))      // オブジェクト形式マクロ
```

正しいのは最初の定義です。2番目のように、マクロ名と (のあいだに空白を入れると、オブジェクト形式マクロとみなされて、『*sqr* が (x) ((x)*(x)) に置換される』ことになるからです。

関数形式マクロの定義では、マクロ名と (のあいだに空白を入れてはいけません。

| 問題 8-5 | ▶『明解』演習 8-4 (p.238) |

学生の身長を読み込んで、昇順にソートするプログラムを作成せよ。バブルソートのアルゴリズムを利用すること。

```c
// 学生の身長を読み込んでソート
#include <stdio.h>

#define NUMBER  5        // 人数

//--- バブルソート ---//
void bsort(int a[], int n)
{
    for (int i = n; i > 0; i--) {          ← 全部で n-1 パス
        for (int j = 1; j < i; j++) {       ← 先頭側から末尾側へ走査
            if (a[j - 1] > a[j]) {
                int temp = a[j];
                a[j] = a[j - 1];             ← 着目 2 要素の左側が大きければ交換
                a[j - 1] = temp;
            }
        }
    }
}

int main(void)
{
    int height[NUMBER];               // NUMBER人の学生の身長

    printf("%d人の身長を入力せよ。\n", NUMBER);
    for (int i = 0; i < NUMBER; i++) {
        printf("%2d番：", i + 1);
        scanf("%d", &height[i]);
    }

    bsort(height, NUMBER);            // ソート

    puts("昇順にソートしました。");
    for (int i = 0; i < NUMBER; i++)
        printf("%2d番：%d\n", i + 1, height[i]);

    return 0;
}
```

実行例

```
5人の身長を入力せよ。
 1番：179⏎
 2番：175⏎
 3番：178⏎
 4番：173⏎
 5番：163⏎
昇順にソートしました。
 1番：163
 2番：173
 3番：175
 4番：178
 5番：179
```

バブルソート

データの集まりを昇順（小さい順）や降順（大きい順）に並べかえることを**ソート**（sort）といいます。実行例の場合、bsort 関数が受け取る要素数 n の配列 a には、次の値が入っていますので、これを例に理解していきましょう。

> 179   175   178   173   163

最初に、先頭二つの数値 [179，175] に着目します。先頭側の値のほうが大きいのであれば、昇順に並んでいないわけですから、これらの値を交換します。

> 175 —— 179   178   173   163

次に、先頭から 2 番目と 3 番目 [179，178] に着目し、同様に交換します。

> 175   178 —— 179   173   163

先頭から 3 番目と 4 番目 [179，173] も同様に交換します。

> 175   178   173 —— 179   163

引き続き、先頭から 4 番目と 5 番目 [179，163] に着目して、交換します。

> 175   178   173   163 —— 179

ここまでの手順をまとめると、次のようになります。この一連の作業を**パス**と呼びます。

```
179      175      178      173      163
175 ── 179      178      173      163
175      178 ── 179      173      163          1パス目
175      178      173 ── 179      163
175      178      173      163 ── 179
```

最大の数値 179 が末尾に引っ張り出された結果、末尾の1要素がソートずみとなります。

同じ作業を、末尾から2番目の要素 163 まで行います。その2パス目の過程は、次のようになります（点線より左側が比較・交換の対象です）。

```
175      178      173      163  ┊  179
175 ── 178      173      163  ┊  179          2パス目
175      173 ── 178      163  ┊  179
175      173      163 ── 178  ┊  179
```

2番目に大きい数値 178 が後ろから2番目に引っ張り出されるため、末尾の2要素がソートずみとなります。

引き続き、末尾から3番目の要素 163 までの3パス目を行います。

```
175      173      163  ┊  178      179
173 ── 175      163  ┊  178      179          3パス目
173      163 ── 175  ┊  178      179
```

これで、末尾の3要素がソートずみとなります。続いて4パス目です。

```
173      163  ┊  175      178      179
163 ── 173  ┊  175      178      179          4パス目
```

これで、末尾の4要素がソートずみとなります。このとき、先頭要素は最小値ですので、ソートが完了します（要素数 n の配列に対して必要なパスは $n - 1$ 回です）。

＊

数多くのソートを行うアルゴリズム（一連の手順）が考案されています。このプログラムで用いたアルゴリズムは、**バブルソート**（bubble sort）と呼ばれます。

なお、走査を**末尾側から先頭側へ**行うことも可能です。その場合、プログラムは右のようになります。

```c
//--- バブルソート ---//
void bsort(int a[], int n)
{
    for (int i = 0; i < n - 1; i++) {
        for (int j = n - 1; j > i; j--) {
            if (a[j - 1] > a[j]) {
                int temp = a[j];
                a[j] = a[j - 1];
                a[j - 1] = temp;
            }
        }
    }
}
```

問題 8-6

▶『明解』演習 8-5 (p.238)

性別や季節などを表す列挙体を自由に定義し、それを用いたプログラムを作成せよ。

```c
// 性別を表す列挙体と季節を表す列挙体
#include <stdio.h>

enum gender { Male, Female };                          // 性別  ◀━❶
enum season { Spring, Summer, Autumn, Winter };        // 季節  ◀━❷
//--- 性別を表示 ---//
void print_gender(enum gender gender)
{
    switch (gender) {
     case Male   : printf("男");  break;
     case Female : printf("女");  break;
    }
}

//--- 季節を表示 ---//
void print_season(enum season season)
{
    switch (season) {
     case Spring : printf("春");  break;
     case Summer : printf("夏");  break;
     case Autumn : printf("秋");  break;
     case Winter : printf("冬");  break;
    }
}

//--- 性別を選ぶ ---//
enum gender select_gender(void)
{
    int tmp;

    do {
        printf("0…男  1…女 : ");
        scanf("%d", &tmp);
    } while (tmp < Male || tmp > Female);
    return tmp;
}

//--- 季節を選ぶ ---//
enum season select_season(void)
{
    int tmp;

    do {
        printf("0…春  1…夏  2…秋  3…冬 : ");
        scanf("%d", &tmp);
    } while (tmp < Spring || tmp > Winter);
    return tmp;
}

int main(void)
{
    enum gender your_gender;
    enum season your_season;

    printf("あなたの性別  ");   your_gender = select_gender();
    printf("生まれた季節  ");   your_season = select_season();

    printf("あなたは");  print_gender(your_gender);
    printf("で、");      print_season(your_season);
    printf("に生まれたのですね。\n");

    return 0;
}
```

```
                        ┌─────────────────────────────┐
                        │          実行例              │
                        ├─────────────────────────────┤
                        │ あなたの性別　0…男　1…女：0↵   │
                        │ 生まれた季節　0…春　1…夏　2…秋　3…冬：2↵ │
                        │ あなたは男で、秋に生まれたのですね。 │
                        └─────────────────────────────┘
```

列挙体

プログラムの**1**と**2**は、**値の集合**を表す**列挙体**（enumeration）の宣言であり、列挙体に与えられた識別子 *gender* と *season* が**列挙体タグ**（enumeration tag）です。

なお、{ } 内の *Male*、*Female* と *Spring*、*Summer*、*Autumn*、*Winter* は**列挙定数**（enumeration constant）と呼ばれ、個々の列挙定数の型は **int** 型です。

右図が、列挙体 *season* のイメージです。各列挙定数には、先頭から順に、0、1、2、3 の整数値が与えられます。

ちょうど、複数個の選択肢から1個だけが選択可能な**ラジオボタン**のような感じです。

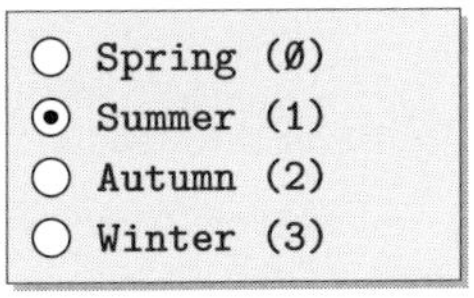

整数型が数多くの種類の整数を自由に表すのとは異なり、列挙体は、限られた値のみを表します。しかも、各値には名前が与えられています。

いずれか1個を選択できる

```
○ Spring (0)
◉ Summer (1)
○ Autumn (2)
○ Winter (3)
```

さて、この宣言で作られる型は**列挙型**（enumerated type）と呼ばれる型であり、その名前は『**enum** *season* **型**』です（列挙体タグ名 *season* 単独では、型名となりません）。

＊

main 関数では、**enum** *gender* 型の変数 *your_gender* と、**enum** *season* 型の変数 *your_season* を宣言しています。この宣言によって、*your_gender* は 0 もしくは 1 の値をとりうる変数となり、*your_season* は、0、1、2、3 のいずれかの値をとりうる変数となります。

関数 *print_gender* は性別を表示する関数で、関数 *print_season* は季節を表示する関数です。0 や 1 などの数値ではなく、列挙定数を使っているため、プログラムが読みやすくなっています。

関数 *select_gender* と関数 *select_season* は、性別あるいは季節の選択肢を表示して、選択された項目に対応する値を返す関数です。0 と 1、あるいは、0、1、2、3 以外の値が入力されたら、再入力を促します。

名前空間

列挙体タグと変数名は、異なる**名前空間**（name space）に属しているため、同じ綴りの識別子があっても、識別できます。名字の福岡と、地名の福岡は、性格が異なるため区別できるのと同じです（たとえば、『福岡君と福岡市に行く。』では、前者が名字で後者が地名であることが明白です）。

そのため、**enum** *gender* 型の変数に *gender* という識別子を与えることができます。

▶ 関数 *print_gender* と関数 *print_season* の仮引数が、タグ名と同じ名前となっています。

Column 8-3	enum の読み方

enum のもとの単語である enumeration の発音は、カタカナでの『イニュームレーション』に近い感じです。ところが、英語を母国語とする人でも、**enum** を『イニューム』とか『イーナム』などと適当に発音しているようです。コンピュータ用語に限らず、短縮された言葉の発音には絶対的な規則があるわけではありません。

問題 8-7

1月から12月までの月を表す列挙体を定義し、それを用いたプログラムを作成せよ。

```c
// 月を表す列挙体と季節を表す列挙体
#include <stdio.h>

enum month {
    January = 1, February, March, April, May, June,
    July, August, September, October, November, December
};

//--- month月の季節を表示 ---//
void print_season(enum month month)
{
    switch (month) {
     case March :
     case April :
     case May :
        printf("春");  break;

     case June :
     case July :
     case August :
        printf("夏");  break;

     case September :
     case October :
     case November :
        printf("秋");  break;

     case January :
     case February :
     case December :
        printf("冬");  break;

     default:
        printf("地球に存在しない季節");  break;
    }
}

//--- 月を選ぶ ---//
enum month select_month(void)
{
    int tmp;

    do {
        printf("何月ですか：");
        scanf("%d", &tmp);
    } while (tmp < January || tmp > December);
    return tmp;
}

int main(void)
{
    enum month your_month;

    puts("生まれた月を入力せよ。");
    your_month = select_month();

    printf("あなたは");
    print_season(your_month);
    printf("に生まれたのですね。\n");

    return 0;
}
```

実行例
```
生まれた月を入力せよ。
何月ですか：11␣
あなたは秋に生まれたのですね。
```

列挙定数の値と列挙体の特徴

前問のプログラムでは、0 から始まる連番が各列挙定数に与えられていました。本問のプログラムは、列挙定数の値が自由に指定できることを利用しています。

列挙の宣言の際に、列挙定数の識別子の後ろに、= と指定したい値を置くだけです。本プログラムの month の場合、January の値は 1 となります。

なお、値が指定されていない列挙定数には、一つ前の列挙定数の値に 1 を加えた値が与えられます。そのため、February 以降の列挙子の値は、自動的に 2、3、… 、12 となります。

それでは、次の宣言も考えましょう。

```
enum kyushu { Fukuoka, Saga = 5, Nagasaki };
```

この場合、Fukuoka は 0、Saga は 5、Nagasaki は 6 となります。また、

```
enum namae { Asuka, Nara = 0 };
```

と宣言すると、Asuka と Nara の両方が 0 になります。このように、複数の列挙定数が同じ値となっても構いません。

なお、列挙体の名前である列挙体タグが不要であれば、省略可能です。たとえば、

```
enum { RED, GREEN, BLUE };
```

といった宣言もOKです。もちろん、この列挙型の変数は宣言できません（宣言したくても、名前がないからです）が、switch 文内のラベルなどで有効に活用できます。

列挙体の特徴をまとめましょう。

- 月を表す値にオブジェクト形式マクロで名前を与えようとすると、定義が 12 行におよびます。列挙体を使えば、手短に宣言できますし、先頭の January の値さえ正しく指定しておけば、それ以降の値の指定を省略できます（値を誤ることもありません）。

```
#define JANUARY   1
#define FEBRUARY  2
#define MARCH     3

// 以下省略
```

- 月を表す enum month は、1、2、3、… 、12 の値を表す型です。たとえば、変数 m が、この型の変数であり、

```
m = 25;          // 不正な値の代入
```

という代入が行われたとします。親切なコンパイラは、このような不正な値を使うコードに対して警告メッセージを発するため、プログラムのミスを発見しやすくなります。もちろん、変数 m が int 型であれば、このようなチェックは不可能です。

- プログラムの動作確認や誤り修正（デバッグ）などを支援する、デバッガなどのツールには、列挙型の変数の値を、整数値ではなく**列挙定数の名前**で表示するものがあります。

  その場合、変数 your_month の値は、0 や 1 ではなく、January や February などと表示されますので、デバッグが容易になります。

列挙体で表せそうな整数値の集合は、なるべく列挙体として定義するようにしましょう。

```
問題 8-8                                          ▶『明解』演習 8-6 (p.243)

    非負の整数の階乗値を求める関数 factorial を作成せよ。

        int factorial(int n);

    再帰呼出しを行うものと、行わないものの両方を作成すること。
```

```
// 階乗を求める
#include <stdio.h>

//--- 階乗値を返す（再帰版）---//      //--- 階乗値を返す（非再帰版）---//
int factorial(int n)                  int factorial(int n)
{                                     {
    if (n > 0)                            int f = 1;
        return n * factorial(n - 1);
    else                                  while (n > 0)
        return 1;                             f *= n--;
}                                         return f;
                                      }
int main(void)
{
    int num;
                                         ┌──────────────┐
    printf("整数を入力せよ：");            │    実行例     │
    scanf("%d", &num);                   ├──────────────┤
                                         │整数を入力せよ：3 ⏎ │
    printf("%dの階乗は%dです。\n", num, factorial(num)); │3の階乗は6です。│
                                         └──────────────┘
    return 0;
}
```

再帰

　ある事象は、それが自分自身を含んでいたり、自分自身を用いて定義されていたりするときに、
再帰的（recursive）であるといわれます。

　再帰を効果的に利用すると、プログラムも簡潔で効率のよいものとなります。

再帰版の関数 factorial

　次に示すのが、**非負の整数値 n の階乗値の再帰的定義**（recursive definition）です。

$\boxed{a}$ 0! = 1

$\boxed{b}$ n > 0 ならば n! = n × (n - 1)!

　たとえば、5の階乗である5!は、5×4!で求められます。また、その計算式で使われている4!
の値は、4×3!によって求められます。

　　▶　もちろん、3!は3×2!によって求められますし、2!は2×1!によって求められ、1!は1×0!に
　　よって求められます。0!は、定義により1です。

　関数 factorial は、仮引数 n に受け取った値が0よりも大きければ、n * factorial(n - 1)
の値を返し、そうでなければ、1を返すように定義されています。

　見かけは単純ですが、実行時の挙動は複雑です。関数 factorial が階乗値を求めていく手
順を、『3の階乗値を求める』例で考えていきましょう。

- `factorial(3)` の評価・実行によって関数 `factorial` が呼び出されます。この関数は、仮引数 `n` に 3 を受け取っており、次の値を返します。

     `3 * factorial(2)`

  もっとも、この乗算を行うには、`factorial(2)` の値が必要です。そこで、実引数として整数値 2 を渡して関数 `factorial` を呼び出します。

- 呼び出された関数 `factorial` は、仮引数 `n` に 2 を受け取っています。

     `2 * factorial(1)`

  の乗算を行うために、関数 `factorial(1)` を呼び出します。

- 呼び出された関数 `factorial` は、仮引数 `n` に 1 を受け取っています。

     `1 * factorial(0)`

  の乗算を行うために、関数 `factorial(0)` を呼び出します。

- 呼び出された関数 `factorial` は、仮引数 `n` に受け取った値が 0 ですから、1 を返します。

- 返却された値 1 を受け取った関数 `factorial` は、`1 * factorial(0)` すなわち `1 * 1` を返します。

- 返却された値 1 を受け取った関数 `factorial` は、`2 * factorial(1)` すなわち `2 * 1` を返します。

- 返却された値 2 を受け取った関数 `factorial` は、`3 * factorial(2)` すなわち `3 * 2` を返します。

これで 3 の階乗値 6 が得られます。

関数 `factorial` は、`n - 1` の階乗値を求めるために、関数 `factorial` を呼び出します。このような関数呼出しが**再帰関数呼出し**（recursive function call）です。

> ▶ 再帰関数呼出しは『"自分自身の関数"の呼出し』というよりも、『"自分と同じ関数"の呼出し』と理解したほうが自然です。もしも本当に自分自身を呼び出すのであれば、延々と自分を呼び出し続けることになってしまうからです。

再帰的アルゴリズムが適しているのは、解くべき問題や計算すべき関数、あるいは処理すべきデータ構造が再帰的に定義されている場合です。

したがって、再帰的手続きによって階乗値を求めるのは、再帰の原理を理解するための作為的な例であって、**現実的には適切ではありません**。

非再帰版の関数 factorial

非再帰版の関数 `factorial` は、単純な構造です。`while` 文の繰返しによって、`n` の値をデクリメントしながら値を求めます。

8

いろいろなプログラムを作ってみよう

問題 8-9

▶『明解』演習 8-7 (p.243)

異なるn個の整数からr個の整数を取り出す組合せの数$n\,\mathrm{C}\,r$を求める関数を作成せよ。

```c
int combination(int n, int r);
```

なお$n\,\mathrm{C}\,r$は次のように定義される。

$n\,\mathrm{C}\,r = n\text{-}1\,\mathrm{C}\,r\text{-}1 + n\text{-}1\,\mathrm{C}\,r$ （ただし、$n\,\mathrm{C}\,0 = n\,\mathrm{C}\,n = 1$、$n\,\mathrm{C}\,1 = n$）

```c
// 組合せの数を求める
#include <stdio.h>

//--- 異なるn個からr個の整数を取り出す組合せの数を返す ---//
int combination(int n, int r)
{
    if (r == 0 || r == n)
        return 1;
    else if (r == 1)
        return n;
    return combination(n - 1, r - 1) + combination(n - 1, r);
}

int main(void)
{
    int n, r;

    puts("異なるn個からr個の整数を取り出す組合せの数を求めます。");
    printf("n：");    scanf("%d", &n);
    printf("r：");    scanf("%d", &r);
    printf("組合せの数は%dです。\n", combination(n, r));

    return 0;
}
```

実行例

```
異なるn個からr個の整数を取り出す組合せの数を求めます。
n：5□
r：3□
組合せの数は10です。
```

組合せの個数

本プログラムでは、与えられた式を、そのままプログラムとして実現しています。

ユークリッドの互除法（右ページの問題の解説）

ユークリッドの互除法（Euclidean method of mutual division）は、二つの整数値の**最大公約数**（greatest common divisor）を再帰的に求めるアルゴリズムです。

二つの整数値を長方形の 2 辺の長さと考えて、次の問題に置きかえます。

長方形を正方形で埋めつくす。そのようにして作られる正方形の最大の辺の長さを求めよ。

右ページの図に示す、22 と 8 の最大公約数を求める例で考えていきましょう。

1 図**a**の 22×8 の長方形を、短い辺の長さ 8 の正方形に分割します。その結果、図**b**に示すように、8×8 の正方形が二つタイル張りにされて、8×6 の長方形が残ります。

2 残った 8×6 の長方形に対して、同じ手順を試みた結果が図**c**です。6×6 の正方形が 1 個できて、6×2 の長方形が残ります。

3 残った 6×2 の長方形に対して同じ手順を試みた結果が図**d**です。今回は 2×2 の正方形のタイル三つで埋まります。得られた 2 が最大公約数です。

問題 8-10

▶『明解』演習 8-8（p.243）

二つの整数値 x と y の最大公約数をユークリッドの互除法を用いて求める関数を作成せよ。

```
int gcd(int x, int y);
```

```c
// ユークリッドの互除法によって最大公約数を求める
#include <stdio.h>

//--- 整数値x，yの最大公約数を返却する ---//
int gcd(int x, int y)
{
    if (y == 0)
        return x;
    else
        return gcd(y, x % y);
}

int main(void)
{
    int x, y;

    puts("二つの整数の最大公約数を求めます。");

    printf("整数を入力せよ："); scanf("%d", &x);
    printf("整数を入力せよ："); scanf("%d", &y);

    printf("最大公約数は%dです。\n", gcd(x, y));

    return 0;
}
```

実行例
```
二つの整数の最大公約数を求めます。
整数を入力せよ：22 ⏎
整数を入力せよ：8 ⏎
最大公約数は2です。
```

ユークリッドの互除法（左ページの解説の続き）

前ページに示した手続きを数学的に表現しましょう。二つの整数 x と y の最大公約数を $gcd(x, y)$ と表記するものとします。このとき、$x = az$ と $y = bz$ を満たす整数 a と b が存在する最大の整数 z が、$gcd(x, y)$ です。すなわち、最大公約数は、次のように求められます。

- y が 0 であれば … x
- そうでなければ … $gcd(y, x \% y)$

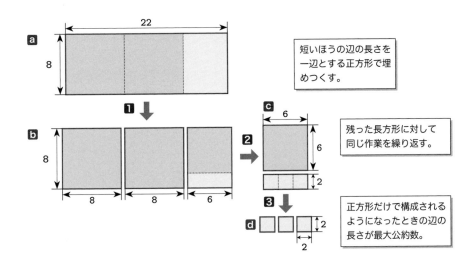

問題 8-11

▶『明解』演習 8-9 (p.247)

標準入力に現れた行数をカウントするプログラムを作成せよ。

```c
// 標準入力に現れた改行の数を表示する
#include <stdio.h>

int main(void)
{
    int ch;
    int n_count = 0;        // 改行文字の数

    while ((ch = getchar()) != EOF)
        if (ch == '\n')
            n_count++;

    printf("行数：%d\n", n_count);

    return 0;
}
```

実行例
```
Hello!⏎
This is a pen.⏎
Ctrl + Z ⏎
行数：2
```

Ctrl キーを押しながら Z キーを押下する。
一部の環境でのみ最後の ⏎ が必要。
なお、UNIX や Linux などの環境では、
Ctrl キーを押しながら D キーを押下する。

getchar 関数 … 1個の文字を読み込む

本プログラムで使っている **getchar** 関数が行うのは、1個の文字を読み込んで、その文字を返すことです。ただし、入力からの文字がつきるなどの原因でエラーが発生した際は、読込みに失敗したことを表す **EOF** を返却します。

その **EOF** は、**<stdio.h>** ヘッダ内で、**負の値**として定義されるオブジェクト形式マクロです（名前は End Of File に由来します。なお、具体的な値は処理系に依存します）。

▶ **<stdio.h>** ヘッダをインクルードしなければ、プログラムの翻訳・実行が行えなくなります。

代入後の値の判定を行う制御式

while 文の制御式 (ch = getchar()) != EOF は、構造が複雑です。下図を見ながら理解していきましょう。

まず、①によって、読み込んだ文字が ch に代入されます。ただし、入力からの文字がつきてしまうか、何らかのエラーが発生した場合は、ch に代入されるのは EOF です。

次は②です。左オペランドの ch = getchar() の評価で得られるのは『**代入後の ch**』であり、その値と、右オペランドの EOF とが、等価演算子 != で判定されます（この判定が**真**となるのは、ch に代入されたのが EOF でないとき、すなわち、文字が正しく読み込まれているときです）。

そのため、文字が正しく読み込まれていれば、while 文のループ本体が実行されて、行数がカウントされます（読み込んだ ch が改行文字 '\n' のときに n_count をカウントアップします）。

入力からの文字がつきるか、何らかのエラーが発生すると、判定が**偽**となって、while 文は終了します。

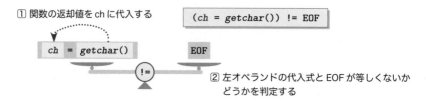

▶ 代入 = と等価性の判定 != を制御式に詰めこまないのであれば、**while** 文は次のようになります。

```
while (1) {              // 無限ループ
    ch = getchar();      // 読み込んだ文字をchに代入
    if (ch == EOF)       // エラーが発生したら
        break;           // while文を強制的に抜け出す
    //… 中略 …//
}
```

文字と文字コード

文字は、その文字に与えられた、非負の整数値の文字コードで表されます。

そのため、同じ文字であっても、その具体的な値は、プログラムの実行環境で採用されている文字コード体系に依存します。

日本で普及しているパソコンの多くは、右に示す JIS コードに準じた文字コード体系が採用されています。

たとえば、文字 **'h'** は、6列目の8行目ですから、16 進数の **68** です。

同様に、文字 **'A'** は 16 進数での **41** です。

また、数字文字 **'0'** ～ **'9'** のコードは 16 進数の **30** ～ **39** です。10 進数での **48** ～ **57** であり、決して **0** ～ **9** ではありません。

● **JIS コード表**

	0	1	2	3	4	5	6	7	8	9	A	B	C	D	E	F
0				0	@	P	`	p				ー	タ	ミ	
1			!	1	A	Q	a	q			。	ア	チ	ム	
2			"	2	B	R	b	r			「	イ	ツ	メ	
3			#	3	C	S	c	s			」	ウ	テ	モ	
4			$	4	D	T	d	t			、	エ	ト	ヤ	
5			%	5	E	U	e	u			・	オ	ナ	ユ	
6			&	6	F	V	f	v			ヲ	カ	ニ	ヨ	
7	\a		'	7	G	W	g	w			ァ	キ	ヌ	ラ	
8	\b		(	8	H	X	h	x			ィ	ク	ネ	リ	
9	\t		)	9	I	Y	i	y			ゥ	ケ	ノ	ル	
A	\n		*	:	J	Z	j	z			ェ	コ	ハ	レ	
B	\v		+	;	K	[	k	{			ォ	サ	ヒ	ロ	
C	\f		,	<	L	¥	l					ャ	シ	フ	ワ	
D	\r		-	=	M	]	m	}			ュ	ス	ヘ	ン	
E			.	>	N	^	n				ョ	セ	ホ	゛	
F			/	?	O	_	o				ッ	ソ	マ	゜	

数字文字のカウント（次問の解説）

数字文字のカウント方法を考えていきましょう。下に示すのが、プログラム例です。

int[10] 型の配列 **cnt** が、文字の出現回数の格納先です。具体的には、文字 **'0'** ～ **'9'** の出現回数を、**cnt[0]** ～ **cnt[9]** に格納します。

getchar 関数が返した値が **EOF** でなければ **switch** 文が実行されます。

10 個の数字文字 **'0'** ～ **'9'** に対する **case** で、それぞれの数字文字に対応する配列 **cnt** の要素をインクリメントしています。

＊

先ほど確かめたように、数字文字 **'0'** ～ **'9'** のコードは 10 進数の **48** ～ **57** です。そのため、ある数字文字 **ch** の値から 48 を引いた **ch - 48** が、添字の **0** ～ 9 と一致します。これを利用したのが、下に示す別解です。

ただし、これは**可搬性に欠けます**。文字のコードが、プログラムの実行環境で採用されている文字コード体系に依存するからです。

この問題点は、次ページで解決します。

```
// 数字文字の出現回数をカウント
int cnt[10] = {0};

while ((ch = getchar()) != EOF) {
    switch (ch) {
    case '0' : cnt[0]++; break;
    case '1' : cnt[1]++; break;
    case '2' : cnt[2]++; break;
    case '3' : cnt[3]++; break;
    case '4' : cnt[4]++; break;
    case '5' : cnt[5]++; break;
    case '6' : cnt[6]++; break;
    case '7' : cnt[7]++; break;
    case '8' : cnt[8]++; break;
    case '9' : cnt[9]++; break;
    }
}
```

```
// 別解
while ((ch = getchar()) != EOF) {
    if (ch >= 48 && ch <= 57)
        cnt[ch - 48]++;
```

問題 8-12 ▶『明解』演習 8-10 (p.251)

標準入力に現れた数字文字の出現回数を、＊を並べたグラフで表示するプログラムを作成せよ。

```c
// 標準入力に現れた数字をカウントして横向きの棒グラフで表示
#include <stdio.h>

int main(void)
{
    int ch;
    int cnt[10] = {0};          // 数字文字の出現回数

    while ((ch = getchar()) != EOF)
        if (ch >= '0' && ch <= '9')
            cnt[ch - '0']++;  ━━━━━━━━━ ❶

    puts("数字文字の出現回数");
    for (int i = 0; i < 10; i++) {
        printf("'%d' : ", i);
        for (int j = 0; j < cnt[i]; j++)
            putchar('*');
        putchar('\n');
    }

    return 0;
}
```

```
          実行例
3.1415926535897932846 ⏎
Ctrl + Z ⏎
数字文字の出現回数
'0' :
'1' : **
'2' : **
'3' : ***
'4' : **
'5' : ***
'6' : **
'7' : *
'8' : **
'9' : ***
```

数字文字のカウント

数字文字のカウントについて、前ページで考察しました。その続きです。

C言語のプログラムが実行される環境では、

数字文字 '0'、'1'、… 、'9' の値は一つずつ増えていく。

という規則が満たされることが、保証されています。

すなわち、'0' の値は文字コード体系によって異なるものの、たとえば、'5' は '0' より5だけ大きくなり、'5' - '0' の値が5になることが、すべての環境で成立します。

すなわち、次のようになるわけです。

- 数字文字から '0' を引くと、対応する整数値が得られる（例 '5' - '0' は5）。
- 整数値に '0' を加えると、対応する数字文字が得られる（例 5 + '0' は '5'）。

数字文字から '0' を引くと必要な添字の値が得られることを利用して、前ページで考察したコードを書きかえたのが、本プログラムです。

▶ ❶内の添字式 ch - '0' は、文字 ch が '0'、'1'、… 、'9' であれば、0、1、… 、9となります。

グラフ表示

記号文字を並べたグラフ表示については、**問題 5-7**（p.118）と**問題 5-8**（p.119）で学習しました。本プログラムでは、同じ方法で表示を行っています。

▶ 本ページのプログラムが横向き棒グラフで、右ページのプログラムが縦向き棒グラフです。

```
// 標準入力に現れた数字をカウントして縦向きの棒グラフで表示

    for (int i = 0; i < 10; i++)
        if (cnt[i] > cnt_max)
            cnt_max = cnt[i];

    puts("数字文字の出現回数\n");
    for (int i = cnt_max; i >= 1; i--) {
        for (int j = 0; j < 10; j++)
            if (cnt[j] >= i)
                printf(" * ");
            else
                printf("   ");
        putchar('\n');
    }

    for (int j = 0; j < 10; j++)
        printf(" %d ", j);
```

```
実行例
3.1415926535897932846 ⏎
Ctrl + Z ⏎
数字文字の出現回数
          *     *              *
      *   *  *  *  *  *      *  *
      *   *  *  *  *  *  *   *  *
  0   1   2  3  4  5  6  7   8  9
```

英字文字のカウント

数字とは異なり、英字に対しては次の規則が成立するという保証はありません。

× 英大文字 'A'、'B'、…、'Z' の値は一つずつ増えていく。

× 英小文字 'a'、'b'、…、'z' の値は一つずつ増えていく。

実際、大型計算機で広く使われている EBCDIC コードでは、この規則は成立しません。

'A' 〜 'Z' から 'A' を引いて 0 〜 25 を得ようとするコードや、'A' に対して 0 〜 25 を加えて 'A' 〜 'Z' を得ようとするコードは可搬性に欠ける（意図どおりに動作するかどうかが文字コード体系に依存する）ことを知っておきましょう。

▶ たとえば、大文字のアルファベットを次のようにカウントすることはできない、ということです。

```
while ((ch = getchar()) != EOF)
    if (ch >= 'A' && ch <= 'Z')
        cnt[ch - 'A']++;            // この求め方はＮＧ
```

英大文字をカウントするプログラムは、次のようになります。

```
// 英大文字の出現回数をカウント
int cnt[26] = {0};

while ((ch = getchar()) != EOF) {
    switch (ch) {
     case 'A' : cnt[0]++; break;
     case 'B' : cnt[1]++; break;
     case 'C' : cnt[2]++; break;
     case 'D' : cnt[3]++; break;
     case 'E' : cnt[4]++; break;

     //--- 中略 ---//

     case 'Z' : cnt[25]++; break;
    }
}
```

問題8-13

EOF の値を二重引用符で囲んで『EOFの値は "-1" です。』という形式で表示するプログラムを作成せよ。

```c
// EOFの値を二重引用符で囲んで表示
#include <stdio.h>

int main(void)
{
    printf("EOFの値は\"%d\"です。\n", EOF);

    return 0;
}
```

実行結果一例
EOFの値は"-1"です。

▶ EOF の値は処理系に依存しますので、-1 と表示されるとは限りません。

拡張表記

　本プログラムで表示する文字列リテラルの中には \" という表記が含まれています。実行結果と対比すると、この2文字が単一の文字 " として出力されることが分かります。

　その \" は、第1章で学習した改行文字 \n と警報 \a と同様に、**拡張表記**です。

　拡張表記には、多くの種類があります。下に示すのが、拡張表記の一覧です。

● 拡張表記

• 単純拡張表記 (simple escape sequence)		
\a	警報 (alert)	聴覚的または視覚的な警報を発する。
\b	後退 (backspace)	表示位置を直前の位置へ移動する。
\f	書式送り (form feed)	改ページして、次のページの先頭へ移動する。
\n	改行 (new line)	改行して、次の行の先頭へ移動する。
\r	復帰 (carriage return)	現在の行の先頭位置へ移動する。
\t	水平タブ (horizontal tab)	次の水平タブ位置へ移動する。
\v	垂直タブ (vertical tab)	次の垂直タブ位置へ移動する。
\\	逆斜線文字 \	
\?	疑問符 ?	
\'	単一引用符 '	
\"	二重引用符 "	
• 8進拡張表記 (octal escape sequence)		
\ooo	ooo は1～3桁の8進数	8進数で ooo の値をもつ文字。
• 16進拡張表記 (hexadecimal escape sequence)		
\xhh	hh は任意の桁数の16進数	16進数で hh の値をもつ文字。

▶ p.215 に示した JIS コード表では、0x07 から 0x0D の箇所に、\a、\b、\t、\n、\v、\f、\r と表記されています。

　ここでは、二つの引用符と、8進拡張表記と16進拡張表記について学習します。

\' と \" … 単一引用符と二重引用符

引用符記号 ' と " を表す拡張表記が \' と \" です。文字列リテラル中で使う場合と、文字定数中で使う場合の注意点は、次のとおりです。

▪ 文字列リテラルの中での表記

・二重引用符は、拡張表記 \" によって表さなければなりません。そのため、文字列 AB"C"D を表す文字列リテラルは "AB\"C\"D" となります。

・単一引用符は、そのままの表記 ' と拡張表記 \' のいずれでも表記できます。

```
puts("AB\"C\"D");
puts("AB\'C\'D");
puts("AB'C'D");
puts("文字列\"ABC\"です。");
```

```
AB"C"D
AB'C'D
AB'C'D
文字列"ABC"です。
```

解答のプログラムの表示部は、

```
printf("EOFの値は\"%d\"です。\n", EOF);
```

となっています。2重引用符を表示するために、拡張表記 \" を使っていることが分かりました。

▪ 文字定数の中での表記

・二重引用符は、そのままの表記 " と拡張表記 \" のいずれでも表記できます。

・単一引用符は、拡張表記 \' によって表さなければなりません。そのため、単一引用符を表す文字定数は '\'' となります（''' はNGです）。

```
putchar('"');
putchar('\"');
putchar('\'');
putchar('''); // エラー
```

```
"
"
```

8進拡張表記と16進拡張表記

8進数または16進数のコードで文字を表すのが、\ で始まる **8進拡張表記**（octal escape sequence）と、\x で始まる **16進拡張表記**（hexadecimal escape sequence）です。前者は文字コードを1～3桁の8進数で、後者は任意の桁数の16進数で表します。

たとえばJISコード体系では、数字文字 '1' の文字コードは10進数の **49** であるため、8進拡張表記では '\61'、16進拡張表記では '\x31' と表せます。

ただし、このような表記は、プログラムの可搬性を低下させますから、なるべく使うべきではありません。

▶ JISコード体系では、文字は8ビットですが、文字が9ビットの実行環境などもあります（過去に実在しました）。文字が8ビットであることを前提にするプログラムは、可搬性が失われます。

また、C言語では、日本語文字などのように char 型では表せない文字セットをもつ環境を考慮して、ワイド文字などの概念が定められています。

錬成問題

- int 型の変数 *n1*、*n2*、*n3* の値が、それぞれ 21、6、0 であるとする。このとき、以下の各式を評価した値を示せ。

```
n1 , n2          ···  (1)           n2 , n3          ···  (2)
n1++ , n2++      ···  (3)           n2 , 1           ···  (4)
n1 = (n2, n3)    ···  (5)           n1 / (n2, ++n3)  ···  (6)
```

- 変数の集まりを、値の小さい順や大きい順で並べかえることを (7) と呼ぶ。

- 以下に示す各文字を表す拡張表記を示せ。

  警報 ··· (8)　　後退 ··· (9)　　逆斜線 ··· (10)　　単一引用符 ··· (11)

  改行 ··· (12)　　復帰 ··· (13)　　水平タブ ··· (14)　　二重引用符 ··· (15)

- 以下に示す (16) 体の宣言が与えられているとする。

```
enum aaa { a1, a2 = 5, a3 };
```

  ここで、aaa は (17) と呼ばれ、"enum aaa" が型となる。また、*a1*、*a2*、*a3* は (18) と呼ばれ、それぞれの値は (19) 、 (20) 、 (21) である。

- 以下に示すのは、*x* の2乗値と3乗値を求める関数形式マクロである。

```
#define sqr(x) ( (22) )
#define cube(x) ( (23) )
```

- 以下に示すのは、*x* の絶対値を求める関数形式マクロである。

```
#define abx(x) (((x) > 0) ? (24) : (25) )
```

- 以下に示すのは、*x* と *y* の小さいほうの値と大きいほうの値を求める関数形式マクロである。

```
#define min_of(x, y) (((x) < (y)) ? (26) : (27) )
#define max_of(x, y) (((x) > (y)) ? (28) : (29) )
```

- 以下に示すのは、*x* と *y* の差を求める関数形式マクロである。

```
#define diff(x, y) (((x) > (y)) ? (30) : (31) )
```

- 前問の *diff* を呼び出す、以下のプログラム部分の実行結果を示せ。

```
int x = 15, y = 5;
printf("%d ", diff(x++, y));           (32)
printf("%d ", diff(++x, y));
```

- 以下に示すのは、*type*型の*x*と*y*の2値を交換する関数形式マクロである。

```
#define swap(type, x, y) do { (33) } while (∅)
```

- 以下に示すのは、前問の*swap*を利用して、**double**型の配列*v*の要素の並びを反転する関数である。

```
void reverse(double v[], int n)
{
    for (int i = ∅; i < (34) ; i++)
        swap( (35) , (36) , (37) );
}
```

- 以下に示すのは、前々問の*swap*を利用して、**float**型の配列*a*の要素を昇順に並びかえる関数である。

```
void bsort(float a[], int n)
{
    for (int i = ∅; i < n - 1; i++) {
        for (int j = n - 1; j > (38) ; j--) {
            if (a[j - 1] > (39) )
                swap( (40) , (41) , (42) );
        }
    }
}
```

- 以下に示すのは、警報を発した上で文字列*str*を表示する関数形式マクロである。

```
#define puts_alert2(str)  ( putchar('\a') (43) puts( (44) ) )
```

- 以下に示すプログラム部分の実行結果を示せ。

```
printf("\"ABC\"\n");
printf("\'ABC\'\n");
printf("'ABC'\n");
putchar('\"');
putchar('"');                                        (45)
putchar('\n');
putchar(7 + '∅');
printf("%d\n", '5' - '∅');
```

- 以下に示すプログラム部分の実行結果を示せ。

```
#include <stdio.h>
                                                     (46)
printf("%d", EOF < ∅);
```

- 前問の**EOF**は、 (47) の略である。

- 以下のようにマクロが定義されている。MAX は (48) マクロであり、max2 は (49) マクロである。

```
#define MAX 125
#define max2(x, y) (((x) > (y)) ? (50) : (51) )
```

- 以下に示すのは、int 型の x と y の 2 値を交換する (49) マクロである。

```
#define swap_int(x, y) do { (52) } while (0)
```

- 以下に示すのは、非負の整数 n の階乗値を求めて返却する関数である。このように、関数の中で自分自身と同じ関数を呼び出すことを、 (53) 関数呼出しという。

```
void fact(int n)
{
    if (n > 0)
        return n * fact( (54) );
    else
        return 1;
}
```

- 以下に示す関数を rec(3) と呼び出したときの実行結果を示せ。

```
void rec(int no)
{
    if (no > 0) {
        rec(no - 1);
        printf("%d ", no);
        rec(no - 2);
    }
}
```

(55)

- 以下に示すのは、123123 … を合計で no 文字だけ表示するプログラム部分である。
  ※たとえば、no が 8 であれば 12312312 と表示して、4 であれば 1231 と表示する。

```
for (int i = 0; i < no; i++)
    putchar( (56) );
```

- 以下に示すのは、二つの整数値 x と y の最大公約数を求めて返却する関数である。

```
int gcd(int x, int y)
{
    if (y == (57) )
        return x;
    else
        return gcd(y, (58) );
}
```

- 以下に示すのは、キーボードから整数値を読み込んで、0、1、2 であれば、それぞれ『赤』、『緑』、『青』と表示するプログラムである。

```
#include <stdio.h>

int main(void)
{
    [(59)] RGB {Red, Green, Blue};
    int color;

    printf("0～2の値：");
    scanf("%d", &color);

    [(60)] (color) {
    [(61)] Red   : printf("赤");  break;
    [(62)] Green : printf("緑");  break;
    [(63)] Blue  : printf("青");  break;
    }

    return 0;
}
```

- 以下に示すのは、キーボードから読み込んだ文字を画面に出力するとともに、読み込んだ文字数、改行数、個々の数字文字数をカウントして表示するプログラムである。

```
#include <stdio.h>

int main(void)
{
    int ch;
    int c_count = 0;            // 全文字数の出現回数
    int n_count = 0;            // 改行数の出現回数
    int cnt[10] = { [(64)] };   // 数字文字の出現回数

    while ((ch = [(65)] ) != [(66)] ) {
        [(67)] ++;
        if (ch == [(68)] )
            n_count++;
        else if (ch >= '0' && ch <= '9')
            cnt[ [(69)] - [(70)] ]++;
    }

    printf("文字数：%d\n", c_count);

    printf("改行数：%d\n", n_count);

    puts("数字文字の出現回数");
    for (int i = [(71)] ; i < [(72)] ; i++)
        printf("'%d'：%d\n", i, cnt[i]);

    return 0;
}
```

第9章

文字列の基本

問題 9-1

char 型の配列 str に文字列 "XYZ" を格納して表示するプログラムを作成せよ。

```c
// 配列に文字列"XYZ"を格納して表示
#include <stdio.h>

int main(void)
{
    char str[] = "XYZ";

    printf("文字列strは\"%s\"です。\n", str);

    return 0;
}
```

実行結果
```
文字列strは"XYZ"です。
```

文字列リテラル

"XYZ" のように、文字の並びを二重引用符 " で囲んだ**文字列リテラル**（string literal）は、**ナル文字**（null character）と呼ばれる、**値0の文字**が末尾に付加された状態で記憶域に格納されます。

そのため、見かけ上3文字の文字列リテラル **"XYZ"** が占有する記憶域は、4文字分です。

▶ ナル文字は、8進拡張表記では '\0' で、整数定数表記では 0 です。

文字列

文字列リテラルは、整数定数の **15** や、浮動小数点定数の **3.14** のようなものです。文字の並びを表す**文字列**（string）も、オブジェクトに格納しなければ、自由に読み書きできません。

文字列の格納先として最適なのが、**char の配列**です。文字列 **"XYZ"** を配列に格納した状態を示したのが右の図です。先頭要素から順に各文字を格納し、さらに、文字列終端の「目印」となるナル文字 '\0' を格納しています。

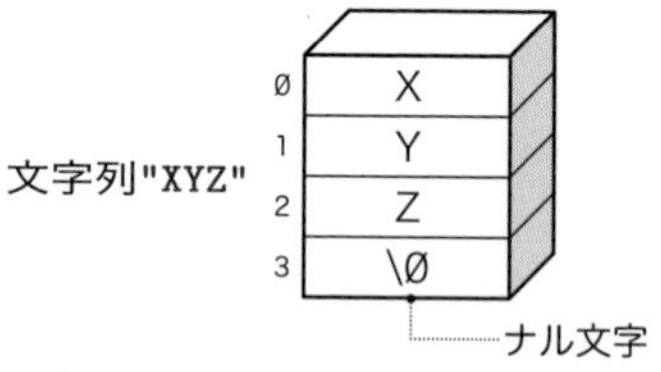

この状態を作るコードは、次のようになります。

```c
str[0] = 'X';    // 代入
str[1] = 'Y';    // 代入
str[2] = 'Z';    // 代入
str[3] = '\0';   // 代入
```

文字列"XYZ"

0	X
1	Y
2	Z
3	\0

ナル文字

char[4] 型の配列 str の各要素に1文字ずつ**代入**するわけです。

もっとも、次のように宣言すれば、配列の要素を確実に**初期化**できる上に、コードが簡潔になります。

```c
char str[4] = {'X', 'Y', 'Z', '\0'};     // 初期化
```

これは、**int** 型や **double** 型などの配列を初期化する宣言と同じ形式です。ただし、文字列の初期化に限り、次の形式でも宣言できるようになっています。

```c
char str[4] = "XYZ";     // char str[4] = {'X', 'Y', 'Z', '\0'}; と同じ
```

▶ 初期化子の個数から配列の要素数が決定されるため、要素数の4の指定は省略可能です。ちなみに、初期化子は、{ }で囲んだ {"XYZ"} でもよいことになっています。

▶『明解』演習 9-1 (p.259)

問題 9-2

配列 *str* を次のように宣言して、文字列として表示するプログラムを作成せよ。

```
char str[] = "ABC\ØDEF";
```

```
// 配列に文字列を格納して表示
#include <stdio.h>

int main(void)
{
    char str[] = "ABC\ØDEF";

    printf("文字列strは\"%s\"です。\n", str);   // 表示

    return Ø;
}
```

実行結果
文字列strは"ABC"です。

文字列の表示

前問と本問のプログラムでは、*printf* 関数で文字列の表示を行っています。

文字列を表示する際は、変換指定を **%s** とした上で、実引数として（添字演算子 **[ ]** を付けずに）配列の名前だけを与えます。呼び出された *printf* 関数が表示するのは、ナル文字の直前の文字まで·です（ナル文字が文字列の「終端」の目印だからです）。

Column 9-1 | 文字列リテラルの性質

ここでは、文字列リテラルの性質を2点補足学習します。

- **文字列リテラルの記憶域期間は静的記憶域期間**

  文字列リテラルには、永遠の寿命である**静的記憶域期間**が与えられます。

- **同一文字列リテラルの扱いは処理系依存**

  関数 *func* の中の二つの "ABCD" は、同じ綴りです。このように、同じ綴りの文字列リテラルがプログラム中に複数個存在するときの記憶域への格納法は、処理系に依存します（下図）。

```
void func(void)
{
    puts("ABCD");
    puts("ABCD");
}
```

図a：同じ綴りの文字列リテラルを個別に格納

二つの文字列を別ものとみなして、記憶域上に個別に格納します。あわせて 1Ø 文字分が必要です。

図b：同じ綴りの文字列リテラルをまとめて格納

二つの文字列リテラルを同一とみなして、記憶域上に1個だけを格納します。そのため、5文字分の記憶域を節約できます。

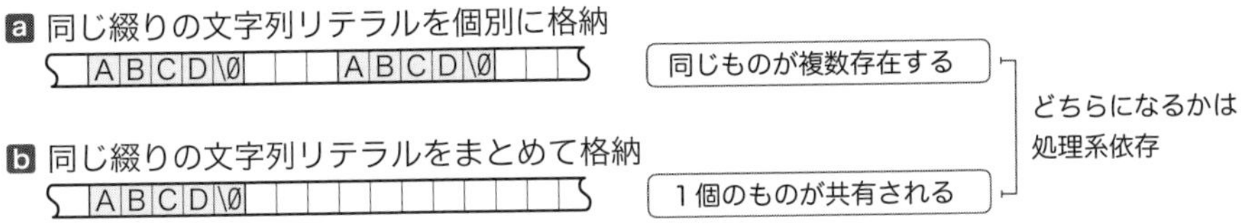

a 同じ綴りの文字列リテラルを個別に格納

| A | B | C | D | \Ø | | A | B | C | D | \Ø | |

同じものが複数存在する

b 同じ綴りの文字列リテラルをまとめて格納

| A | B | C | D | \Ø | | | | | | | |

1個のものが共有される

どちらになるかは処理系依存

問題 9-3

▶『明解』演習 9-2 (p.260)

次のように宣言された文字列 *s* を空文字列にするのには、どのような操作を行えばよいかを示せ。

```
char s[] = "ABC";
```

```c
// 配列に格納された文字列を空文字列にする
#include <stdio.h>

int main(void)
{
    char s[] = "ABC";
    char str[48];

    printf("文字列str：");
    scanf("%s", str);

    printf("文字列s　は\"%s\"です。\n", s);
    printf("文字列strは\"%s\"です。\n", str);

    s[0] = '\0';          // sを空文字列にする
    str[0] = '\0';        // strを空文字列にする

    printf("文字列s　を空文字列\"%s\"にしました。\n", s);
    printf("文字列strを空文字列\"%s\"にしました。\n", str);

    return 0;
}
```

読み込んだ文字列にナル文字を付加して格納

実行例

文字列str：**Short** ⏎
文字列s　は"ABC"です。
文字列strは"Short"です。
文字列s　を空文字列""にしました。
文字列strを空文字列""にしました。

```
0  S
1  h
2  o
3  r
4  t
5  \0
6
 …
46
47
```

文字列の読込み

　解答として示しているのは、**"ABC"** で初期化された文字列 *s* と、キーボードから読み込んだ文字列 *str* の両方を空文字列にするプログラムです。

　キーボードから何文字が入力されるのかを事前に知ることはできませんので、**配列の要素数は多めに準備する必要があります**（本プログラムでは 48 としています）。

　文字列の読込みの際に *scanf* 関数に与える変換指定は **%s** です。なお、読み込んだ文字列の格納先として与える実引数 *str* は配列であるため、**& 演算子は不要です**。

　呼び出された *scanf* 関数は、キーボードから読み込んだ文字列を配列に格納する際に、**末尾にナル文字を格納します**。

> ▶ 実行例の場合、5文字の文字列 **"Short"** を読み込んでいます。各文字は *str[0]* ～ *str[4]* に格納され、ナル文字が *str[5]* に格納されます。なお、キーボードから入力する文字数は、47 文字以下に収める必要があります。

空文字列

　文字列の文字は0個でもよく、そのような文字列は、**空文字列**（null string）と呼ばれます。もちろん、たとえ文字が0個であっても、終端を示すナル文字は必要です。すなわち、**空文字列は、先頭文字がナル文字である**（内部的には1文字の）文字列です。

　本プログラムでは、配列の先頭要素にナル文字を代入することで、文字列 *s* と文字列 *str* の両方を空文字列化しています。

▶『明解』演習 9–3 (p.263)

問題 9–4

文字列の配列を読み込んで表示するプログラムを作成せよ。

- 文字列の個数はオブジェクト形式マクロとして定義する。
- "$$$$$" を読み込んだ時点で読込みを中断・終了する。
- "$$$$$" より前に入力された全文字列を表示する。

```c
// 文字列の配列を読み込んで表示
#include <stdio.h>

#define NUM  10        // 文字列の個数

int main(void)
{
    int  no;
    char s[NUM][128];

    no = NUM;
    printf("%d個の文字列を入力せよ（\"$$$$$\"で中断）。\n", NUM);
    for (int i = 0; i < NUM; i++) {
        printf("s[%d] : ", i);
        scanf("%s", s[i]);
        if (s[i][0]=='$' && s[i][1]=='$' && s[i][2]=='$' && s[i][3]=='$' &&
            s[i][4]=='$' && s[i][5]=='\0') {
            no = i;
            break;
        }
    }

    for (int i = 0; i < no; i++)
        printf("s[%d] = \"%s\"\n", i, s[i]);

    return 0;
}
```

```
               実行例
10個の文字列を入力せよ（"$$$$$"で中断）。
s[0] : ABC⏎
s[1] : Book⏎
s[2] : Text⏎
s[3] : $$$$$⏎
s[0] = "ABC"
s[1] = "Book"
s[2] = "Text"
```

文字列の配列

本プログラムの文字列の配列 s は、NUM 行 128 列（10 行 128 列）の2次元配列（すなわち要素型が char[128] 型で、要素数が 10 の配列）です。

s の要素 s[0]、s[1]、s[2]、… のそれぞれが、文字列（文字の配列）ですから、scanf 関数に与える実引数 s[i] に **& 演算子は不要です。**

なお、2次元配列の各構成要素が、二つの添字を用いた式でアクセスできることは第 5 章で学習しました。実行例の場合、たとえば s[0][0] は 'A' で、s[1][3] は 'k' です。

▶ 読み込んだのが "$$$$$" であるかどうかは、先頭6文字が '$'、'$'、'$'、'$'、'$'、'\0' であるかどうかで判定しています（第 11 章で学習する strcmp 関数を使うと簡潔な判定が可能です）。

printf による書式化

printf 関数で文字列を表示する際の変換指定のいくつかのパターンと、str が "12345" であるときの実行結果を示します（詳細は次ページで学習します）。

```
printf("%s\n",   str);   // そのまま
printf("%3s\n",  str);   // 最低3桁
printf("%.3s\n", str);   // 3桁まで
printf("%8s\n",  str);   // 最低8桁で右よせ
printf("%-8s\n", str);   // 最低8桁で左よせ
```

```
12345
12345
123
   12345
12345
```

問題 9-5

▶『明解』演習 9-4 (p.265)

文字列 s を空文字列にする関数を作成せよ。

```
void null_string(char s[]);
```

```c
// 文字列を空文字列にする関数
#include <stdio.h>

//--- 文字列sを空文字列にする ---//
void null_string(char s[])
{
    s[0] = '\0';
}

int main(void)
{
    char str[128];   // ナル文字を含めて128文字まで格納できる

    printf("文字列を入力せよ：");
    scanf("%s", str);

    printf("文字列strは\"%s\"です。\n", str);
    null_string(str);
    printf("文字列strを空文字列\"%s\"にしました。\n", str);

    return 0;
}
```

実行例
```
文字列を入力せよ：GT6⏎
文字列strは"GT6"です。
文字列strを空文字列""にしました。
```

空文字化

空文字列化の原理は問題 9-3（p.228）で学習しました。関数 null_string は、先頭要素にナル文字を代入することで、文字列を空文字列にしています。

文字列表示のための変換指定

前ページでは、printf 関数で文字列を表示する際の変換指定のパターンをいくつか示していました。図を見ながら、もう少し詳しく学習します。

A フラグ

- フラグが指定されると左側によせて表示され、指定されない場合は右側によせて表示されます。

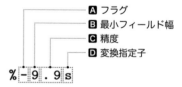

B 最小フィールド幅

少なくとも、この桁数だけの表示が行われます。指定が省略された場合や、実際に表示する文字列の桁数が指定された値を超えるときは、表示に必要な桁数で表示されます。

C 精度

表示する桁数の上限を指定します（指定された以上の文字が出力されることはありません）。

D 変換指定子

s は文字列を表示する指定であり、配列内の文字が、終端ナル文字の直前まで出力されます。

▶ 精度が指定されない場合や、精度が配列の大きさよりも大きい場合は、配列は必ずナル文字を含んでいなければなりません。

問題 9-6

▶『明解』演習 9-5（p.265）

文字列 *s* の中に、文字 *c* が含まれていれば、その添字（文字列中に文字 *c* が複数ある場合は、最も先頭側の添字とする）を返し、含まれていなければ -1 を返す関数を作成せよ。

```
int str_char(const char s[], int c);
```

```c
// 文字列に特定文字が含まれているかどうかを調べる関数
#include <stdio.h>

//--- 文字列s中の最も先頭に位置する文字cを探索 ---//
int str_char(const char s[], int c)
{
    for (int i = 0; s[i] != '\0'; i++)
        if (s[i] == c)
            return i;
    return -1;
}

int main(void)
{
    int no;
    char ch[10];

    printf("英文字を入力せよ：");
    scanf("%s", ch);

    no = str_char("ABCDEFGHIJKLMNOPQRSTUVWXYZ"
                  "abcdefghijklmnopqrstuvwxyz", ch[0]);

    if (no >= 0 && no <= 25)
        printf("それは英大文字の%d番目です。\n", no + 1);
    else if (no >= 26 && no <= 51)
        printf("それは英小文字の%d番目です。\n", no - 25);
    else
        printf("それは英文字ではありません。\n");

    return 0;
}
```

実行例
```
英文字を入力せよ：C⏎
それは英大文字の3番目です。
```

文字列内に含まれる任意の文字の探索

関数 *str_char* は、『配列 *s* の要素のうち、最も先頭側に格納されている文字 *c* の添字の値を返す関数』です。行うのは文字 *c* を探すことであり、第 6 章の**線形探索**（p.150）と同じ原理で実現されています。

for 文は、制御式を評価した値が真（非 0）であるあいだ、ループ本体の実行を繰り返します。繰返しの継続条件は、着目要素 *s[i]* がナル文字でないことです。

▶ *s[i]* が 0 でないことを判定するのですから、制御式は、単なる *s[i]* とすることもできます。

配列 *s* を先頭から末尾へと走査する途中で文字 *c* を見つけた場合は、その添字 *i* を返却します。末尾まで

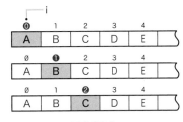

探索成功！

走査しても見つからなかった（for 文の繰返しが中断されなかった）場合は、-1 を返却します。

▶ 本プログラムは、大文字の 'A' ～ 'Z' と小文字の 'a' ～ 'z' を並べた文字列からの探索を行います（探索するのは、キーボードから読み込んだ文字列の先頭文字です）。

問題 9-7
▶『明解』演習 9-6 (p.266)

文字列 *s* の中に文字 *c* が含まれている個数（含まれていなければ0とする）を返す関数を作成せよ。

```
int str_chnum(const char s[], int c);
```

問題 9-8
▶『明解』演習 9-7 (p.266)

文字列 *s* を *n* 回だけ連続して表示する関数を作成せよ。

```
void put_stringn(const char s[], int n);
```

たとえば、*s* と *n* に "ABC" と 3 を受け取った場合、「ABCABCABC」と表示すること。

問題 9-9
▶『明解』演習 9-8 (p.267)

文字列を後ろから逆に表示する関数を作成せよ。

```
void put_stringr(const char s[]);
```

たとえば、*s* に "SEC" を受け取ったら「CES」と表示すること。

問題 9-10
▶『明解』演習 9-9 (p.267)

文字列 *s* の文字の並びを反転する関数を作成せよ。

```
void rev_string(char s[]);
```

たとえば、*s* に "SEC" を受け取ったら、その配列を "CES" に更新すること。

文字列の操作

いずれも文字列を操作する問題です。

■ 関数 str_chnum

まず最初に、文字 *c* の個数用の変数 *count* を0で初期化します。その後、文字列 *s* を先頭から1文字ずつ走査する過程で、*c* と同じ文字に出会ったときに、変数 *count* をインクリメントしてカウントアップします。走査が終了すると、*count* の値を返却します。

■ 関数 put_stringn

文字列 *s* を *n* 回連続して表示します。**while** 文で *n* 回の繰返しを行っています。

■ 関数 str_length

ナル文字を見つけるまで走査することで、文字列 *s* の長さを求める関数です。長さ用の変数 *len* を0で初期化しておき、繰返しのたびに *len* をインクリメントします。走査が終了すると、*len* の値を返却します。

この関数は、関数 *put_stringr* と関数 *rev_string* から呼び出されています。

■ 関数 put_stringr

文字列 *s* を逆順に走査しながら表示します。文字列 *s* の長さを関数 *str_length* で求めておき、それから文字列を末尾から先頭へと走査します。

■ 関数 rev_string

文字列 *s* の文字の並びを反転します。手続きは、配列の反転（問題 **5-4**: p.114）と同じです。

▶ ただし、反転の対象が、配列全体ではなくナル文字の直前の文字までである点が異なります。

```c
// 文字列を操作する関数群

#include <stdio.h>

//--- 文字列s中の文字cの個数を返す ---//
int str_chnum(const char s[], int c)
{
    int count = 0;
    for (int i = 0; s[i] != '\0'; i++)
        if (s[i] == c)
            count++;
    return count;
}

//--- 文字列sをn回表示する ---//
void put_stringn(const char s[], int n)
{
    while (n-- > 0)
        printf("%s", s);
}

//--- 文字列sの長さを返す ---//
int str_length(const char s[])
{
    int len = 0;
    while (s[len])
        len++;
    return len;
}

//--- 文字列sを逆から表示 ---//
void put_stringr(const char s[])
{
    int i = str_length(s);
    while (i-- > 0)
        putchar(s[i]);
}

//--- 文字列sの文字の並びを反転する ---//
void rev_string(char s[])
{
    int len = str_length(s);
    for (int i = 0; i < len / 2; i++) {
        char temp   = s[i];
        s[i]        = s[len-i-1];
        s[len-i-1]  = temp;
    }
}

int main(void)
{
    char str[256], ch[256];

    printf("文字列strを入力せよ：");   scanf("%s", str);
    printf("文字chを入力せよ：");      scanf("%s", ch);

    printf("strにchは%d個含まれています。\n", str_chnum(str, ch[0]));

    printf("strを逆から読むと：");
    put_stringr(str);               // strを逆から表示
    putchar('\n');

    rev_string(str);                // strを反転

    printf("strを反転しました。5回表示します。\n");
    put_stringn(str, 5);            // strを5回表示
    putchar('\n');

    return 0;
}
```

実行例

文字列strを入力せよ：`ABCAXY`⏎
文字chを入力せよ：`A`⏎
strにchは2個含まれています。
strを逆から読むと：`YXACBA`
strを反転しました。5回表示します。
`YXACBAYXACBAYXACBAYXACBAYXACBA`

9

文字列の基本

問題 9-11

▶『明解』演習 9-10 (p.269)

文字列 s 内のすべての数字文字を除去する関数を作成せよ。

```
void del_digit(char s[]);
```

たとえば、"AB1C9" を受け取ったら、"ABC" に更新する。

```c
// 文字列中の数字文字を除去する
#include <stdio.h>

//--- 文字列s中の数字文字を除去する ---//
void del_digit(char s[])
{
    int i = 0, idx = 0;

    while (s[i]) {
        if (s[i] < '0' || s[i] > '9')    // 数字文字でなければ
            s[idx++] = s[i];
        i++;
    }
    s[idx] = '\0';
}

int main(void)
{
    char str[256];

    printf("文字列を入力せよ：");
    scanf("%s", str);

    del_digit(str);        // 文字列内の数字文字を除去

    puts("数字文字を除去しました。");
    printf("str＝%s\n", str);

    return 0;
}
```

実行例
```
文字列を入力せよ：AB1C9 ↵
数字文字を除去しました。
str＝ABC
```

数字文字の除去

文字列内のすべての数字文字を除去する問題です。関数 del_digit では、変数 i と idx の二つを使って配列 s を走査しています（下図）。

- 変数 i　　：文字列 s 内の全文字を先頭から末尾へと走査する際の着目文字の添字。
- 変数 idx：非数字文字の格納先の添字。

変数 i は、while 文の繰返しのたびにインクリメントします。その過程で、着目文字 s[i] が数字文字でなければ、その文字を s[idx] に代入するとともに idx をインクリメントします（数字文字であれば、代入も idx のインクリメントも行いません）。

▶ i と idx が等しい場合、s[idx++] = s[i] は、自分自身の値を代入するという無駄な処理を行うことになります。これを避けるには、idx と i が等しくないときにのみ代入を行うように変更します（ただし、idx と i が等しくないかどうかを判定するためのコストが増加します）。

idx … 非数字を代入したときのみ
　　　　　　　　　インクリメント

問題 9-12

文字列 s 内の英字を大文字／小文字で（英字以外はそのままで）表示する関数を作成せよ。

```
void put_upper(const char s[]);

void put_lower(const char s[]);
```

```c
// 文字列内の英字を大文字／小文字で表示

#include <ctype.h>
#include <stdio.h>

//--- 文字列s内の英字を大文字で表示 ---//
void put_upper(const char s[])
{
    int i = 0;
    while (s[i])
        putchar(toupper(s[i++]));
}

//--- 文字列s内の英字を小文字で表示 ---//
void put_lower(const char s[])
{
    int i = 0;
    while (s[i])
        putchar(tolower(s[i++]));
}

int main(void)
{
    char str[128];

    printf("文字列を入力せよ：");
    scanf("%s", str);

    printf("大文字：");   put_upper(str);   putchar('\n');
    printf("小文字：");   put_lower(str);   putchar('\n');

    return 0;
}
```

```
             実行例
文字列を入力せよ：Think55 ⏎
大文字：THINK55
小文字：think55
```

---

toupper 関数と tolower 関数

英字を大文字あるいは小文字に変換するために利用しているのが、**<ctype.h>**ヘッダで提供される **toupper** 関数と **tolower** 関数です。

- **toupper** 関数： 引数に受け取った文字が小文字であれば、大文字に変換した文字を返却して、そうでなければ、受け取った文字をそのまま返却する。
- **tolower** 関数： 引数に受け取った文字が大文字であれば、小文字に変換した文字を返却して、そうでなければ、受け取った文字をそのまま返却する。

関数 *put_upper* は、文字列の全文字を走査しながら、着目文字を *toupper* 関数で変換した文字を表示します（関数 *put_lower* は、**tolower** 関数で変換した文字を表示します）。

▶ これらの関数は、英字以外の文字は変換しない仕様となっています。ただし、二つの関数が変換対象とするのは、いわゆる半角文字です。漢字などの全角文字などには対応していませんので注意しましょう。

問題 9-13

▶『明解』演習 9-11 (p.271)

文字列の配列を読み込んで表示するプログラムを作成せよ。

- 文字列の個数はオブジェクト形式マクロとして定義する。
- 文字列の文字数を 128 とし、その値もオブジェクト形式マクロとして定義する。
- 文字列の配列を読み込む関数を作成する。問題 9-4 (p.229) と同様に、"$$$$$" を読み込んだ時点で読込みを中断・終了する。
- "$$$$$" より前に入力された全文字列を表示する。

```c
// 文字列の配列を読み込んで表示
#include <stdio.h>

#define NUM  100        // 文字列の個数
#define LEN  128        // 文字列の長さ

//--- 文字列の配列を表示 ---//
void put_strary(const char s[][LEN], int n)
{
    for (int i = 0; i < n; i++)
        printf("s[%d] = \"%s\"\n", i, s[i]);
}

//--- 文字列の配列に文字列を読み込む ---//
int get_strary(const char s[][LEN], int n)
{
    int no = n;

    for (int i = 0; i < n; i++) {
        printf("s[%d] : ", i);
        scanf("%s", s[i]);
        if (s[i][0]=='$' && s[i][1]=='$' && s[i][2]=='$' && s[i][3]=='$' &&
            s[i][4]=='$' && s[i][5]=='\0') {
            no = i;
            break;
        }
    }
    return no;
}

int main(void)
{
    int no;
    char s[NUM][LEN];

    printf("%d個の文字列を入力せよ（\"$$$$$\"で中断）。\n", NUM);
    no = get_strary(s, NUM);        // 読込み

    put_strary(s, no);              // 表示

    return 0;
}
```

```
                          実行例
100個の文字列を入力せよ（"$$$$$"で中断）。
s[0] : ABC␊
s[1] : Book␊
s[2] : Text␊
s[3] : $$$$$␊
s[0] = "ABC"
s[1] = "Book"
s[2] = "Text"
```

文字列の配列の受渡し

本プログラムでは、2 次元配列である文字列の配列を、関数間でやりとりしています。

▶ 関数 put_strary と関数 get_strary が受け取るのは、n 行 LEN 列（行数 n は任意であるものの、列数は LEN すなわち 128）の 2 次元配列に限られます。

関数 put_strary は文字列の配列を表示する関数で、関数 get_strary はキーボードからの読込みを行う関数です。

▶『明解』演習 9-12 (p.271)

問題 9-14

受け取った文字列の配列に格納されている n 個の文字列の文字の並びを反転する関数を作成せよ。

```
void rev_strings(char s[][128], int n);
```

たとえば、s に {"SEC", "ABC"} を受け取ったら、その配列を {"CES", "CBA"} に更新すること。

```c
// 配列に格納されている文字列の文字の並びを反転
#include <stdio.h>

#define LEN  128          // 文字列の長さ

//--- 文字列sの長さを返す ---//
int str_length(const char s[])
{
    // 省略：問題9-9 (p.232) と同じ
}

//--- 文字列sの文字の並びを反転する ---//
void rev_string(char s[])
{
    // 省略：問題9-10 (p.232) と同じ
}

//--- 文字列の配列の文字の並びを反転する ---//
void rev_strings(char s[][LEN], int n)
{
    for (int i = 0; i < n; i++)
        rev_string(s[i]);
}

//--- 文字列の配列を表示 ---//
void put_strary(const char s[][LEN], int n)
{
    for (int i = 0; i < n; i++)
        printf("s[%d] = \"%s\"\n", i, s[i]);
}

int main(void)
{
    char cs[][LEN] = {"SEC", "ABC", "12345"};

    rev_strings(cs, 3);      // 反転

    put_strary(cs, 3);       // 表示

    return 0;
}
```

```
実行結果
s[0] = "CES"
s[1] = "CBA"
s[2] = "54321"
```

9

文字列の基本

文字列の配列の反転

関数 rev_strings は、n 個の文字列の文字の並びを反転する関数です。この関数では、個々の文字列の反転を、関数 rev_string にゆだねています（この関数は問題 **9-10** (p.232) で作ったものです）。

もう一つの関数 put_strary は、n 個の文字列の並びを表示するための関数です（この関数は前問で作成しました）。

▶ 関数 rev_strings と関数 put_strary が受け取れるのは、n 行 LEN 列の 2 次元配列に限られます。この点も前問と同様です。

錬成問題

- 文字の並びを表現するのが文字列である。文字列の終端は、文字コードが ＿(1)＿ である ＿(2)＿ 文字である。文字列リテラルには、＿(3)＿ 記憶域期間が与えられ、その末尾には ＿(2)＿ 文字が付加される。

- 以下に示すプログラム部分の実行結果を示せ。

```
char str[] = "740\0Li";
printf("文字列str = %s\n", str);
```

```
   (4)
```

- 以下に示すプログラム部分の実行結果を示せ。

```
printf("%u\n", (unsigned)sizeof(""));
printf("%u\n", (unsigned)sizeof("X6"));
printf("%u\n", (unsigned)sizeof("X\0X"));
```

```
   (5)
```

- 以下に示すのは、名前を表す文字列を name に読み込んで、挨拶を表示するプログラム部分である。

```
char name[128];

printf("May I have your name : ");
scanf(" (6) ", (7) );

printf("Hello, (8) !!\n", (9) );
```

```
May I have your name : Tsuyoshi⏎
Hello, Thuyoshi!!
```

- 右に示すのは、引数に受け取った文字列 s を空文字列にする関数である。

```
void null_string(char s[])
{
    (10) = '\0';
}
```

- 右に示すのは、文字列 s の内容が "ABC" であれば 1 を返し、そうでなければ 0 を返す関数である。

```
void isABC(const char s[])
{
    if ( (11) != 'A') return 0;
    if ( (12) != 'B') return 0;
    if ( (13) != 'C') return 0;
    if ( (14) != (15) ) return 0;
    return 1;
}
```

- 以下に示すのは、文字列 s に含まれている数字文字の個数を返す関数である。

```
int str_digits_num(const char s[])
{
    int count = 0;

    for (int i = 0; (16) != '\0'; i++)
        if (s[i] >= (17) && s[i] <= (18) )
            count++;
    return (19) ;
}
```

- 右に示すのは、文字列 *s* の長さを求めて返す
  関数である。

```
int str_length(const char s[])
{
    int len = 0;

    while (s[ (20) ])
        len++;
    return  (21) ;
}
```

- 右に示すのは、文字列 *s* を表示するとともに、
  その長さを返す関数である。

```
int str_put(const char s[])
{
    int i = 0;

    while (s[ (22) ]) {
        putchar( (23) );
        i++;
    }
    return  (24) ;
}
```

- 右に示すのは、文字列 *s* を末尾の文字から
  先頭の文字へと逆順に表示する（たとえば *s*
  が "ABC" であれば「CBA」と表示する）とと
  もに、その長さを返す関数である。

```
int str_putr(const char s[])
{
    int i, len = 0;

    while (s[ (25) ])
         (26) ;

    i =  (27) ;

    while ( (28)  > 0)
        putchar(s[i]);
    return  (29) ;
}
```

- 右に示すのは、文字列 *s* が回文（前から読
  んでも後ろから読んでも同じ文字列）であれ
  ば 1 を返し、そうでなければ 0 を返す関数で
  ある。

```
int is_palindrome(const char s[])
{
    int len = 0;

    while (s[ (30) ])
         (31) ;

    for (int i = 0;  (32) ; i++)
        if (s[i] !=  (33) )
            return  (34) ;
    return  (35) ;
}
```

- 右に示すプログラム部分の実行結果を示せ。

```
char str[] = "ABCDEFG";

printf("%s\n",   str);
printf("%4s\n",  str);          (36)
printf("%.4s\n", str);
printf("%9s\n",  str);
printf("%-9s\n", str);
```

9

文字列の基本

- 以下に示すのは、文字列 *s* 内の数字文字以外のすべての文字を除去する（たとえば *s* が "AB7C5" であれば「75」にする）関数である。

```
void del_non_digit(char s[])
{
    int i = 0;
    int idx = 0;

    while (s[i]) {
        if (s[i] >=  (37)  && s[i] <=  (38)  )
            s[  (39)  ] = s[i];
        i++;
    }
    s[  (40)  ] = '\0';
}
```

- 以下に示すのは、要素数が *n* である文字列（要素数が 10 で要素型が char 型である char[10] 型配列）の配列 *v* の各文字列を表示する関数である。

```
void put_str10ary(const char v[][10], int n)
{
    for (int i = 0; i < n; i++)
        printf("v[%d]=\"%s\"\n", i, v[  (41)  ]);
}
```

```
void put_str10ary(const char v[][10], int n)
{
    for (int i = 0; i < n; i++) {
        printf("v[%d]=\"", i);
        for (int j = 0;  (42) ; j++)
            putchar(  (43)  );
        printf("\"\n");
    }
}
```

- 右に示すのは、文字列 *s1* に文字列 *s2* をコピーする関数である。

- 以下に示すのは、文字列 *s1* と文字列 *s2* が等しければ（すべての文字が等しければ）1 を返し、そうでなければ 0 を返す関数である。

```
void str_copy(char s1[], const char s2[])
{
    int i;

    for (i = 0; i <  (44)  [i]; i++) {
        s1[i] = s2[  (45)  ];
    }
     (46)  = '\0';
}
```

```
int str_eq(const char s1[], const char s2[])
{
    for (int i = 0; s1[i]  (47)  s2[i]; i++)
        if (s1[i] ==  (48)  )
            return  (49) ;
    return  (50) ;
}
```

- 以下に示すのは、文字列 *s* に含まれる文字 *c* の添字（1個も存在しない場合は **-1**）を返す関数である。なお、文字 *c* が複数含まれる場合、*str_idx* は最も先頭側の添字を返し、*str_ridx* は最も末尾側の添字を返すものとする。

```
int str_idx(const char s[], int c)
{
    int i = 0;

    while ( [ (51) ] ) {
        if (s[i] == c)
            return [ (52) ];
        i++;
    }
    return [ (53) ];
}
```

```
int str_ridx(const char s[], int c)
{
    int i = 0, idx = -1;

    while ( [ (54) ] ) {
        if (s[i] == c)
            idx = [ (55) ];
        [ (56) ]++;
    }
    return [ (57) ];
}
```

- 以下に示すのは、文字列 *s1* の中に文字列 *s2* が含まれていれば、その先頭の添字を返す関数である（複数存在する場合は、より先頭側のものとし、1個も存在しない場合は **-1** とする）。たとえば、*s1* が **"ABCAICCAI"** で、*s2* が **"CAI"** のときは 2 を返す。

```
int strstr_idx(const char s1[], const char s2[])
{
    if ( [ (58) ] == '\0')            // s2が空のときは探索不要
        return [ (59) ];
    for (int i = 0; s1[i] != '\0'; i++) {
        if (s1[i] == s2[ [ (60) ]]) {
            int j = 0;
            do {
                if (s2[ [ (61) ]] == '\0')
                    return [ (62) ];
            } while (s1[ [ (63) ]] == s2[j]);
        }
    }
    return [ (64) ];
}
```

- 以下に示すのは、文字列 *s2* に含まれないすべての文字を、文字列 *s1* から取り除く関数である。たとえば、*s1* が **"ABCKCAE"** で *s2* が **"ACE"** であれば、*s1* を **"ACCAE"** とする。

```
void str_rmv(char s1[], const char s2[])
{
    int idx = [ (65) ];

    for (int i = 0; [ (66) ]; i++) {
        for (int j = 0; [ (67) ]; j++)
            if (s1[i] == s2[j]) {
                s1[ [ (68) ]] = s1[i];
                break;
            }
    }
    s1[ [ (69) ]] = '\0';
}
```

第10章

ポインタ

問題 10-1
▶『明解』演習 10-1 (p.285)

　n の指す値が 0 より小さければ 0 に更新し、100 より大きければ 100 に更新する（値が 0 ～ 100 であれば更新しない）関数 *adjust_point* を作成せよ。

```
    void adjust_point(int *n);
```

```c
// 読み込んだテストの点数を0～100に収めて表示する
#include <stdio.h>

//--- 受け取った整数を0～100に収まるように調整する ---//
void adjust_point(int *n)
{
    if (*n < 0) *n = 0;
    if (*n > 100) *n = 100;
}

int main(void)
{
    int point;

    printf("テストの点数：");
    scanf("%d", &point);

    adjust_point(&point);

    printf("点数は%d点です。\n", point);

    return 0;
}
```

実行例
① テストの点数：**-5**↵ 　 点数は**0**点です。
② テストの点数：**75**↵ 　 点数は**75**点です。
③ テストの点数：**124**↵ 　 点数は**100**点です。

オブジェクトとアドレス

　変数＝**オブジェクト**（object）は、広大な空間である記憶域上に雑居しています。個々のオブジェクトの《場所》を表すのが、**番地**すなわち**アドレス**（address）です。

　main 関数の中で、オブジェクト *point* のアドレスの取得のために使っている **&** は、**アドレス演算子**（address operator）と呼ばれる**単項 & 演算子**（unary & operator）です。

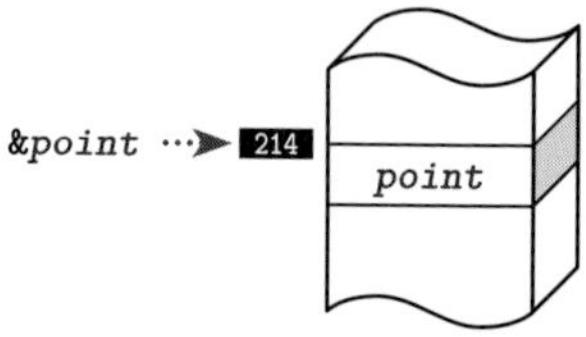

　右図は、式 *&point* によって、*point* のアドレス 214 が得られる様子を示しています。

&point ⋯▶ **214** | *point*

　▶　プログラムの実行結果や図に示すアドレスは、あくまでも一例です（ここに示した 214 も、架空の値です）。今後も、ことわらずに適当な値を示していきます。

● 単項 & 演算子（アドレス演算子）

単項 & 演算子	&a	a のアドレス（a へのポインタを生成する）。

　その式 *&point* は、関数 *adjust_point* に対して、実引数として渡されています。

　それを受け取る側の関数 *adjust_point* の仮引数 *n* は、**int *** と宣言されており、これこそが、本章で学習する**ポインタ**（pointer）です。その型名は『**int 型オブジェクトへのポインタ型**』ですが、『**int へのポインタ型**』や『**int * 型**』などとも呼ばれます。

　さて、int * 型のポインタオブジェクトが保持する値は、《整数》ではなく、《整数を格納するオブジェクトのアドレス》です。

具体的には、&pointの値を受け取ったポインタnの値は、オブジェクトpointのアドレスとなります。この状態を、『ポインタnはpointを指す』と表現します。

そのイメージが、本ページ下部の図の中に描かれています。ポインタnからオブジェクトpointに向かう矢印です。

さて、仮引数nがポインタですから、それに対して渡された実引数&pointもポインタです。アドレス演算子&の働きは、**ポインタを生成することです。**

▶ 式&pointは、pointを指すポインタであって、評価して得られる値がpointのアドレスです。

間接演算子

関数adjust_point内では、ポインタnに対して、**間接演算子**（indirect operator）と呼ばれる**単項*演算子**（unary * operator）が適用されています。間接演算子*をポインタに適用した**間接式**は、そのポインタが指すオブジェクトそのものを表す式となります。

そのため、ポインタnに間接演算子*を適用した間接式*nは、オブジェクトpointそのもの、すなわち、オブジェクトpointの**エイリアス**（別名／あだ名）というわけです。

● 単項*演算子（間接演算子）

単項*演算子	*a	aが指すオブジェクト（そのもの）。

それでは、関数adjust_pointの二つのif文を理解していきましょう。

最初のif文の制御式*n < 0は、実質的にpoint < 0と同じです。この判定が成立したときに行われるのが*n = 0の代入です。*nへの代入は、pointへの代入を意味しますので、pointの値が0未満であれば、その値が0に更新されます。

二つ目のif文も同様です。*nすなわちpointが100を超えていれば、100に更新します。

なお、ポインタに間接演算子*を適用することで、指す先のオブジェクトを間接的にアクセスすることを、**参照外し**といいます。

▶ main関数では、関数adjust_pointに対して、『変数pointへのポインタを渡しますから、そのポインタが指すオブジェクトの値を適切に書きかえてください（点数が0点～100点に収まるように調整してください）!!』と依頼していることが分かりました。

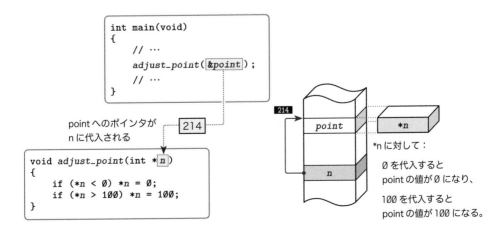

問題 10-2

▶『明解』演習 10-2 (p.287)

西暦 *y 年 *m 月 *d 日の日付を、"前の日"あるいは"次の日"の日付に更新する関数を作成せよ。

```c
void decrement_date(int *y, int *m, int *d);

void increment_date(int *y, int *m, int *d);
```

閏年を考慮して計算を行うこと。

```c
// 日付を前日あるいは翌日に更新する
#include <stdio.h>

//--- y年は閏年か？ ---//
int is_leap(int y)
{
    return y % 4 == 0 && y % 100 != 0 || y % 400 == 0;
}

//--- y年m月の日数 ---//
int days_of_month(int y, int m)
{
    int mdays[][12] = {
        { 31, 28, 31, 30, 31, 30, 31, 31, 30, 31, 30, 31 },     // 平年
        { 31, 29, 31, 30, 31, 30, 31, 31, 30, 31, 30, 31 },     // 閏年
    };
    return mdays[is_leap(y)][m - 1];
}

//--- *y年*m月*d日を前日の日付に更新 ---//
void decrement_date(int *y, int *m, int *d)
{
    if (*d > 1)
        --*d;
    else {
        if (--*m < 1) {
            --*y;
            *m = 12;
        }
        *d = days_of_month(*y, *m);
    }
}

//--- *y年*m月*d日を翌日の日付に更新 ---//
void increment_date(int *y, int *m, int *d)
{
    if (*d < days_of_month(*y, *m))
        ++*d;
    else {
        if (++*m > 12) {
            ++*y;
            *m = 1;
        }
        *d = 1;
    }
}

int main(void)
{
    int n;
    int y, m, d;

    puts("日付を入力せよ。");
    printf("年："); scanf("%d", &y);
    printf("月："); scanf("%d", &m);
    printf("日："); scanf("%d", &d);

    printf("何日戻しますか："); scanf("%d", &n);
```

```
実 行 例
日付を入力せよ。
年：2025␍
月：1␍
日：3␍
何日戻しますか：30␍
2024年12月4日になりました。
何日進めますか：50␍
2025年1月23日になりました。
```

```
    for (int i = 0; i < n; i++)
        decrement_date(&y, &m, &d);

    printf("%d年%d月%d日になりました。\n", y, m, d);

    printf("何日進めますか：");   scanf("%d", &n);
    for (int i = 0; i < n; i++)
        increment_date(&y, &m, &d);

    printf("%d年%d月%d日になりました。\n", y, m, d);

    return 0;
}
```

閏年の判定

関数 *is_leap* は、西暦 *y* 年が閏年かどうかを判定する関数です。閏年であれば **1** を返却して、そうでなければ **0** を返却します。

月の日数

関数 *days_of_month* は、西暦 *y* 年 *m* 月の日数を返却する関数です。年と月の値をもとに計算して、適切な値（**28 ～ 31** の値）を返却します。

翌日と前日の日付の求め方

ある日付の "次の日（翌日）" を求める手順を考えましょう。たとえば、2023 年 3 月 6 日の翌日の 2023 年 3 月 7 日は、日の値を一つ増やすだけで求められます。ただし、月や年が繰り上がる場合もあります。たとえば、12 月 31 日の翌日は、次の年の 1 月 1 日ですから、年と月と日のすべての更新が必要です。

いろいろなケースを考慮して整理すると、次のようになります。

ⓐ 12 月の最終日（31 日）の翌日

12 月 31 日の翌日は、年が繰り上がって、翌年の 1 月 1 日となります。

ⓑ それ以外の月の最終日

4 月、6 月、9 月、11 月の 30 日と、1 月、3 月、5 月、7 月、8 月、10 月の 31 日と、2 月の 28 日（閏年の場合は 29 日）の翌日は、その翌月の 1 日となります。

ⓒ その他

上記のいずれにも該当しなければ、日を一つ増やすだけで、翌日の日付となります。

関数 *increment_date* では、この考えに基づいて翌日の日付を求めています。

＊

関数 *decrement_date* での "前の日" の日付を求める手順も、同様です。

> ⓐ 1 月 1 日の前日は、前年の 12 月 31 日です。ⓑ それ以外の月の 1 日の前日は、その前月の最終日（月によって異なりますが、28 日～ 31 日となります）です。ⓒ それ以外の日付であれば、日を一つ減らすだけです。

```
問題 10-3                                              ▶『明解』演習 10-3 (p.289)
```

ポインタ *n1*、*n2*、*n3* が指す三つの int 型整数を昇順にソートする関数を作成せよ。

```
    void sort3(int *n1, int *n2, int *n3);
```

```c
// 三つの整数を昇順に並べる
#include <stdio.h>

//--- xとyが指すオブジェクトの値を交換 ---//
void swap(int *x, int *y)
{
    int temp = *x;
    *x = *y;
    *y = temp;
}

//--- *n1≦*n2≦*n3となるようにソート ---//
void sort3(int *n1, int *n2, int *n3)
{
    if (*n1 > *n2) swap(n1, n2);          ■1
    if (*n2 > *n3) swap(n2, n3);          ■2
    if (*n1 > *n2) swap(n1, n2);          ■3
}

int main(void)
{
    int a, b, c;

    puts("三つの整数を入力せよ。");
    printf("整数Ａ：");    scanf("%d", &a);
    printf("整数Ｂ：");    scanf("%d", &b);
    printf("整数Ｃ：");    scanf("%d", &c);

    sort3(&a, &b, &c);                    ■4

    puts("昇順にソートしました。");
    printf("整数Ａは%dです。\n", a);
    printf("整数Ｂは%dです。\n", b);
    printf("整数Ｃは%dです。\n", c);

    return 0;
}
```

```
                    実行例
三つの整数を入力せよ。
整数Ａ：57␛
整数Ｂ：21␛
整数Ｃ：34␛
昇順にソートしました。
整数Ａは21です。
整数Ｂは34です。
整数Ｃは57です。
```

3値のソートと2値の交換

　まず最初に、main 関数内の ■4 *sort3(&a, &b, &c)* に着目します。実引数として &a と &b と &c を与えることで、3個の変数 a、b、c のソートを関数 *sort3* に依頼しています。

　呼び出された関数 *sort3* が行うのは、仮引数 *n1* と *n2* と *n3* に受け取ったポインタが指す変数の値 *n1* と *n2* と *n3* を、昇順にソートすることです。

■1　左側の *n1* と右側の *n2* の値を比べ、*n1* が *n2* よりも大きければ、それらを交換します。

■2　この if 文では、同じ処理を *n2* と *n3* に対して行います。すなわち、左側の *n2* が右側の *n3* よりも大きければ、それらの値を交換します。

　ここまでの2段階の手続きによって、最も大きい値が *n3* に格納されます。

■3　最大値（第1位）が *n3* に格納されたわけですから、次に行うのは、第2位を決定するための《敗者復活戦》です。■1と同じ if 文の実行によって、*n1* と *n2* の大きいほうの値が *n2* に格納されます。

最大値が *n3 に格納され、2番目に大きい値が *n2 に格納されたわけですから、当然 *n1 には最小値が格納されています。これでソートは完了です。

＊

さて、■~■の各ステップでは、2値の交換を関数 swap に依頼しています。その際に与えている実引数 n1、n2、n3 には、（値の変更を依頼しているにもかかわらず）アドレス演算子 & が適用されていません。その理由は、次のとおりです（下図の例で考えます）。

関数 sort3 の仮引数 n1 と n2 には、a と b へのポインタがコピーされており、n1 は a のアドレス、n2 は b のアドレスとなっている。関数 swap に渡すのはポインタなので、受け取ったアドレスをそのまま渡せばよい。たとえば、■では、次のように依頼する。

『212 番地に入っている整数と、214 番地に入っている整数の値を交換してください！』

関数 sort3 は、受け取ったポインタを、関数 swap に『たらい回し』しているわけです。

▶ 変数 n1 と n2 にアドレス演算子 & を適用して swap(&n1, &n2) とすると、関数 swap に渡されるのが、変数 a と b のアドレスではなく、変数 n1 と n2 のアドレスとなってしまいます。

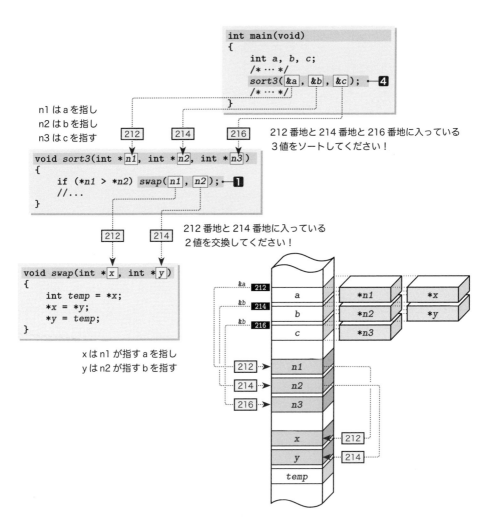

scanf 関数とポインタ

第 1 章で scanf 関数を初めて使ったときに、次のように学習していました（p.10）。

scanf 関数を呼び出す際に、実引数として与える（第 2 引数以降の）変数名の前には、& を置く必要があります（この点は、printf 関数とは異なります）。

scanf 関数は、呼出し側の関数が用意するオブジェクトに対して値を格納しなければならないため、変数の《値》をもらっても仕方ありません。ポインタを受け取って、そのポインタが指すオブジェクトに対して、キーボードから読み込んだ値を格納します。

逆にいうと、scanf 関数を呼び出す側では、『このアドレスに格納されているオブジェクトに読み込んだ値を入れてください!!』と依頼する必要があります。

下図に示すように、printf 関数に渡すのは出力すべき値ですが、scanf 関数に渡すのは入力された値の格納先変数へのポインタです。

a printf関数における引数の受渡し

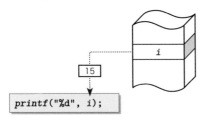

変数 i の値は 15 ですから、
その値を表示してください!!

b scanf関数における引数の受渡し

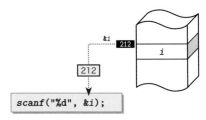

212 番地に格納されている変数 i に
読み込んだ整数を格納してください!!

空ポインタ

オブジェクトを指しているポインタと明確に区別可能な、"何も指さない"ことが保証されている、**空ポインタ**（null pointer）と呼ばれる特殊なポインタがあります。

空ポインタを表すオブジェクト形式マクロが、**空ポインタ定数**（null pointer constant）と呼ばれる **NULL** です。

その空ポインタ定数 NULL は **<stddef.h>** ヘッダで定義されています（なお、**<stdio.h>**、**<stdlib.h>**、**<string.h>**、**<time.h>** のインクルードでも取り込める仕組みとなっています）。

次に示すのが、定義の一例です。

```
#define NULL 0      // 定義の一例：処理系によって異なる
```

▶ 空ポインタを実際に利用するプログラムや演習は、この後の章で学習します。

スカラ型

番地を表すポインタは、一種の数量とみなせます。第 7 章で学習した算術型と、本章で学習したポインタ型の総称が**スカラ型**（scalar type）です。

▶ scalar とは、『数』、あるいは、『数と同等な性質をもつ量』のことです。スカラに大きさはありますが、方向はありません（方向をもつのは vector です）。

問題 10-4

2個の実数値を読み込む関数を作成せよ。2番目に読み込んだ値が、最初に読み込んだ値より小さければ再入力させること。

```
void scan2double(double *x1, double *x2);
```

```
// 実数値のペアを昇順に読み込む

#include <stdio.h>

//--- *n1≦*n2となるように実数値を読み込む ---//
void scan2double(double *x1, double *x2)
{
    printf("1番目：");
    scanf("%lf", x1);                  ■1

    do {
        printf("2番目：");
        scanf("%lf", x2);              ■2
    } while (*x2 < *x1);
}

int main(void)
{
    double a, b;

    puts("AとBを昇順に入力せよ。");
    scan2double(&a, &b);          // a≦bとなるように読み込む

    printf("AとBの差は%fです。\n", b - a);

    return 0;
}
```

```
          実行結果
AとBを昇順に入力せよ。
1番目：13.5⏎
2番目：6.7⏎
2番目：32.55⏎
AとBの差は19.050000です。
```

10

ポインタ

ポインタのたらい回し

関数 *scan2double* は、キーボードから二つの実数値を読み込みます（2番目に読み込んだ値が最初に読み込んだ値より小さければ、**do** 文の働きによって再入力を促します）。

キーボードからの読込みを行う■1と■2に着目しましょう。*scanf* 関数に与えている第2実引数 *x1* と *x2* に、アドレス演算子 **&** が適用されていません。前問と同様に、ポインタの「たらい回し」を行うからです。

▶ 呼び出された関数 *scan2double* が仮引数 *x1* と *x2* に受け取っているのは、読み込んだ値の格納先である変数 a と b のアドレス **&a** と **&b** です。

そのため、*scanf* 関数に与える引数としては、**&a** の値を保持している *x1*、あるいは、**&b** の値を保持している *x2* をそのまま渡せます。

x1 にアドレス演算子を適用した *scanf("%lf", &x1)* だと、ポインタである *x1* に対して実数を読み込ませようとする、不正な呼出しとなってしまいます。

252

問題 10-5

int *型のポインタ p を、int[5] 型の配列 a の先頭要素を指すように初期化した上で、a と p に対して間接演算子 * と添字演算子 [ ] を適用した値を表示するプログラムを作成せよ。

```c
// 配列の要素の値とアドレスを表示

#include <stdio.h>

int main(void)
{
    int a[5] = {11, 22, 33, 44, 55};
    int *p = a;                 // pはa[0]を指す

    for (int i = 0; i < 5; i++)
        printf("a[%d] = %d  *(a+%d) = %d  p[%d] = %d  *(p+%d) = %d\n",
                            i, a[i], i, *(a + i), i, p[i], i, *(p + i));

    for (int i = 0; i < 5; i++)
        printf("&a[%d] = %p  a+%d = %p  &p[%d] = %p  p+%d = %p\n",
                            i, &a[i], i, (a + i), i, &p[i], i, (p + i));

    return 0;
}
```

```
                              実行結果一例
a[0] = 11   *(a+0) = 11   p[0] = 11   *(p+0) = 11
a[1] = 22   *(a+1) = 22   p[1] = 22   *(p+1) = 22
a[2] = 33   *(a+2) = 33   p[2] = 33   *(p+2) = 33
a[3] = 44   *(a+3) = 44   p[3] = 44   *(p+3) = 44
a[4] = 55   *(a+4) = 55   p[4] = 55   *(p+4) = 55
&a[0] = 310   a+0 = 310   &p[0] = 310   p+0 = 310
&a[1] = 312   a+1 = 312   &p[1] = 312   p+1 = 312
&a[2] = 314   a+2 = 314   &p[2] = 314   p+2 = 314
&a[3] = 316   a+3 = 316   &p[3] = 316   p+3 = 316
&a[4] = 318   a+4 = 318   &p[4] = 318   p+4 = 318
```

ポインタと配列

　右ページの図を見ながら学習していきましょう。

　まずは、次の規則を理解します。

- **配列名は、その配列の先頭要素へのポインタと解釈される。**

　すなわち、a が配列であれば、式 a の評価によって &a[0] が得られる、ということです。もちろん、配列 a の要素型が Type であれば、得られる &a[0] の型は、配列の要素数とは無関係にType * 型です（本プログラムでの a は int * 型です）。

　ポインタ p に与えられた初期化子 a は &a[0] のことですから、配列 a の先頭要素 a[0] を指すように、ポインタ p が初期化されます。

　▶ ポインタ p の指す先は、"**先頭要素**"であって、"**配列全体**"ではありません。

　さて、配列中の要素を指すポインタに対しては、次に示す規則が成立します。

- **ポインタ p が配列中の要素 e を指すとき、**

　 p + i は、要素 e の i 個だけ後方の要素を指すポインタとなり、

　 p - i は、要素 e の i 個だけ前方の要素を指すポインタとなる。

　たとえば、p + 2 は a[0] の 2 個後方の要素 a[2] を指すポインタとなり、p + 3 は a[0] の3 個後方の要素 a[3] を指すポインタとなります。

　すなわち、各要素へのポインタを表す p + i と &a[i] は等価です（式 &a[i] は、要素 a[i] へのポインタであり、その値は a[i] のアドレスです）。

　さて、式 p + i は、p が指す要素の i 個後方の要素への**ポインタ**ですから、それに間接演算

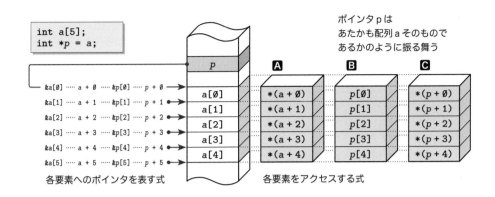

子を適用した間接式 *(p + i) は、その要素をアクセスする式（その要素の別名）です。
すなわち、pがa[0]を指していれば、式*(p + i)は、ある意味でa[i]そのものです。
ここで、次に示す規則も必ず理解しましょう。

- ポインタpが配列中の要素eを指すとき、
  要素eのi個だけ**後方**の要素を表す*(p + i)は、p[i]と表記でき、
  要素eのi個だけ**前方**の要素を表す*(p - i)は、p[-i]と表記できる。

たとえば、3番目の要素a[2]に着目してみましょう。

- p + 2がa[2]を指すため、*(p + 2)はa[2]のエイリアスです（図**C**）。
- その*(p + 2)はp[2]と表記できるため、p[2]もa[2]のエイリアスです（図**B**）。
- 配列名aは、先頭要素a[0]を指すポインタです。したがって、そのポインタに2を加えたa + 2は、3番目の要素a[2]を指すポインタです（図左側の矢印）。
- ポインタa + 2が要素a[2]を指しているのですから、そのポインタa + 2に間接演算子を適用した間接式*(a + 2)は、a[2]のエイリアスです（図**A**）。

A〜**C**の式*(a + 2)、p[2]、*(p + 2)のすべてが、配列の要素a[2]のエイリアスです。
Typeの配列aの先頭要素a[0]をType *型のpが指すとき、ポインタpはあたかも配列aそのものであるかのように振る舞います。
この規則を、**ポインタと配列の表記上の可換性**と本書では呼びます。

Column 10-1 | **配列名が先頭要素へのポインタとみなされない文脈**

配列名は《先頭要素へのポインタ》と解釈されるのが原則ですが、そうならない、例外的な文脈が二つあります。

① sizeof演算子のオペランドとして現れたとき
　sizeof(配列名)は、先頭要素へのポインタの大きさではなく、**配列全体の大きさ**を生成します。

② アドレス演算子&のオペランドとして現れたとき
　&配列名は、先頭要素へのポインタへのポインタとはならず、**配列全体へのポインタ**となります。

問題 10-6

▶『明解』演習 10-4 (p.299)

要素型が int 型で要素数が n の配列を受け取って、全要素に添字と同じ値を代入する関数 *set_idx* を作成せよ。

```
void set_idx(int *v, int n);
```

```
// 配列の受渡し
#include <stdio.h>

//--- 配列vの先頭n個の要素に添字と同じ値を代入 ---//
void set_idx(int *v, int n)
{
    for (int i = 0; i < n; i++)
        v[i] = i;
}

int main(void)
{
    int a[5];

    set_idx(a, 5);

    for (int i = 0; i < 5; i++)
        printf("a[%d] = %d\n", i, a[i]);

    return 0;
}
```

```
実行結果
a[0] = 0
a[1] = 1
a[2] = 2
a[3] = 3
a[4] = 4
```

配列の受渡し

まずは、配列を受け取る仮引数の宣言を理解しましょう。

右図に宣言のバリエーションを示しています。本プログラムは **c** の形式ですが、**a** でも **b** でも構いません。すべて **c** として解釈されるからです。

すなわち：

仮引数 *v* は単なる**ポインタ**であって**配列**ではない。
図 **b** のように要素数を指定しても無視される。

▶ そのため、図 **b** のように要素数付きで宣言された関数に対して、異なる要素数の配列を渡すことができます。たとえば、要素数が 5 であると宣言された図 **b** の関数に対して、要素数 12 の配列 *d* を渡す呼出し式 *set_idx(d, 12)* がエラーになることはありません。

```
a  void set_idx(int v[], int n)
   {
       // ...
   }
```

```
b  void set_idx(int v[5], int n)
   {
       // ...
   }
```

```
c  void set_idx(int *v, int n)
   {
       // ...
   }
```

これが意味するのは、**配列をやりとりする際は、その要素数を別の引数**（本プログラムの場合は *n*）**としてやりとりする必要がある**ことです。

＊

次は、関数 *set_idx* を呼び出す網かけ部に着目します。単独で現れた配列名は、その配列の先頭要素へのポインタですから、第 1 引数 *a* は、&a[0] のことです。

右ページの図に示すように、関数 *set_idx* が呼び出されたときに、int * 型の仮引数 *v* は、実引数 *a* の値、すなわち &a[0] の値（この図では 216 番地）で初期化されます。

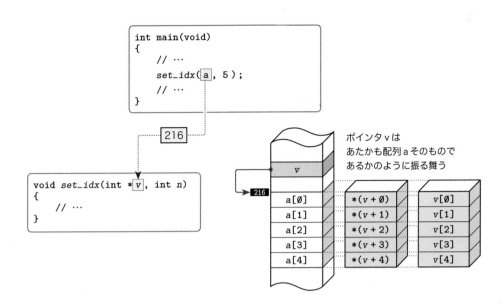

　ポインタ v が配列 a の先頭要素 a[0] を指すのですから、**ポインタと配列の表記上の可換性**によって、ポインタ v は、あたかも配列 a そのものであるかのように振る舞います。

　そのため、関数 *set_idx* 内の *v[i]* は、実質的に main 関数の a[i] そのものです。

　当然、ポインタ v を通じて配列の要素の値を書きかえると、呼出し側の配列 a の要素の値にそのまま反映されます。

　重要な点をまとめると、次のようになります。

　関数間での配列の受渡しは、**先頭要素へのポインタ**として行う。

　呼び出された関数では、**受け取ったポインタが、呼出し側が渡した配列そのものであるかのように振る舞う**。

　やりとりするのが、配列そのものではなく、単なるポインタであるため、**要素数**は別の引数として受渡しする必要がある。

問題 10-7

▶『明解』演習 10-5 (p.299)

要素型が int 型で要素数が n の配列を受け取って、全要素に val を代入する関数 ary_set を作成せよ。
また、この関数を ary_set(&a[2], 2, 99) と呼び出した場合の実行結果を検討せよ。

```
void ary_set(int v[], int n, int val);
```

```c
// 配列の受渡し
#include <stdio.h>

//--- 配列vの先頭n個の要素にvalを代入 ---//
void ary_set(int v[], int n, int val)
{
    for (int i = 0; i < n; i++)
        v[i] = val;
}

int main(void)
{
    int a[] = {1, 2, 3, 4, 5};

    ary_set(&a[2], 2, 99);

    for (int i = 0; i < 5; i++)
        printf("a[%d] = %d\n", i, a[i]);

    return 0;
}
```

実行結果
```
a[0] = 1
a[1] = 2
a[2] = 99
a[3] = 99
a[4] = 5
```

ポインタと配列

関数 ary_set の構造は、前問の関数 set_idx とほぼ同じです。異なるのは、各要素に代入する値が、添字ではなく、仮引数 val に受け取った値となっている点です。

さて、この関数を ary_set(&a[2], 2, 99) と呼び出した場合、仮引数であるポインタ v は、a[2] を指すことになります。そのため、

- v[0] は a[2] のエイリアス
- v[1] は a[3] のエイリアス

となって、a[2] と a[3] の2要素に対して 99 の代入が行われます。

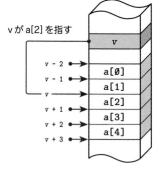

printf 関数によるポインタの表示

ポインタを表示するための変換指定は %p です。もし、配列 a の先頭要素へのポインタ（アドレス）を表示するのであれば、次のようになります。

```
printf("配列aの先頭要素へのポインタは%pです。\n", a);
```

▶ 変換指定 %p の p は、pointer に由来します。

錬成問題

- 単項 **&** 演算子は 　(1)　 演算子と呼ばれ、オペランドのオブジェクトへの 　(2)　 を生成する演算子である。また、単項 ***** 演算子の通称は 　(3)　 演算子であり、オペランドのアドレスが格納されているオブジェクトをアクセスするための演算子である。　(2)　 が指すオブジェクトのエイリアスすなわち別名を生成する。

- Type ***** 型のポインタ *ptr* の値が、Type ***** 型オブジェクト *n* のアドレスであるとき、『*ptr* は *n* を 　(4)　 』と表現する。

- *a* が要素数 *n* で要素型が Type 型の配列であるとき、式 *a* は、a[　(5)　] を指すポインタである。ここで、Type ***** 型ポインタ *p* が、配列 *a* 中の要素 a[*k*] を指しているものとする。このとき、*p* + *i* は a[　(6)　] を指し、*p* - *i* は a[　(7)　] を指す。*p* をインクリメントすると、*p* は a[　(8)　] を指すように更新される。

- 　(9)　 定数と呼ばれる **NULL** は < 　(10)　 > ヘッダで定義されている。

- 以下に示すのは、**int** 型の仮引数 *a* を *b* で除して得られる商と剰余（小数点以下は切捨て）を、*quot* が指す変数と *rem* が指す変数に格納する関数である。

```
void div(int a, int b, (11)  quot, (12)  rem)
{
    (13)  = a / b;      // 商
    (14)  = a % b;      // 剰余
}
```

- 以下に示すのは、**int** 型の仮引数 *a* と *b* の和と差を、*sum* が指す変数と *diff* が指す変数に格納する関数である。

```
void sum_diff(int a, int b, (15)  sum (16)  diff)
{
    (17)  = a + b;                    // 和
    (18)  = a > b ? (19)  : (20)  ;   // 差
}
```

- 以下に示すのは、**int** へのポインタである *px* と *py* の値を交換するプログラム部分である。たとえば、*px* が *a* を指して、*py* が *b* を指している状態で、このプログラム部分を実行した後は、*px* は *b* を指して、*py* は *a* を指すことになる。

```
int (21)  pt;              // ptの宣言

pt = (22) ;
px = (23) ;
py = (24) ;
```

10

ポインタ

- 右のように二つの変数が宣言されている。n の型は (25) で、&n の型は (26) で、p の型は (27) で、*p の型は (28) である。

```
int n;
int *p;
```

- 右に示すプログラム部分の実行結果を示せ。

```
int x = 5;
int *p = &x;
printf("%d", 5 ** p);
```

(29)

- 以下に示すプログラム部分の実行結果を示せ。

```
int sw, x = 5,  y = 7;
int *ptr;

printf("値を変更する変数[0…x／1…y]：");
scanf("%d", &sw);

ptr = (sw == 0) ? &x : &y;
*ptr = 8;

printf("x = %d\n", x);
printf("y = %d\n", y);
```

```
値を変更する変数[0…x／1…y]：0⏎
x =  (30)
y =  (31)
```

```
値を変更する変数[0…x／1…y]：1⏎
x =  (32)
y =  (33)
```

- 右に示す関数 swap は、px と py が指す int 型変数の値を交換する関数である。

関数 sort2 は、n1 と n2 が指す int 型変数を、昇順に並べかえる（n1 が指す変数のほうが小さくなるようにする）関数である。

関数 sort3 は、n1 と n2 と n3 が指す int 型変数を、昇順に並べかえる関数である。

```
void swap(int *px, int *py)
{
    int temp = *px;

    *px =  (34) ;
    *py =  (35) ;
}

void sort2(int *n1, int *n2)
{
    if (*n1 > *n2)
        swap( (36) ,  (37) );
}

void sort3(int *n1, int *n2, int *n3)
{
    if (*n1 > *n2) swap( (38) ,  (39) );
    if (*n2 > *n3) swap( (40) ,  (41) );
    if (*n1 > *n2) swap( (42) ,  (43) );
}
```

- 以下に示すのは、二つの整数値 x と y の最大公約数を求めて返す関数 gcd と、その関数 gcd を利用して、要素数 n の int 型配列 a の全要素の最大公約数を求めて返却する関数である。

```
int gcd(int x, int y)
{
    if ( (44)  == 0)
        return x;
    else
        return gcd(y,  (45) );
}
```

```
int gcdary(const int a (46) , int n)
{
    if (n == 1)
        return a[0];
    else if (n == 2)
        return gcd(a[0],  (47) );
    else
        return gcd(a[0],  (48) );
}
```

- 右に示すのは、int 型変数 n と double 型変数 x のアドレスを表示するプログラム部分である。

```
int n;
double x;
printf("nのアドレス： (49) \n", (50) );
printf("xのアドレス： (51) \n", (52) );
```

- 右に示すプログラム部分の実行結果を示せ。

```
int x = 100;
int y = 500;
int *ptr = &x;
printf("*ptr = %d\n", *ptr);
*ptr = 400;
printf("x = %d\n", x);
printf("y = %d\n", y);
```

```
*ptr = (53)
x = (54)
y = (55)
```

- 以下に示すプログラム部分の実行結果を示せ。

```
int v[10], *p = v;
printf("p == v          → %d\n",      p == v);
printf("p != &v[0]      → %d\n",      p != &v[0]);
printf("p == &v[1]      → %d\n",      p == &v[1]);
printf("p == &v[2]      → %d\n",      p == &v[2]);
printf("&v[1] - &v[0]   → %d\n", &v[1] - &v[0]);
printf("&v[2] - &v[0]   → %d\n", &v[2] - &v[0]);
```

```
p == v          → (56)
p != &v[0]      → (57)
p == &v[1]      → (58)
p == &v[2]      → (59)
&v[1] - &v[0]   → (60)
&v[2] - &v[0]   → (61)
```

10
ポインタ

- 以下に示すのは、いずれも要素型が int 型である配列 v の先頭要素に 0 を代入する関数である。

```
void set0(int v (62) )
{
    v[ (63) ] = 0;
}
```

```
void set0(int (64) v)
{
    (65) v = 0;
}
```

- 要素数が 10 で要素型が int の配列 x があるとする。前問の set0 関数を set0((66))と呼び出すと、x[2] に 0 が代入される。

- 以下に示すのは、要素数が 5 の配列の全要素に 0 を代入する関数である。

```
void setary0(int v[5])
{
    for (int i = 0; i < 5; i++)
        (67) (v + (68) )= 0;
}
```

- 要素数が 10 で要素型が int の配列 x を setary0(x) と呼び出すと、 (69) 。
  ※ 選択肢：
  (a) コンパイルエラーとなる
  (b) 配列 x の先頭 5 個の要素に 0 が代入される

第11章

文字列とポインタ

問題 11-1
　　　　　　　　　　　　　　　　　　　　　　　　　　　▶『明解』演習 11-1 (p.307)

　文字列リテラル "123" の先頭文字を指すポインタ *p* に対して、次の代入を行うプログラムを作成して
実行結果を確認するとともに、実行結果に対する考察を行うこと。

　　p = "456" + 1;

```
// ポインタによる文字列
#include <stdio.h>
int main(void)
{
    char *p = "123";
    printf("p = \"%s\"\n", p);
    p = "456" + 1;
    printf("p = \"%s\"\n", p);
    return 0;
}
```

```
┌─実行結果─────┐
│ p = "123"    │
│ p = "56"     │
└──────────────┘
```

配列による文字列

　本プログラムで宣言されている文字列の学習に入る前に、第 9 章で学習した文字列をザッと
復習しましょう。次の形式で宣言されていました。

┃ char *s*[] = "ABC";　　// char[4]型の配列

　この形式の文字列を、本書では**配列による文字列**と呼びます。

▶　配列 *s* は、char[4] 型（要素型が char 型で要素数 4 の配列）
　であって、*s*[0]、*s*[1]、*s*[2]、*s*[3] の各要素は、先頭から順に
　'A'、'B'、'C'、'\0' で初期化されます。
　　sizeof(char) は 1 であるため、占有する記憶域の大きさ（バイト数）は、配列の要素数と一致
　します。配列 *s* が占有するのは 4 バイトであり、式 sizeof(*s*) で求められます。

'A' ·····▶ s[0]
'B' ·····▶ s[1]
'C' ·····▶ s[2]
'\0' ·····▶ s[3]

ポインタによる文字列

　本プログラムの文字列は、次のように宣言されています。

┃ char *p = "123";　　// char *型のポインタ

　宣言されている *p* は、**char * 型のポインタ**です。この形式で宣言された文字列を、本書で
は**ポインタによる文字列**と呼びます。

　ここで、*p* に与えられている初期化子は "123" です。**文字列リテラルを評価すると、先頭文
字へのポインタが得られます。**そのため、ポインタ *p* は、文字列リテラル "123" が格納された
記憶域の先頭文字 '1'（右ページの図**a**では 216 番地）を指すように初期化されます。

　C言語では、ポインタ *p* が文字列リテラル "string" の先頭文字 's' を指すことを、『ポイン
タ *p* は "string" を指す。』と表現します。

　さて、その図**a**からも明らかなように、ポインタ *p* と文字列リテラル "123" の両方が記憶域
を占有します。それぞれの大きさは、次のとおりです。

- ポインタ p   … sizeof(p) バイト、すなわち sizeof(char *) バイト。
- 文字列リテラル "123" … sizeof("123") バイト（ナル文字を含めた文字数である 4）。

ポインタによる文字列が占有する記憶域は、配列による文字列よりも大きくなります。

ポインタと配列の表記上の可換性（問題 10-5：p.252）によって、ポインタ p は、あたかも配列であるかのように振る舞います。そのため、文字列リテラル "123" 中の各文字は、ポインタ p に添字演算子 [ ] を適用した添字式でアクセスできます。

▶ たとえば、p[0] は '1' で、p[1] は '2' です。

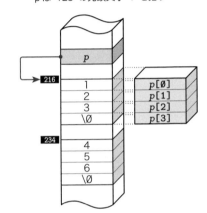

a 代入前
p は "123" の先頭文字 '1' を指す

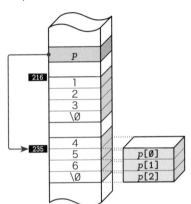

b 代入後
p は "456" の先頭文字の次の文字 '5' を指す

さて、本プログラムでは、"123" で初期化された p に対して、"456" + 1 を代入しています。代入前後の状態を、図を見ながら理解していきましょう。

図a　ポインタ p が、文字列リテラル "123" で初期化された状態です。ポインタ p は、文字列リテラル "123" の先頭文字 '1' を指しています。

図b　ポインタ p に "456" + 1 が代入された後の状態です。文字列リテラル "456" の先頭文字 '4' の次の '5' を指すように、p が更新されます（配列内の要素を指すポインタに 1 を加えた式が、1 個後ろの要素を指すポインタとなるからです：p.252）。

　ポインタ p が '5' を指すことから、ポインタと配列の表記上の可換性によって、添字式 p[0]、p[1]、p[2] が、それぞれ '5'、'6'、'\0' となります。

　p の指す文字列は "56" となり、それが画面に表示されます。

▶ 前ページの配列による文字列 s に対しては、次の代入は行えません。
```
    s = "123";          // エラー：配列に対する代入は行えない
    s = "456" + 1;      // エラー：       〃
```
これとは逆に、ポインタによる文字列 p に対しては、次の初期化は行えません。
```
    char *p = {'1', '2', '3', '\0'};   // エラー：{}形式の初期化子は配列専用
```
配列用の { } 形式の初期化子は、単一の変数である p には適用できないからです。

問題 11-2

▶『明解』演習 11-2 (p.309)

配列による文字列の配列と、ポインタによる文字列の配列を初期化して表示するプログラムを作成せよ。なお、各配列の文字列の個数は、プログラム内での計算によって求めること。

```c
// 文字列の配列
#include <stdio.h>

int main(void)
{
    char a[][5] = {"LISP", "C", "Ada"};
    char *p[]    = {"PAUL", "X", "MAC"};

    for (int i = 0; i < sizeof(a) / sizeof(a[0]); i++)
        printf("a[%d] = \"%s\"\n", i, a[i]);

    for (int i = 0; i < sizeof(p) / sizeof(p[0]); i++)
        printf("p[%d] = \"%s\"\n", i, p[i]);

    return 0;
}
```

```
実行結果
a[0] = "LISP"
a[1] = "C"
a[2] = "Ada"
p[0] = "PAUL"
p[1] = "X"
p[2] = "MAC"
```

《配列による文字列》 の配列 … 2次元配列

a は、**char[5] 型の配列を3個集めた配列**、すなわち、**3行5列の2次元配列**です。

占有する記憶域の大きさは、（行数×列数）であり、15 バイトです。

3個の文字列の長さがバラバラなため、未使用の構成要素があります。たとえば、2番目の文字列 "C" を格納する a[1] は、3文字分の領域 a[1][2] ～ a[1][4] が未使用です。

▶ 極端に長い文字列と短い文字列が混在するような場合は、未使用部分の存在は、領域効率の点で無視できなくなります（この形式の文字列の配列は、第9章で学習しました）。

なお、配列の要素数（文字列の個数）を求める式は、**sizeof(a) / sizeof(a[0])** です（要素数の求め方は p.171 で学習しました）。

▶ 本プログラムの場合、char[3][5] 型の大きさである sizeof(a) は 15 で、char[5] 型の大きさである sizeof(a[0]) は 5 ですから、除算の商 3 が要素数です。

《ポインタによる文字列》 の配列 … ポインタの配列

p は、**char * 型のポインタを3個集めた配列**です。

配列の要素 p[0]、p[1]、p[2] は、各文字列リテラルの先頭文字 'P'、'X'、'M' へのポインタで初期化されます。そのため、配列 p 用の **sizeof(char *)** 3個分の領域に加えて、文字列リテラル3個分の記憶域を占有します。

ポインタと配列の表記上の可換性によって、各文字は、添字演算子 [ ] を使うことで配列と同じようにアクセスできます。たとえば、文字列リテラル "PAUL" 内の文字をアクセスする式は、先頭から順に p[0][0]、p[0][1]、… です。

▶ ポインタと配列の表記上の可換性によって、ポインタ *ptr* が配列の先頭要素を指していれば、配列内の各要素は、先頭から順に *ptr*[0]、*ptr*[1]、… でアクセスできます。その *ptr* を p[0] と置きかえると、先頭から順に、p[0][0]、p[0][1]、… となります。このように、2個の添字演算子 [ ] を連続適用することで、ポインタの配列 p は、2次元配列と同じように扱えます。
　　ここでは p[0] を例に考えましたが、p[1] と p[2] も同様です。

a 配列による文字列の配列（2次元配列）

```
char a[][5] = {"LISP", "C", "Ada"};
```

すべての要素／構成要素は連続して配置される

b ポインタによる文字列の配列（ポインタの配列）

```
char *p[] = {"PAUL", "X", "MAC"};
```

文字列の配置の順序や連続性は保証されない

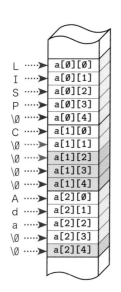

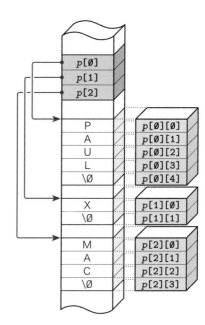

各要素は、初期化子として与えられた各文字列リテラル中の文字とナル文字で初期化される

各要素は、初期化子として与えられた各文字列リテラルの先頭文字を指すように初期化される

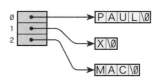

sizeof(a) バイトを占有

sizeof(p) + sizeof("PAUL") + sizeof("X")
　　　　　+ sizeof("MAC") バイトを占有

▶ 図**b**では、各文字列リテラルのあいだにスキマがあります。初期化子の3個の文字列リテラルが連続して配置される保証がないからです。
　そのため、`"PAUL"`の直後に`"X"`が配置される、あるいは`"X"`の直後に`"MAC"`が配置される、といったことを前提にしたプログラムは作成できません。

　配列の要素数（文字列の個数）の求め方は、配列による文字列の場合と同じです。求める式は`sizeof(p) / sizeof(p[0])`です。

▶ 本プログラムの場合、`(char *)[3]`型の大きさを`char *`型の大きさで割ることで、要素数3が得られます。

問題 11-3

文字列 *s* の中に文字 *ch* が含まれていれば、その文字（複数含まれる場合は、最も先頭側）の添字を返し、含まれていなければ -1 を返す関数を作成せよ。添字演算子 [ ] を用いずに実現すること。

```
int str_chr(const char *s, int ch);
```

```c
// 文字列に特定文字が含まれているかどうかを調べる（添字を返却）
#include <stdio.h>

//--- 文字列sに含まれる文字chを探索 ---//
int str_chr(const char *s, int ch)
{
    int idx = 0;

    while (*s) {
        if (*s++ == ch)
            return idx;
        idx++;
    }
    return -1;
}

int main(void)
{
    int idx;
    char str[256];
    char ch[10];

    printf("文字列を入力せよ：");
    scanf("%s", str);

    printf("検索する文字を入力せよ：");
    scanf("%s", ch);

    if ((idx = str_chr(str, ch[0])) == -1)
        printf("その文字は含まれていません。\n");
    else
        printf("その文字は%d文字目に入っています。\n", idx + 1);

    return 0;
}
```

```
┌──────────────── 実行例 ────────────────┐
│ ① 文字列を入力せよ：ABCD⏎            │
│    検索する文字を入力せよ：C⏎        │
│    その文字は3文字目に入っています。  │
├──────────────────────────────────────┤
│ ② 文字列を入力せよ：ABCD⏎            │
│    検索する文字を入力せよ：X⏎        │
│    その文字は含まれていません。       │
└──────────────────────────────────────┘
```

ポインタのインクリメントとデクリメント

関数 *str_chr* は、文字列 *s* に含まれる文字 *ch* の添字（複数個の場合は、先頭位置の添字）を求めます。実行例に示している、文字列 "ABCD" からの探索を例に考えていきましょう。

関数実行開始時の *s* は、受け取った文字列 "ABCD" の先頭文字 'A' を指します。右ページの図 **a** に示すように、**先頭文字に着目している**状態です。

文字列を**走査する**（着目文字を1個ずつずらす）ために行っているのが、ポインタ *s* のインクリメントです（**if** 文の制御式 **s++ == ch* の評価の際に行われます）。

ポインタのインクリメントとデクリメントについては、次のことを知っておく必要があります。

配列の要素を指すポインタは、

　インクリメントされると1個後方の要素を指すように更新されて、

　デクリメントされると1個前方の要素を指すように更新される。

ポインタに対して、増分演算子 ++ と減分演算子 -- が特別な働きをするのではありません。そもそも、 p がポインタであるかどうかに限らず、次のことが成立します。

- p++ は p = p + 1 のことである。
- p-- は p = p - 1 のことである。

ポインタ p が配列内の要素を指すとき、それに 1 を加えたポインタ p + 1 は、その 1 個後方の要素を指します（前章で学習しました）。そのため、p++ を評価・実行すると、1 個後方の要素を指すようにポインタ p が更新されるのです。

▶ デクリメントも同様です。p-- を実行すると、1 個前方の要素を指すように p が更新されます。ポインタから 1 を減じたポインタ p - 1 が、1 個前方に位置する要素を指すからです。

ポインタのインクリメントを行う if 文の制御式 *s++ == ch は、構造が複雑です。処理のタイミングが分かるように分解すると、次のようになります（厳密には等価ではありません）。

```
while (*s != '\0') {      // sが指す文字がナル文字でないあいだ繰り返す
    if (*s == ch)         // sが指す文字がchであれば
        return idx;       // 着目文字の添字を返却
    s++;                  // sをインクリメント（次の文字に着目）
    idx++;                // idxをインクリメント
}
```

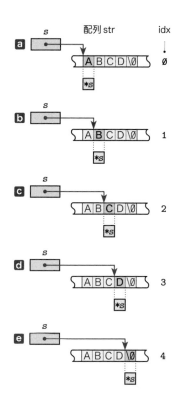

さて、最初に先頭文字 'A' を指していた s ですが、インクリメント後は、図 b に示すように、2 番目の文字 'B' を指すように更新されます。

それ以降も同様です。s が指す文字は 1 個ずつ後方にずれていきます。

実行例①のように、文字 'C' を探索するのであれば、図 c の段階で見つかりますので、そのときの idx の値である 2 を返却します。

▶ 変数 idx は、着目文字の添字と一致します。最初に 0 で初期化されており、while 文のループ本体が実行されるたびにインクリメントされるからです。

さて、while 文の繰返しの終了条件は、ポインタ s の指す着目文字 *s がゼロになること、すなわち、ナル文字になることです。

見つからない場合（"ABCD" から 'X' を探索する実行例②の場合）は、図 e に示すように、着目文字 *s がナル文字になって、while 文の繰返しが終了します。

▶ 探索失敗時に返却する -1 は、添字としてあり得ない値ですので、関数 str_chr の呼出し側で、探索に成功したかどうかの判定が容易に行えます。

関数 str_chr は、ポインタに対して添字演算子 [ ] を適用せずに、間接演算子 * と増分演算子 ++ を適用したものでした。

C 言語のプログラムで多用されるテクニックですので、きちんとマスターしておきましょう。

問題 11-4

▶『明解』演習 11-3 (p.317)

標準ライブラリである strlen 関数と同じ仕様の関数を作成せよ。

```c
//--- strlen関数の実現例 ---//
#include <stddef.h>

size_t strlen(const char *s)
{
    size_t len = 0;     // 長さ

    while (*s++)
        len++;
    return len;
}
```

strlen 関数 … 文字列の長さを求める

strlen関数は、引数に受け取った文字列の長さを求めるライブラリ関数です。求める"長さ"は、ナル文字の直前までの文字数です（ナル文字はカウントしません）。

それでは、文字列 "five" の長さを求める例で理解していきましょう。

関数実行開始時のポインタ s は、文字列 "five" の先頭文字 'f' を指しています（図a）。

文字列を走査して、長さを求めるのが while 文です。その制御式 *s++ では、後置増分演算子 ++ がポインタ s に適用されています。そのため、評価は次のように行われます。

while 文による繰返しの**継続条件**として、着目文字 *s が 0 でないかどうかが判定される。
その判定が終わった直後に s++ によるインクリメントが行われる。

最初に 'f' を指していたポインタ s ですが、インクリメント後は、図bに示すように 'i' を指します。

▶ ポインタをインクリメントすると、1個後方の要素を指すように更新されることは、前問で学習しました。

このように、s が指す文字は、走査のたびに1個ずつ後方にずれていきます。

なお、ループ本体の中では、文字列の長さを格納する変数 len のインクリメントが行われます。

　　　　　　　　　　＊

図e に示すように、着目文字 *s が 0 すなわちナル文字になると、while 文の継続条件が成立せず、繰返しが終了します。

while 文終了時の len の値は、ループ本体を繰り返した回数であり、文字列の長さと一致します。返却するのは、その値です。

▶ 関数の返却値と、変数 len は、いずれも size_t 型です。この型については、第7章で学習しました。

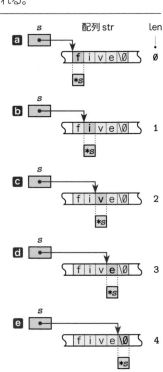

| Column 11-1 | 文字列関連の標準ライブラリ |

下表に示すのは、**<string.h>** ヘッダで提供される、代表的な文字列関連の標準ライブラリ関数の一覧です。

◉ **代表的な文字列関連の標準ライブラリ関数**

関数名	概略
strlen	文字列の長さを求める。
strcpy	文字列をコピーする。
strncpy	文字列をコピーする（コピーする文字数に制限を設ける）。
strcat	文字列を連結する。
strncat	文字列を連結する（連結する文字数に制限を設ける）。
strcmp	文字列を比較する。
strncmp	文字の配列を比較する（比較する文字数に制限を設ける）。
strcoll	ロケールにしたがって文字列を比較する。
strxfrm	ロケール依存の文字列を比較可能な文字列に変換する。
strchr	文字列から文字を探索する（先頭位置を見つける）。
strrchr	文字列から文字を探索する（末尾位置を見つける）。
strpbrk	他の文字列に含まれる文字を探索する。
strstr	文字列に含まれる文字列を探索する。
strspn	文字列の構成（ある文字列に含まれる文字だけで構成される文字数）を調べる。
strcspn	文字列の構成（ある文字列に含まれない文字だけで構成される文字数）を調べる。
strtok	文字列を分解する。
memset	連続したメモリに値を代入する。
memcpy	連続したメモリをコピーする。
memmove	連続したメモリをコピーする（コピー元とコピー先の重なりに対応）。
memchr	配列から文字を探索する。
memcmp	配列領域を文字単位で比較する。

これらの関数の仕様は、次のサイトで解説しています。

　柴田望洋後援会オフィシャルホームページ
　　https://www.bohyoh.com/

＊

　これらの関数の引数の一部は、**restrict 型修飾子**付きで宣言されています。ポインタを **restrict** 付きで宣言することによって、そのポインタによって指されるオブジェクトが、そのポインタを通じてのみアクセスされることを、コンパイラに伝えることができます（別のポインタを通じてアクセスされないことが保証されることから、コンパイラが最適化を行って高速なコードを生成できるようになります）。

　本書の学習段階では、詳細を理解する必要はありません。というよりも、**restrict** 型修飾子よりも先に学習すべきことで、本書で未解説のポインタに関する事項が、山のようにあるからです。

```
問題 11-5                                              ▶『明解』演習 11-4 (p.319)
標準ライブラリ関数である strcpy 関数および strncpy 関数と同じ仕様の関数を作成せよ。
```

```
//--- strcpy関数の実現例 ---//
char *strcpy(char * restrict s1, const char * restrict s2)
{
    char *p = s1;                          ┌─────────────────── 別解 ─┐
                                           │    int i = 0;               │
    while (*s1++ = *s2++)                   │    while (s1[i] = s2[i])    │
        ;                                  │        i++;                 │
                                           │                            │
    return p;                              │    return s1;               │
}                                          └────────────────────────────┘

//--- strncpy関数の実現例 ---//
char *strncpy(char * restrict s1, const char * restrict s2, size_t n)
{
    char *p = s1;

    while (n) {
        n--;
        if (!(*s1++ = *s2++)) break;       // '\0'を見つけたら終了
    }
    while (n--)
        *s1++ = '\0';                      // 残りを'\0'で埋める

    return p;
}
```

strcpy 関数／strncpy 関数 … 文字列をコピーする

　二つの関数は、第2引数の文字列 *s2* を、第1引数 *s1* にコピーするライブラリ関数です。

　strcpy 関数は、文字列を丸ごとコピーします。名前の途中に *n* が入っている **strncpy 関数**は、コピーする文字数を *n* 文字までに制限します（*s2* の長さが *n* 以上であれば *n* 文字までをコピーして、*n* より短いときは残り部分をナル文字で埋めつくす仕様です）。

　まずは、関数 **strcpy** 内の **while** 文の制御式 **s1++ = *s2++* を理解しましょう。この制御式は、次のように2段階で評価・実行されます。

① **s1 = *s2* の代入

　最初に行われるのが、代入式 **s1 = *s2* の評価・実行です。

　ポインタ *s2* の指す文字が、ポインタ *s1* の指す文字へと代入されます。

② ポインタ s1 と s2 のインクリメント（s1++ および s2++）

　代入が完了した直後に、後置増分演算子 ++ の働きによって、*s1* と *s2* の両方がインクリメントされます。その結果、いずれのポインタも、1個後方の文字を指すように更新されます。

　while 文の継続条件の判定は、①の代入式 **s1 = *s2* の評価に基づいて行われます（代入式の評価で得られるのは、代入後の左オペランドの型と値です）。そのため、**s1* に代入された文字が、0 すなわちナル文字でないあいだ、上記の①と②が繰り返されます。

　これで、走査・代入が、次のように行われることが分かりました。

　『*s2* の指す文字を *s1* の指す文字に代入し、その直後に *s1* と *s2* をインクリメントして次の文字に着目する』処理を、ナル文字に出会うまで繰り返す。

具体例で理解を深めていきましょう。

関数実行開始時の状態が図**a**です。ポインタ*s2*は、コピー元文字列の先頭文字を指して、ポインタ*s1*はコピー先文字列の先頭文字を指しています。

while文による繰返しのたびに、二つのポインタが指す文字は、1個ずつ後方にずれていきます。そして、図**e**に示すように、代入された文字がナル文字となったときに、while文の繰返しが終了します。

▶ 図**e**の状態で**s1 = *s2*を評価して得られるのは、代入後の**s1*であるナル文字です。この値は0ですから、while文が終了します。

別解は、ポインタに添字演算子[ ]を適用して実現したものです。これと比べると、オリジナルのプログラムには、次のメリットがあります。

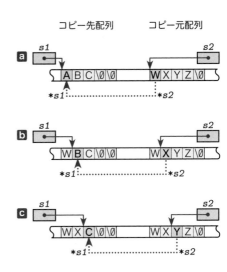

Ⓐ添字用の変数*i*が不要であるため、わずかではあるが記憶域を節約できる。

Ⓑ実行効率が高くなることが期待できる。

Ⓐは明らかですので、Ⓑについて考えましょう。

- **別解のコード**

*s1[i]*と*s2[i]*は、それぞれ**(s1 + i)*と**(s2 + i)*のことであって、ポインタ*s1*と*s2*が指す要素の*i*個後ろの要素をアクセスする式です。ポインタが指す要素の*i*個後ろの文字をアクセスするために、加算演算子+による**加算**と、間接演算子*による**参照外し**の二つの演算が、ポインタ*s1*と*s2*のそれぞれに対して行われます。

- **オリジナルのコード**

繰返しのたびに、ポインタ*s1*と*s2*の両方が**インクリメント**されます。しかし、式**s1*と式**s2*の評価では、間接演算子*による**参照外し**の演算が行われるものの、加算演算子+による**加算**は行われません。そのため、実行プログラムが小さくなって、さらに実行スピードが上がることが期待できる、というわけです。

*

*strncpy*関数は、コピーする文字数として受け取った*n*の値をデクリメントしながら文字列の走査を行います。

最初のwhile文では、ナル文字に出会うと、break文によってコピーを中断します。コピーした文字が*n*文字に満たない場合は、2番目のwhile文によって、*s1*の残り部分にナル文字を埋めます。

ポインタの返却

strcpy 関数と *strncpy* 関数の返却値型は『**char** へのポインタ型』であり、第1引数 *s1* に受け取ったポインタの値をそのまま返却しています。

- ▶ 第1引数のポインタ *s1* は、走査の過程でインクリメントによって更新されるため、更新前の値を別のポインタ *p* に入れておいて、その *p* を返却しています。

そのため、呼出し側にとっては『**自分が渡した値が、そのまま戻されてくる**』ことになります。

- ▶ 第1引数に渡した "コピー先の文字列の先頭文字へのポインタ" を返却値として受け取ります。

このような仕様となっているのは、手短で便利なコードが記述できるからです。いくつかの例で考えましょう。

まずは、次のコードです。

```
printf("str = \"%s\"\n", strcpy(str, tmp));
```

まず、文字列 *tmp* が文字列 *str* にコピーされて、そのコピーされた *str* が表示されます。

- ▶ *printf* 関数に渡されるのが、『コピー後の文字列 *str* の先頭文字へのポインタ』となるからです。

次は、連続コピーのコードです。

```
strcpy(s3, strcpy(s2, s1));        // 文字列s1をs2とs3の両方にコピー
```

文字列 *s1* が *s2* にコピーされて、コピーされた *s2* が *s3* にコピーされます。すなわち、文字列 *s1* が、*s2* と *s3* の両方にコピーされます。

Column 11-2	**ポインタによる文字列が好まれて使われていた（使われる）理由**

C言語の初期の頃は、『ポインタによる文字列』ばかりが使われており、そのためか、現在もその傾向が残っています（そればかりか『配列による文字列』を知らないプログラマもいます）。

このようになっているのには、ちゃんとした背景があります。

実は、標準Cが制定される以前のC言語では、自動記憶域期間をもつ配列に初期化子を与えて明示的に初期化することはできませんでした。そのため、

```
    char s[] = "ABCD";              /* 宣言A */
```

といった宣言は、関数の外でのみ許されて、関数の中ではコンパイルエラーとなっていたのです。

もっとも、静的記憶域期間をもつ配列の初期化は可能でしたので、**static** を付けた宣言

```
    static char s[] = "ABCD";       /* 宣言B */
```

は、関数の中でも外でも許されていました。

一方、配列ではない、"**単一のオブジェクトである**"ポインタは、自動記憶域期間であっても静的記憶域期間であっても初期化が可能でした。そのため、

```
    char *p = "ABCD";               /* 宣言C */
    static char *p = "ABCD";         /* 宣言D */
```

のいずれもが、関数の中でも外でもOKでした。このような事情もあって、標準Cが制定される以前は、宣言Cや宣言Dによる、"ポインタによる文字列"のほうが好んで使われていたのです（そして、古いコードを読んで学習したプログラマが、それを真似しているのです）。

▶『明解』演習 11-5 (p.321)

問題 11-6

標準ライブラリ関数である *strcat* 関数および *strncat* 関数と同じ仕様の関数を作成せよ。

```
//--- strcat関数の実現例 ---//
char *strcat(char * restrict s1, const char * restrict s2)
{
    char *p = s1;
    while (*s1)              // s1を末尾まで進める        ■1
        s1++;
    while (*s1++ = *s2++)    // s2に'\0'が見つかるまでコピー  ■2
        ;
    return p;
}

//--- strncat関数の実現例 ---//
char *strncat(char * restrict s1, const char * restrict s2, size_t n)
{
    char *p = s1;
    while (*s1)              // s1を末尾まで進める
        s1++;
    while (n--) {
        if (!(*s1++ = *s2++))  // 途中に'\0'があれば終了
            break;
    }
    *s1 = '\0';             // s1の末尾に'\0'を入れる
    return p;
}
```

11

文字列とポインタ

strcat 関数／strncat 関数 … 文字列を連結する

二つの関数は、文字列 *s1* の末尾に *s2* を連結する関数です。

▶ 名前の *cat* は、『連結する』『つなぐ』という意味の concatenate に由来します。

strcat 関数は、文字列 *s2* を丸ごと連結します。名前の途中に *n* が入っている *strncat* 関数は、連結する文字数を *n* 文字までに制限します。

▶ *strncat(s1, s2, n)* による文字列の連結を行った後の文字列 *s1* の文字数は、末尾のナルを含めて *strlen*(連結前の *s1*) + *n* + 1 以下となります。

strcat 関数は、次の2ステップで連結を行います。

■1 文字列 *s1* を走査する while 文です。走査終了時のポインタ *s1* は、末尾のナル文字を指す状態となります。

■2 文字列 *s1* の直後の位置に文字列 *s2* をコピーする while 文です（この while 文は、*strcpy* 関数の本体と同じです）。文字列 *s2* を走査して全文字をコピーします。

▶ 図の例であれば、もともと *s1* に入っていたナル文字 \0 の位置を先頭にして、'D'、'E'、'F'、'G'、'\0' の5文字がコピーされます。

strncat 関数は、連結する文字を *n* 文字までに収めるために、変数 *n* をカウンタ用変数とした while 文による文字のコピーを行っています。

▶ 繰返しのたびに *n* をデクリメントしていくことで *n* 回の繰返しを行います。ただし、途中でナル文字に出会った場合は、while 文の繰返しを break 文によって中断します。

問題 11-7
▶『明解』演習 11-6 (p.323)

標準ライブラリ関数である *strcmp* 関数および *strncmp* 関数と同じ仕様の関数を作成せよ。

```
//--- strcmp関数の実現例 ---//
int strcmp(const char *s1, const char *s2)
{
    while (*s1 == *s2) {
        if (*s1 == '\0')          // 等しい
            return 0;
        s1++;
        s2++;
    }
    return (unsigned char)*s1 - (unsigned char)*s2;
}

//--- strncmp関数の実現例 ---//
int strncmp(const char *s1, const char *s2, size_t n)
{
    while (n && *s1 && *s2) {
        if (*s1 != *s2)              // 等しくない
            return (unsigned char)*s1 - (unsigned char)*s2;
        s1++;
        s2++;
        n--;
    }
    if (!n)  return 0;
    if (*s1) return 1;
    return -1;
}
```

> ### strcmp 関数／strncmp 関数 … 文字列の大小関係を判定する

二つの関数は、文字の配列 *s1* と *s2* の大小関係を判定する関数です。

strcmp 関数は、二つの文字の配列を丸ごと比較します。名前に **n** の付いた **strncmp 関数**は、比較する文字数を、最初の **n** 文字までに制限します。

これらの関数は、引数に受け取った二つの文字列を先頭文字から順に比較していき、判定対象の全文字が等しければ **0** を返します。ただし、第1引数の指す文字列が第2引数の指す文字列より大きければ正の値を、小さければ負の値を返すという仕様です。

▶ *strncmp* 関数による判定では、*s1* や *s2* が指す文字を先頭とする **n** バイトの領域内にナル文字がなくてもよい（すなわち、文字列でなくてもよい）ことになっています。

さて、文字列の大小関係の判定基準は何なのでしょう。常識的に考えて、**"AAA"** は、**"ABC"** や **"XYZ"** より小さいといえます。このように、辞書順に並べたときに、前側に位置する文字列が "小さい" と判定され、後ろ側に位置する文字列が "大きい" と判定されるのが基本です。

ただし、判定の対象は、大文字だけ、小文字だけ、数字だけと、同種類であるとは限りません。そのため、*strcmp* 関数と *strncmp* 関数の判定は、**文字コード**に基づいて行われます。

文字コード体系は環境によって異なるため、**"abc"** が、**"ABC"** や **"123"** より大きいのか、あるいは小さいのか、といった判定基準は環境に依存します（すなわち、*strcmp("abc", "123")* が正の値を返す処理系もあれば、負の値を返す処理系もあります）。

残念ながら、*strcmp* 関数と *strncmp* 関数で、可搬性のある（実行環境で採用されている文字コードなどに依存しない）文字列の比較は行えません。

| **Column 11-3** | 文字列の配列の初期化／改行文字の出力 |

ここでは、文字列の配列の初期化と、改行文字の出力について学習します。

▪ **文字列の配列の初期化**

次の宣言を考えましょう（配列による文字列を初期化する宣言です）。

```
char str[3] = "RGB";          // 宣言A（C言語ではＯＫ。C++ではエラー）
```

初期化子の文字数は、自動的に付加されるはずのナル文字を含めると4であり、配列の要素数3を超えます。そのため、コンパイルエラーとなるように感じられるでしょう。

ところが、初期化子の文字列リテラルのナル文字を含まない文字数が、配列の要素数と等しい場合に限り、ナル文字が付加されない、という例外的な規則があります。すなわち、宣言Aは、

```
char str[3] = {'R', 'G', 'B'};  // 宣言B（C言語での宣言Aの解釈）
```

と等価とみなされるのです。このように宣言される配列 *str* は、文字列 **"RGB"** を表すための配列ではなく、『3個の文字 **'R'**、**'G'**、**'B'** を格納するための配列』です。

ちなみに、プログラミング言語C++では、宣言Bは許可されるものの、宣言Aはエラーとなるように、言語仕様が改訂されています。

見た目が紛らわしく、C++では許可されない宣言Aは、（たとえC言語のプログラムでも）使うのは避けるべきです。

▪ **改行文字の出力**

みなさんは、改行文字を出力するときに、次のどちらを使いますか。

❶ *putchar('\n');*   // 文字定数を利用した改行文字の出力
❷ *printf("\n");*   // 文字列リテラルを利用した改行文字の出力

私は❶を使います。❷の利用を避けているのには、ちゃんとした理由があります。

▪ **記憶域を浪費する可能性がある**

文字列リテラル **"\n"** は、改行文字とナル文字の計2バイトの記憶域を占有します。

そのため、同じ綴りの文字列リテラルを《別のもの》とみなす処理系（**Column 9-1**：p.227）では、ソースプログラム中に、❷のコードが100箇所あれば、その100個の **"\n"** が、合計200バイトもの記憶域を占有します。塵も積もれば山となります。

▪ **文字列リテラルが書きかえられる可能性がある**

同じ綴りの文字列リテラルを《同じもの》とみなす処理系（**Column 9-1**）で、プログラム中に次のようなコードがあるとします。

```
char *p = "\n";
*p = '\a';
```

このコードは、改行文字を格納する文字列リテラル **"\n"**（その内部は、改行文字とナル文字の2文字です）の先頭文字を、警報文字 **\a** に書きかえます（文字列リテラル **"\n"** の内部を、警報文字とナル文字の2文字に書きかえます）。

その結果、❷のコードを実行すると、**改行文字ではなく警報文字が出力されてしまいます**。

※ 文字列リテラルの内容を書きかえられるかどうかは、処理系に依存します。書きかえられない処理系では、*p に対して代入を行う上記のコードはコンパイルエラーとなります。

改行文字の出力を、*printf("\n")* ではなく *putchar('\n')* で行うべきである理由が分かりました。

問題 11-8 ▶『明解』演習 11-7 (p.325)

文字列 *s* を表示する関数を作成せよ。添字演算子 [ ] を使わずに実現すること。

```
void put_string(const char *s);
```

問題 11-9 ▶『明解』演習 11-8 (p.325)

文字列 *s* の中に文字 *c* が含まれている個数（含まれていなければ 0 とする）を返す関数を作成せよ。
添字演算子 [ ] を使わずに実現すること。

```
int str_chnum(const char *s, int c);
```

```c
// 文字列を表示・文字列に含まれる特定文字の個数を調べる
#include <stdio.h>

//--- 文字列sを表示（改行文字は出力しない） ---//
void put_string(const char *s)
{
    while (*s)
        putchar(*s++);
}
//--- 文字列s中の文字cの個数を返す ---//
int str_chnum(const char *s, int c)
{
    int count = 0;

    while (*s)
        if (*s++ == c)
            count++;
    return count;
}

int main(void)
{
    char str[256];
    char ch[10];

    printf("文字列を入力せよ：");
    scanf("%s", str);

    put_string(str);
    printf("からカウントするのは：");
    scanf("%s", ch);

    printf("その文字は%d個含まれています。\n", str_chnum(str, ch[0]));

    return 0;
}
```

実行例
文字列を入力せよ：BOOK␍
BOOKからカウントするのは：O␍
その文字は2個含まれています。

文字列の走査

二つの関数は、文字列 *s* を while 文で走査します（先頭文字から始めて、ポインタのインクリメントによって次の文字に着目する作業を、ナル文字に出会うまで繰り返します）。

関数 put_string は、文字列を先頭から末尾まで走査していき、その過程で着目文字 *s を表示します。

関数 str_chnum は、走査中の文字が *s が文字 *c* と等しいときに、変数 count をインクリメントすることによって、文字 *c* の個数をカウントします。

▶『明解』演習11-9 (p.325)

問題 11-10

　文字列 *s* の中に、文字 *c* が含まれていれば、その文字（複数含まれる場合は、最も先頭側の文字）へのポインタを返し、含まれていなければ空ポインタを返す関数を作成せよ。添字演算子 [ ] を使わずに実現すること。

```
char *str_chr(const char *s, int c);
```

```c
// 文字列に特定文字が含まれているかどうかを調べる関数
#include <stdio.h>

//--- 文字列sから文字cを検索して最も先頭側の文字へのポインタを返す ---//
char *str_chr(const char *s, int c)
{
    while (*s) {
        if (*s == c)
            return s;
        s++;
    }
    return NULL;
}

int main(void)
{
    char str[256];
    char ch[10];
    char *p;

    printf("文字列を入力せよ：");
    scanf("%s", str);

    printf("検索する文字は：");
    scanf("%s", ch);

    if ((p = str_chr(str, ch[0])) == NULL)
        printf("その文字は含まれていません。\n");
    else
        printf("それ以降の文字は%sです。\n", p);

    return 0;
}
```

```
┌─────────────実 行 例─────────────┐
│ 文字列を入力せよ：STRING↵        │
│ 検索する文字は：R↵               │
│ それ以降の文字はRINGです。        │
└──────────────────────────────────┘
```

11

文字列とポインタ

文字列からの文字の探索

　問題 **11-3**（p.266）の返却値型を int 型から char * 型のポインタへと変更したプログラムです（文字列を走査する while 文の制御式は同じです）。

　着目文字 *s が *c* と等しくなって探索に成功したときは、着目文字へのポインタ *s* の値を返却します。ただし、探索失敗時（ナル文字までのすべての文字を走査する過程で *c* と等しい文字が見つからなかったとき）は、NULL を返却します。

　main 関数では、返却されたポインタを（書式文字列 %s で）表示しています。そのため、返却されたポインタが指す文字以降のすべての文字（実行例では 'R' から、ナル文字の直前の文字 'G' まで）が表示されます。

　▶　同一配列中の要素へのポインタを減算すると、何要素分離れているのかが得られます。そのため、
```
printf("その文字は%d文字目に入っています。\n", p - str);
```
　とすれば、見つかった文字の添字（先頭文字の何文字後ろなのか）が表示できます。

問題 11-11　　　　　　　　　　　　　　　　　　　　　　　　▶『明解』演習 11-10 (p.325)

　文字列内の英字（アルファベット文字）を、すべて大文字に変換する関数 *str_toupper* と、すべて小文字に変換する関数 *str_tolower* を作成せよ。添字演算子 [ ] を使わずに実現すること。

```
void str_toupper(char *s);

void str_tolower(char *s);
```

```c
// 文字列内の英字を大文字／小文字に変換
#include <ctype.h>
#include <stdio.h>

//--- 文字列内の英字を大文字に変換 ---//
void str_toupper(char *s)
{
    while (*s) {
        *s = toupper(*s);
        s++;
    }
}

//--- 文字列内の英字を小文字に変換 ---//
void str_tolower(char *s)
{
    while (*s) {
        *s = tolower(*s);
        s++;
    }
}

int main(void)
{
    char str[128];

    printf("文字列を入力せよ：");
    scanf("%s", str);

    str_toupper(str);
    printf("大文字：%s\n", str);

    str_tolower(str);
    printf("小文字：%s\n", str);

    return 0;
}
```

```
            実行例
文字列を入力せよ：Super55␛
大文字：SUPER55
子文字：super55
```

大文字・小文字の変換

　関数 *str_toupper* と関数 *str_tolower* は、同じ構造の関数です。両関数とも、**while** 文で文字列 *s* を走査します。先頭文字から始めて、ポインタのインクリメントによって次の文字に着目する作業を、ナル文字に出会うまで繰り返します。

　ループ本体では、着目文字 **s* を *toupper* 関数あるいは *tolower* 関数で変換した文字を、着目文字自身 **s* に代入しています。

　▶　*toupper* 関数と *tolower* 関数については、問題 **9-12**（p.235）で学習しました。

▶『明解』演習 11–11 (p.325)

問題 11–12

文字列 *str* 内のすべての数字文字を除去する関数を作成せよ。

```
void del_digit(char *str);
```

たとえば "AB1C9" を受け取ったら、"ABC" に更新する。添字演算子を [ ] を使わずに実現すること。

```c
// 文字列中の数字文字を除去する
#include <stdio.h>

//--- 文字列str中の数字文字を除去する ---//
void del_digit(char *str)
{
    char *ptr = str;

    while (*str) {
        if (*str < '0' || *str > '9')
            *ptr++ = *str;
        str++;
    }
    *ptr = '\0';
}

int main(void)
{
    char str[256];

    printf("文字列を入力せよ：");
    scanf("%s", str);

    del_digit(str);            // 文字列内の数字文字を除去

    puts("数字文字を除去しました。");
    printf("str＝%s\n", str);

    return 0;
}
```

```
              実行例
文字列を入力せよ：AB1C93D␊
数字文字を除去しました。
str＝ABCD
```

文字列からの数字文字の除去

問題 9-11（p.234）の実現法を変更した問題です（本問は、添字演算子 [ ] を使わずに実現するように指示されています）。

本プログラムの関数 *del_digit* では、同一の配列を2個のポインタで走査します。

配列の先頭文字から末尾文字までを走査するのがポインタ *str* です。

もう一つの *ptr* は、非数字の代入先を指すポインタであって、走査開始時は、*str* と同じく先頭文字を指しています。

そして、走査の過程において、着目文字 **str* が数字文字ではないときにのみ、その文字を **ptr* へと代入した上で *ptr* のインクリメントを行います（数字文字であれば、代入も *ptr* のインクリメントも行いません）。

走査が終了した時点で、文字列末端の目印となるナル文字を **ptr* に代入します。

str … 繰返しのたびにインクリメント

A	B	1	C	9	3	D	\0

A	B	C	D	\0			

ptr … 非数字を代入したときのみ
　　　　インクリメント

問題 11-13

▶『明解』演習 11-12 (p.325)

標準ライブラリ関数である atoi 関数、atol 関数、atoll 関数、atof 関数と同じ仕様の関数を作成せよ。

```c
// 文字列を数値に変換するライブラリ関数atoi、atol、atoll、atofの実現例

//--- 文字chは空白類文字か ---//
int is_whitespace(int ch)
{
    return ch == ' '  || ch == '\f' || ch == '\n' || ch == '\r' ||
           ch == '\t' || ch == '\v';
}

//--- atoll関数：文字列をlong long型の値に変換 ---//
long long atoll(const char *nptr)
{
    int sign = 1;                      // 符号
    long long x;                       // 変換した整数

    while (is_whitespace(*nptr))       // 空白類文字を読み飛ばす      ■1
        nptr++;

    switch (*nptr) {                                    // 符号
     case '+' : nptr++;                    break;       // 正符号      ■2
     case '-' : nptr++;  sign = -1;  break;       // 負符号
    }

    for (x = 0; *nptr >= '0' && *nptr <= '9'; nptr++)                ■3
        x = x * 10 + (*nptr - '0');

    return sign * x;                                                ■4
}

//--- atoi関数：文字列をint型の値に変換 ---//
int atoi(const char *nptr)
{
    return (int)atoll(nptr);
}

//--- atol関数：文字列をlong型の値に変換 ---//
long atol(const char *nptr)
{
    return (long)atoll(nptr);
}

//--- atof関数：文字列をdouble型の値に変換 ---//
double atof(const char *nptr)
{
    int sign = 1;                   // 符号
    double x;                       // 変換した浮動小数点数
    double dec;                     // 小数部計算用

    while (is_whitespace(*nptr))       // 空白類文字を読み飛ばす
        nptr++;

    switch (*nptr) {                                    // 符号
     case '+' : nptr++;                    break;       // 正符号
     case '-' : nptr++;  sign = -1;  break;       // 負符号
    }

    for (x = 0.0; *nptr >= '0' && *nptr <= '9'; nptr++)      // 整数部
        x = x * 10.0 + (*nptr - '0');

    if (*nptr == '.')                                    // 小数点
        nptr++;
```

```
    for (dec = 1.Ø; *nptr >= 'Ø' && *nptr <= '9'; nptr++)     // 小数部
        x = x + (dec /= 1Ø.Ø) * (*nptr - 'Ø');

    if (*nptr == 'E' || *nptr == 'e') {                        // 指数部
        int exp;                                               // 指数部の値
        int sign = 1;                                          // 指数部の符号

        switch (*++nptr) {                                     // 符号
         case '+' : nptr++;              break;        // 正符号
         case '-' : nptr++;  sign = -1;  break;        // 負符号
        }

        for (exp = Ø; *nptr >= 'Ø' && *nptr <= '9'; nptr++)
            exp = 1Ø * exp + (*nptr - 'Ø');

        switch (sign) {
         case  1 : while (exp-- > Ø) x *= 1Ø.Ø;  break;
         case -1 : while (exp-- > Ø) x /= 1Ø.Ø;  break;
        }
    }
    return sign * x;
}
```

ato～関数 … 文字列を数値に変換する

<stdlib.h> ヘッダで宣言されている、次の関数群を作成する問題です。

- **atoi** 関数、**atol** 関数、**atoll** 関数 … 文字列表現された数値を整数に変換。
- **atof** 関数   … 文字列表現された数値を浮動小数点数に変換。

▶ たとえば、**"157"** を **157** に、あるいは、**"3.14"** を **3.14** に変換します。整数への変換の処理を担っているのは **long long** 版の **atoll** 関数です（**int** 版の **atoi** 関数と、**long** 版の **atol** 関数は、変換処理を **atoll** 関数にゆだねています）。

関数 **atoll** で行う処理を理解していきましょう。

1 この **while** 文では、空白類文字を読み飛ばします（最初が空白となっている **"　157"** のような文字列も整数に変換できるようにするためです）。

2 この **switch** 文では、空白類文字以外の先頭の文字が符号文字であるかどうかの判定を行います。負符号であれば、変数 *sign* の値を **-1** とします（正符号であれば、*sign* の値は初期値の **1** のままとなります）。

3 この **for** 文では、文字列を走査して、整数へと変換します。変換した整数を格納するのが、変数 *x* です。走査の過程では、それまでに得られた数値を **1Ø** 倍した上で、走査した数を加えます。たとえば、**"-1357"** の変換では、1 ⇨ **1Ø + 3** ⇨ **13Ø + 5** ⇨ **135Ø + 7** によって **1357** という数値を得ます。

▶ 関数 **atof** では、上記の処理の後に、指数部の処理（指数部の符号の処理と、指数部の数値の処理）が続きます（走査・変換の原理は、整数部と同じです）。

4 最後に行うのが、符号の調整です。*x* の値に *sign* を乗じることによって、最終的な値を求めます。たとえば、**"-1357"** の変換では、**1357** に **-1** を乗じて **-1357** とします。

錬成問題

- 右に示すプログラム部分の誤りを指摘せよ。

  [____(1)____]

```c
char s[12];

s = "ABC";
printf("%S\n", s);
```

- 右に示すプログラム部分の実行結果を示せ。

  [____(2)____]

```c
char s[] = "ABC";
char *p = "XYZ";

for (int i = 0; i < s[i]; i++)
    putchar(s[i]);
putchar('\n');

for (int i = 0; i < p[i]; i++)
    putchar(p[i]);
putchar('\n');
```

- 右に示すのは、文字列 s を空文字列にする処理を、添字演算子 [ ] を用いずに実現する関数である。

```c
void null_string(char *s)
{
    [__(3)__] = '\0';
}
```

- 右に示すのは、文字列 s を単一引用符 ' で囲んで表示する関数である。

```c
void putstr(const char *s)
{
    putchar([_(4)_]);
    while (*s)
        putchar([_(5)_]);
    putchar([_(6)_]);
}
```

- 右に示すのは、文字列 s の長さ（ナル文字は含まない文字数）を求めて返す関数である。

```c
int str_len(const char *s)
{
    int len = 0;

    while ([_(7)_])
        len++;
    return len;
}
```

- 以下に示すのは、文字列の長さを求めたり、文字列のコピーや連結などを行ったりするプログラム部分である。

```c
#include <[_(8)_]>
#include <stdio.h>

printf("s1の長さは%d\n", [_(9)_](s1));

// s1をs2にコピーして、コピー後のs2を表示
printf("s2をコピー後のs2は%[_(10)_]\n", [_(11)_]([_(12)_], [_(13)_]));

// s1をs2とs3の両方にコピーして、コピー後のs3を表示
printf("コピー後のs3は%[_(14)_]\n", [_(15)_]([_(16)_], [_(17)_]([_(18)_], [_(19)_])));

// s1の後ろにs2をコピーして、連結後のs1を表示
printf("s2を連結後のs1は%[_(20)_]\n", [_(21)_]([_(22)_], [_(23)_]));
```

- 右に示すのは、文字列 *s* が空文字列であれ
  ば 1 を、そうでなければ 0 を返す関数である
  （添字演算子 [ ] を用いずに実現すること）。

```
int is_null_string(const char *s)
{
    return  (24) ;
}
```

- 右に示すのは、文字列 *s* が "ABC" であれば 1
  を、そうでなければ 0 を返す関数である（添
  字演算子 [ ] を用いずに実現すること）。

```
int is_ABC(const char *s)
{
    if (  (25)  != 'A') return 0;
    if (  (26)  != 'B') return 0;
    if (  (27)  != 'C') return 0;
    if (  (28)  != '\0') return 0;
    return 1;
}
```

- 右に示すのは、文字列 *s* 内の全文字を末尾
  側から先頭側へと逆順に表示する関数であ
  る。

```
void putrstr(const char *s)
{
    char *p = s;

    while (  (29)  )
        s++;

    while (s-- > p)
        putchar(  (30)  );
}
```

11

文字列とポインタ

- 右に示すのは、文字列 *s* を *d* にコピーし
  た上で、受け取った *d* と同じ値を返す関
  数である。

```
char *str_copy(char *d, const char *s)
{
    char *t =  (31)  ;
    while (*  (32)  ++ = *  (33)  ++)
        ;
    return t;
}
```

- 右に示すプログラム部分の実行結果を
  示せ。… ⟨(34)⟩
  なお、*p*[1] は ⟨(35)⟩ が格納されている
  アドレスで初期化される。

```
char s[][5] = {"LISP", "C", "Ada"};
char *p[]   = {"1234", "5", "678"};

putchar(s[0][1]);   putchar('\n');
putchar(s[1][0]);   putchar('\n');
putchar(p[0][2]);   putchar('\n');
putchar(p[2][0]);   putchar('\n');
```

- 以下に示すのは、文字列 *s1* と *s2* を連続して表示する（たとえば、*s1* が "ABC" で *s2* が
  "DEF" であれば、「ABCDEF」と表示する）関数である。

```
void put_str_str(const char *s1, const char *s2)
{
    while (  (36)  )
        putchar(  (37)  );

    while (  (38)  )
        putchar(  (39)  );
}
```

- 右に示すのは、文字列 *s2* を *s1* にコピーした上で、受け取った *s1* と同じ値を返す関数である。ただし、文字列 *s2* の長さが *n* 以上であれば *n* 文字までをコピーして、*n* より短ければ残りをナル文字で埋めつくす。

```
char *str_ncpy(char *s1,
               const char *s2,
               int n)
{
    char *tmp = s1;
    while (  (40)  ) {
        n--;
        if (!(*s1++ = *s2++))
              (41)  ;
    }
    while (n--)
        *  (42)  ++ = '\0';
    return   (43)  ;
}
```

- 左下に示すのは、文字列 *s* の文字の並びを反転する関数である。

- 右下に示すのは、文字列 *s* に含まれている数字文字 '0' ～ '9' の個数を、*cnt[0]* ～ *cnt[9]* に格納する関数である。

```
void rev_string(char *s)
{
    char *p = s;
    while (*  (44)  )
        p++;
    if (p !=   (45)  ) {
        p  (46)  ;
        while (p > s) {
            char temp = *p;
              (47)   = *s;
              (48)   = temp;
        }
    }
}
```

```
void cnt_digit(const char *s, int cnt[])
{
    for (int i = 0; i < 10; i++)
        *(cnt +   (49)  ) = 0;

    while (*s) {
        if (*s >= '0' && *s <= '9')
            cnt[  (50)  ]++;
          (51)   ++;
    }
}
```

- 左下に示すのは、文字列 *s1* の後ろに、末尾のナル文字も含めて文字列 *s2* を連結した上で、受け取った *s1* と同じ値を返す関数である。

- 右下に示すのは、文字列 *s1* の後ろに、末尾のナル文字も含めて文字列 *s2* を連結した上で、受け取った *s1* と同じ値を返す関数である。ただし、文字列 *s2* の長さが *n* より長い場合は切り捨てる。

```
char *str_cat(char *s1,
              const char *s2)
{
    char *tmp = s1;

    while (  (52)  )
        s1++;

    while (*s1++ = *s2++)
          (53)  ;

    return   (54)  ;
}
```

```
char *str_ncat(char *s1, const char *s2,
               int n)
{
    char *tmp = s1;

    while (  (55)  )
        s1++;
    while (n--)
        if (!(*s1++ = *s2++))
              (56)  ;
      (57)   = '\0';
    return   (58)  ;
}
```

- 右に示すのは、文字列 *s* 内の数字文字のみを
表示する（たとえば、*s* が **"740GT535"** であれば、
「**740535**」と表示する）関数である。

```c
void put_strdgt(const char *s)
{
    while (  (59)  ) {
        if (*s >= '0'  (60)
            *s <= '9')
        putchar(  (61)  );
          (62)  ++;
    }
}
```

- 右に示すのは、文字列 *s* 内のすべての英小文字
を英大文字に変換する関数である。
なお、この関数のコンパイルには、 (63) ヘッ
ダが必要である。

```c
void str_toupper(char *s)
{
    while (  (64)  ) {
        *s =   (65)  (*s);
        s++;
    }
}
```

- 以下に示すのは、文字列 *s1* と *s2* を交換する関数である。

```c
void swap_string(char* s1, char* s2)
{
    char* temp;
    while (*s1 &&   (66)  ) {        // 短いほうの末尾まで文字列を交換
        char t = *s1;
        *s1++ =   (67)  ;
        *s2++ =   (68)  ;
    }
    if (*s1) {                        // s1のほうが長ければ
        temp =   (69)  ;
        while (*s1) {                 // s1の残りをs2にコピー
            *s2++ =   (70)  ;
        }
        *temp =   (71)   = '\0';
    } else if (*s2) {                 // s2のほうが長ければ
        temp =   (72)  ;
        while (*s2) {                 // s2の残りをs1にコピー
            *s1++ =   (73)  ;
        }
        *temp =   (74)   = '\0';
    }
}
```

第12章

構造体

問題 12-1

▶『明解』演習 12-1 (p.335)

学生を表す構造体を作成せよ。オブジェクトの各メンバの値とアドレスを表示すること。

```c
// 学生を表す構造体（宣言・初期化）
#include <stdio.h>

#define NAME_LEN    64        // 名前の文字数
//=== 学生を表す構造体 ===//
struct student {
    char   name[NAME_LEN];    // 名前
    int    height;            // 身長       ❶
    float  weight;            // 体重
};

int main(void)
{
    struct student takao = {"Takao", 173};    ❷

    printf("名前=%s  %p\n",   takao.name,   takao.name);
    printf("身長=%d  %p\n",   takao.height, &takao.height);
    printf("体重=%.1f  %p\n", takao.weight, &takao.weight);

    return 0;
}
```

実行結果一例
```
名前=Takao    1218
身長=173      1282
体重=0.0      1284
```

構造体

❶が**構造体**（structure）の宣言です。**struct** で始まって、**構造体タグ**（structure tag）と呼ばれる**名前**（この場合は *student*）の後ろに、本体となる { } が続き、セミコロン ; で終わる形式です。本体の { } の中で宣言されている *name* と *height* と *weight* は、**メンバ**（member）と呼ばれる構造体の構成要素です。

なお、型名は、タグ名『*student*』ではなく、2個の単語の『**struct** *student*』です。

すなわち、❶では、『**struct** *student*』型が、次の3個のメンバで構成される構造体として宣言されているわけです。

name … char[64] 型の名前 ／ *height* … int 型の身長 ／ *weight* … float 型の体重

さて、構造体は、タコ焼きの《カタ》に相当します。本当に食べられるタコ焼き、すなわち、変数（オブジェクト）を宣言・初期化するのが、プログラム❷です。

下図に示すように、オブジェクト内のメンバは、宣言と同じ順で記憶域上に並びます。

▶ そのため、メンバのアドレスは、末尾側が大きくなります（実行結果からも確認できます）。

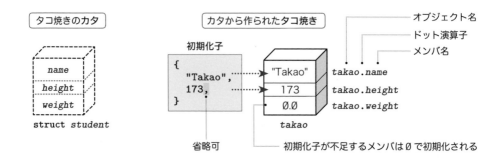

なお、右に示すように、構造体の本体の**{ }**とセミコロンのあいだに変数名を置いて宣言すると、構造体の型だけでなく、変数（オブジェクト）も同時に定義できます。

```
struct student {
    char    name[NAME_LEN];    // 名前
    int     height;            // 身長
    float   weight;            // 体重
} takao;
```

▶ 次のように、タグ名を省略して宣言することも可能です。

```
struct {
    // 中略
} a, b;
```

これで、構造体の型が宣言されるとともに、その型をもつオブジェクト**a**と**b**が定義されます。

構造体自体に名前が与えられていないため、プログラムの別の箇所で、この（無名の）型の構造体のオブジェクトの定義はできなくなります。

メンバの初期化

構造体オブジェクトの宣言時に与える初期化子の形式は、配列用の初期化子と似ています。各メンバに与える初期化子をコンマ**,**で区切って並べたものを**{ }**で囲んだ形式です。

▶ 各メンバに対する初期化子は、メンバの宣言と同じ順序（この場合、**name**、**height**、**weight**の順）に並べます。

なお、**{ }**内に初期化子が与えられていない要素が**0**で初期化されることも、配列と同じです。

本プログラムで**takao**に与えられている初期化子は**{"Takao", 173}**です。体重**weight**に対する初期化子が省略されていますので、体重は**0**で初期化されます。

メンバのアクセス

構造体オブジェクトの個々のメンバのアクセスに利用するのが、一般に**ドット演算子**と呼ばれる**.演算子**（**.** operator）です。

たとえば、オブジェクト**takao**のメンバ**height**をアクセスする式は、

```
takao.height    // オブジェクトtakao内のメンバheight
```

です。その**takao.height**は、**int**型のオブジェクトですから、普通の**int**型の変数と同じように、値を代入したり、取り出したりできます。

本プログラムでは、**takao**内の3個のメンバの値とアドレスを表示しています。

◉ .演算子（ドット演算子）

.演算子	a . b	構造体 a のメンバ b を表す。

メンバのアドレスの取得（メンバへのポインタの生成）

本プログラムでは、メンバの値だけでなく、アドレスも表示しています。

身長と体重については、メンバ**takao.height**と**takao.weight**にアドレス演算子**&**を適用したアドレス式**&takao.height**と**&takao.weight**でアドレスを取得しています。

名前の**takao.name**にはアドレス演算子**&**の適用が行われていませんが、**name**が配列だからです。

12

構造体

問題 12-2

int 型と long 型と double 型の3個の要素で構成される xyz 構造体を定義するとともに、キーボードから読み込んだ3値をもつ xyz 構造体型の値を返却する関数を作成せよ。

```
struct xyz scan_xyz();
```

```c
// 構造体を返す関数
#include <stdio.h>

//=== xyz構造体 ===//
struct xyz {
    int    x;
    long   y;
    double z;
};

//--- キーボードから読み込んだ{x,y,z}の値をもつxyz構造体を返す ---//
struct xyz scan_xyz()
{
    struct xyz temp;

    printf("int型メンバxの値：");       scanf("%d",  &temp.x);
    printf("long型メンバyの値：");      scanf("%ld", &temp.y);
    printf("double型メンバzの値：");    scanf("%lf", &temp.z);

    return temp;  // ─────────────── 構造体を丸ごと返却
}

int main(void)
{
    struct xyz s;

    s = scan_xyz();

    printf("s.x = %d\n",  s.x);
    printf("s.y = %ld\n", s.y);
    printf("s.z = %f\n",  s.z);

    return 0;
}
```

実行例
```
int型メンバxの値：15
long型メンバyの値：123456789
double型メンバzの値：3.1415926535
s.x = 15
s.y = 123456789
s.z = 3.141593
```

構造体の値を返す関数

構造体は、代入演算子 = による値の代入を行えます。そのため、関数間で、引数や返却値としてのやりとりが可能です。

▶ 代入不可能な配列は、いずれも行えません（引数として渡すときは、配列ではなく、その先頭要素へのポインタを渡さなければなりませんし、関数から配列を返却することはできません）。

関数 scan_xyz では、キーボードから読み込んだ x、y、z の3値を、struct xyz 型の temp の各メンバに代入した上で、その構造体 temp の値を返しています。

呼出し側の網かけ部では、関数 scan_xyz が返した構造体の値が、そのまま変数 s に代入されています。右図に示すように、代入元の全メンバの値が、代入先のメンバにコピーされます。

関数 scan_xyz が返却する temp の全メンバが s の全メンバに代入される

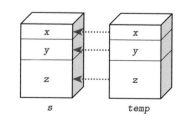

集成体型

複数のオブジェクトの集まりを扱うという性質上、配列と構造体には、数多くの共通点があります。これら二つは、**集成体型**（aggregate type）と呼ばれます。

ただし、次のような相違点もあります。

▪ 要素型

配列は『同じ型』のデータの集合を効率よく表すデータ構造です。それに対して、構造体は、『異なる型』のデータの集合を効率よく表すデータ構造です（もちろん、たまたまメンバの型が同じ、ということもあります）。

▪ 代入の可否

配列は、たとえ要素数が同じであっても、代入を行うことはできません（第5章と第10章で学習しました）。

```
int a[6], b[6];
a = b;    // エラー
```

前ページで学習したように、同じ型をもつ構造体は、代入が可能です。

```
struct xyz a, b;
a = b;    // OK！
```

右の例であれば、*b* の全メンバの値が、対応する *a* のメンバに代入されます。

派生型

C言語では、各種の**派生**の方法を組み合わせて、無限ともいえる型を作り出せるようになっています。

作り出された型は、**派生型**（derived type）と呼ばれます。派生によって作られる型には、次のものがあります（自由に組み合わせられます）。

▪ 配列型（array type）

ある要素型のオブジェクトをもつ集合を連続して記憶域に割り当てます（第5章）。

▪ 構造体型（structure type）

メンバを宣言された順番に記憶域に割り当てます。各メンバの型は、異なっていても構いません（本章）。

▪ 共用体型（union type）

メンバが重なり合って割り付けられます。

▪ 関数型（function type）

一つの返却値型と、0個以上の仮引数（の個数と型）から作り出されます（第6章）。

▪ ポインタ型（pointer type）

オブジェクトあるいは関数を指す型として作り出されます（第10章）。

問題 12-3

▶『明解』演習 12-3 (p.340)

問題 **12-1**（p.288）で定義した構造体に対して *Student* という **typedef** 名を与えた上で、名前と身長と体重を読み込んで、その値をメンバとしてもつ *Student* 型の値を返却する関数を作成せよ。

```
Student scan_Student();
```

```c
// 学生の身長と体重を更新（構造体にtypedef名を導入）
#include <stdio.h>

#define NAME_LEN    64      // 名前の文字数

//=== 学生を表す構造体 ===//
typedef struct student {
    char   name[NAME_LEN];   // 名前
    int    height;           // 身長
    float  weight;           // 体重
} Student;

//--- キーボードから名前と身長と体重を読み込んでStudent型の値として返却 ---//
Student scan_Student()
{
    Student temp;

    printf("名前：");   scanf("%s",  temp.name);
    printf("身長：");   scanf("%d", &temp.height);
    printf("体重：");   scanf("%f", &temp.weight);

    return temp;
}

//--- sが指す学生の体重が0以下であれば標準体重を代入 ---//
void set_stdweight(Student *s)
{
    if ((*s).weight <= 0)
        (*s).weight = ((*s).height - 100) * 0.9;
}

int main(void)
{
    Student std = scan_Student();       // 各メンバの値を読み込む

    set_stdweight(&std);                // 標準体重を代入

    printf("名前＝%s\n",   std.name);
    printf("身長＝%d\n",   std.height);
    printf("体重＝%.1f\n", std.weight);

    return 0;
}
```

実 行 例
名前：Sanaka ⏎
身長：175 ⏎
体重：0 ⏎
名前＝Sanaka
身長＝175
体重＝67.5

構造体と typedef

本プログラムでは、**typedef** 宣言を利用することで、2個の単語の型名『**struct student**』に対して、『*Student*』という **typedef** 名を与えています。そのため、単独の『*Student*』が型名として振る舞えるようになっています。

▶ **typedef** 宣言は、既存の型に対して、**typedef** 名と呼ばれる**別名**を与える宣言でした（第7章）。

なお、型名として『*Student*』のみを使って、『**struct student**』を使わないのであれば、宣言内の網かけ部のタグ名『*student*』は省略できます（本プログラムでは省略可能です）。

それでは、本プログラムで定義されている二つの関数を理解していきましょう。

■ 関数 scan_Student

関数 `scan_Student` は、`Student` 型の変数 `temp` の3個のメンバにキーボードから読み込んだ上で、その `temp` を返却します（前問の関数 `scan_xyz` と同じ構造です）。

▶ `main` 関数で宣言されている `std` は、この関数 `scan_Student` が返却した構造体の値で初期化されています。そのため、プログラム実行時に関数によって返却された構造体オブジェクトの全メンバの値がコピーされることで、`std` の初期化が行われます。

■ 関数 set_stdweight

関数 `set_stdweight` は、ポインタ `s` が指す学生の体重メンバが `0` 以下であれば、身長から計算した標準体重をセットする関数です。学生の構造体を、値ではなくポインタとして受け取っているのは、メンバの値を更新するからです。

ポインタに間接演算子 `*` を適用した間接式は、そのポインタが指すオブジェクトそのものを表しますから、`*s` は `std` のエイリアスです。そのため、ポインタ `s` が指すオブジェクトの身長と体重のメンバをアクセスする式は、`(*s).height` と `(*s).weight` となるわけです（下図）。

▶ `*s` の身長メンバを、`( )` を省略した `*s.height` でアクセスすることはできません。ドット演算子 `.` の優先順位が、間接演算子 `*` よりも高いことから、`*(s.height)` と解釈されてしまうからです。

さて、ポインタの指すメンバをアクセスする `(*s).height` や `(*s).weight` という表記だと、`( )` の書き忘れなどを起こしがちです。そのため、ポインタの指すオブジェクトのメンバを簡潔な式でアクセス可能にするための **-> 演算子**（-> operator）が用意されています。なお、この演算子は矢印の形をしているため、**アロー演算子**と呼ばれます。

`.` 演算子と `->` 演算子の総称が、**メンバアクセス演算子**（member-aceess operator）です。

● -> 演算子（アロー演算子）

| -> 演算子 | `a -> b` | `a` が指す構造体のメンバ `b` を表す。 |

アロー演算子を使うと、関数 `set_stdweight` の本体は、次のように簡潔になります。

```
if (s->weight <= 0)
    s->weight = (s->height - 100) * 0.9;
```

ポインタ `p` が指す構造体メンバ `m` をアクセスする式は、`(*p).m` ではなく、簡潔な `p->m` とするのが原則です。

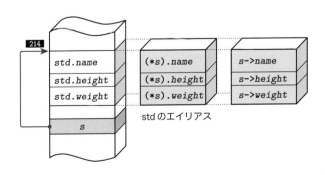

問題 12-4

▶『明解』演習 12-4 (p.343)

5人の学生を表す構造体の配列を作り、その配列をソートするプログラムを作成せよ。以下のように実現すること。

- 名前や身長などのデータは、初期化子として与えるのではなく、キーボードから読み込む。
- 身長の昇順にソートするのか、名前の昇順でソートするのかを選べるようにする。

```c
// 5人の学生を身長／名前の昇順にソート

#include <stdio.h>
#include <string.h>

#define NUMBER      5       // 学生の人数
#define NAME_LEN    64      // 名前の文字数

//=== 学生を表す構造体 ===//
typedef struct {
    char    name[NAME_LEN];    // 名前
    int     height;            // 身長
    float   weight;            // 体重
} Student;

//--- xおよびyが指す学生を交換 ---//
void swap_Student(Student *x, Student *y)
{
    Student temp = *x;
    *x = *y;
    *y = temp;
}

//--- 学生の配列aの先頭n個の要素を身長の昇順にソート ---//
void sort_by_height(Student a[], int n)
{
    for (int i = 0; i < n - 1; i++) {
        for (int j = n - 1; j > i; j--)
            if (a[j - 1].height > a[j].height)
                swap_Student(&a[j - 1], &a[j]);
    }
}

//--- 学生の配列aの先頭n個の要素を名前の昇順にソート ---//
void sort_by_name(Student a[], int n)
{
    for (int i = 0; i < n - 1; i++) {
        for (int j = n - 1; j > i; j--)
            if (strcmp(a[j - 1].name, a[j].name) > 0)
                swap_Student(&a[j - 1], &a[j]);
    }
}

int main(void)
{
    int sort_type;
    Student std[5];

    for (int i = 0; i < NUMBER; i++) {
        printf("%d番目の学生\n", i + 1);
        printf("名前：");    scanf("%s",  std[i].name);
        printf("身長：");    scanf("%d", &std[i].height);
        printf("体重：");    scanf("%f", &std[i].weight);
    }

    printf("どちらのソートを行いますか[0]…身長順 [1]…名前順：");
    scanf("%d", &sort_type);
```

```
┌─────────────────────────────┐
│          実行例              │
├─────────────────────────────┤
│ 1番目の学生                  │
│ 名前：Sanaka⏎                │
│ 身長：175⏎                   │
│ 体重：62.5⏎                  │
│ 2番目の学生                  │
│ 名前：Mike⏎                  │
│ 身長：165⏎                   │
│ 体重：72.3⏎                  │
│                              │
│ … 中略 …                     │
│                              │
│ どちらのソートを行いますか   │
│ [0]…身長順 [1]…名前順：1⏎    │
│ Masaki    179  77.5          │
│ Mike      165  72.3          │
│ Sanaka    175  62.5          │
│ Sato      178  61.2          │
│ Takao     173  86.2          │
└─────────────────────────────┘
```

```
    switch (sort_type) {
     case 0: sort_by_height(std, NUMBER);  break;  // 身長の昇順にソート
     case 1: sort_by_name(std, NUMBER);     break;  // 名前の昇順にソート
    }
    for (int i = 0; i < NUMBER; i++)
        printf("%-8s %6d%6.1f\n", std[i].name, std[i].height, std[i].weight);

    return 0;
}
```

構造体の配列

本プログラムは、学生を表す構造体 *Student* を要素型とする配列 *std* を用意して、その配列をソートしています（構造体にはタグ名を与えずに **typedef** 名のみが与えられています）。

構造体の配列のソート

構造体の配列をソートする関数が二つ定義されています。

- 関数 *sort_by_height* … 身長順でのソートを行う。
- 関数 *sort_by_name* … 名前順でのソートを行う。

ソートの過程では、2要素の交換が必要であり、それを担うのが関数 *swap_Student* です。二つのポインタ *x* と *y* が指す *Student* 型構造体オブジェクトの値（全メンバの値）を、ごっそり交換します。

▶ もし構造体を使わないのであれば、身長を交換する関数（**int** 型の2値を交換する関数）、名前を交換する関数（文字列を交換する関数）、… を個別に作成する必要があります。

名前空間

第8章では、**名前空間**（name space）が異なれば、同じ綴りの識別子（名前）を使えることを簡単に学習しました。

名前空間は、次の四つに分類されます。

1. ラベル名
2. タグ名
3. メンバ名
4. 一般的な識別子

右のプログラムでは、同一名の *x* をタグ名、メンバ名、オブジェクト（変数）名、ラベル名として使用しています。

```
int main(void)
{
    struct x {    // タグ名
        int x;    // メンバ名
        int y;
    } x;          // 変数名

x:                // ラベル名
    x.x = 1;      // 変数名.メンバ名
    x.y = 5;      // 変数名.メンバ名

    return 0;
}
```

このように、異なる名前空間に属するのであれば、同一有効範囲内において同じ名前を与えても、不都合は生じません。

問題 12-5　　　　　　　　　　　　　　　　　　　　　　　▶『明解』演習 12-5 (p.347)

　座標を表す構造体と、自動車を表す構造体を定義せよ。自動車は、現在位置の座標をメンバとしてもち、対話的に移動できるものとする。移動の手段は、移動目的地の座標を入力させる方法と、Ｘ方向とＹ方向の移動距離を入力させる方法の両方を選択できるようにすること。

```
// 自動車の移動

#include <math.h>
#include <stdio.h>

#define sqr(n)  ((n) * (n))

//=== 点の座標を表す構造体 ===//
typedef struct {
    double x;        // Ｘ座標
    double y;        // Ｙ座標
} Point;

//=== 自動車を表す構造体 ===//
typedef struct {
    Point  pt;       // 現在位置
    double fuel;     // 残り燃料
} Car;

//--- 点p1と点p2の距離を返す---//
double distance_of(Point p1, Point p2)
{
    return sqrt(sqr(p1.x - p2.x) + sqr(p1.y - p2.y));
}

//--- 自動車の現在位置と残り燃料を表示 ---//
void put_info(Car c)
{
    printf("現在位置：(%.2f, %.2f)\n", c.pt.x, c.pt.y);
    printf("残り燃料：%.2fリットル\n", c.fuel);
}

//--- cの指す車を目的座標destに移動 ---//
int move(Car *c, Point dest)
{
    double d = distance_of(c->pt, dest);    // 移動距離

    if (d > c->fuel)                         // 移動距離が燃料を超過
        return 0;                            // 移動不可
    c->pt = dest;                            // 現在位置を更新（destに移動）
    c->fuel -= d;                            // 燃料を更新（移動距離dの分だけ減る）
    return 1;                                // 移動成功
}

int main(void)
{
    Car mycar = {{0.0, 0.0}, 90.0};

    while (1) {
        int select;
        Point dest;          // 目的地の座標
        put_info(mycar);     // 現在位置と残り燃料を表示
        printf("移動しますか【1…移動先座標入力／2…移動距離入力／0…終了】：");
        scanf("%d", &select);
        if (select != 1 && select != 2) break;
        switch (select) {
         case 1 :
                printf("目的値のＸ座標：");   scanf("%lf", &dest.x);
                printf("        Ｙ座標：");   scanf("%lf", &dest.y);
                break;
            case 2 : {
                double x, y;
                printf("Ｘ方向の移動距離：");   scanf("%lf", &x);
```

ⓐ 点の座標を表す構造体 Point

| x |
| y |

メンバは２個
構成メンバも２個

ⓑ 自動車を表す構造体 Car

| pt |
| fuel |

| pt.x |
| pt.y |
| fuel |

メンバは２個　　　構成メンバは３個

double 型メンバ fuel に対する初期化子

Point 型メンバ pt に対する初期化子

```
                    printf("Ｙ方向の移動距離：");    scanf("%lf", &y);
                    dest.x = mycar.pt.x + x;
                    dest.y = mycar.pt.y + y;
                    break;
            }
        }
        if (!move(&mycar, dest))
            puts("\a燃料不足で移動できません。");
    }
    return 0;
}
```

▶ 本プログラムの実行例は、省略します。

座標を表す構造体

座標を表すのが、double 型のメンバ x と y の二つで構成される構造体 Point です。なお、関数 distance_of は、二つの点 p1 と p2 のあいだの距離を求める関数です。

自動車を表す構造体

現在地の座標と、残り燃料のメンバで構成される Car が、自動車用の構造体です。Car のメンバは pt と fuel の2個ですが、前者 pt 自体が2個のメンバをもつ Point 型の構造体ですから、Car のメンバは全部で3個ともいえます。

本書では、右に示すように、これ以上分解できないメンバを**構成メンバ**と呼びます。

- メンバ　　　： pt と fuel
- 構成メンバ　： pt.x と pt.y と fuel

c が Car 型オブジェクトであれば、メンバは c.pt と c.fuel でアクセスでき、前者 c.pt の構成メンバはドット演算子を2重に適用した式 c.pt.x と c.pt.y でアクセスできます。

さて、本プログラムは、対話的に自動車の移動を繰り返します。燃費を1としているため、距離を1だけ走行すると、燃料も1だけ減ります。

自動車を移動する関数 move は、2個の引数を受け取ります。第1引数 c は Car 型の自動車オブジェクト（この場合は、main 関数で定義されたオブジェクト mycar）へのポインタで、dest は移動先の座標です。

移動を行う際は、まず移動先までの距離を求めます。その距離に対して残り燃料が十分であれば、現在位置を更新するとともに、走行した分の燃料を減らします。

main 関数では、自動車の移動を対話的に行います。まず最初に現在位置と残り燃料の表示を行って、その後、移動先座標を入力するのか、それとも移動距離を入力するのかを尋ねます。

前者が選択された場合は、座標を読み込んで、その座標をそのまま関数 move に渡します。後者が選択された場合は、移動距離を読み込み、それを現在の座標に加えた上で関数 move に渡します。

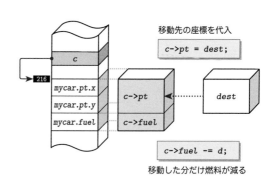

錬成問題

- 右に示すのは、三つの [(1)] をもつ構造体の宣言である。ここで、**xyz** は [(2)] と呼ばれ、その構造体に与える名前である。また、**a** と **b** は、この構造体の型をもつ実体すなわちオブジェクトである。
※次問以降、構造体 **xyz** は、本問で宣言されたものを意味する。

```
struct xyz {
    int    x;
    long   y;
    double z;
} a, b;
```

- 複数の要素をもつという点で、構造体と配列は共通する点が多い。そのため、これらをまとめて [(3)] 型と呼ぶ。

- 右に示すのは、構造体 **xyz** 型オブジェクト **a** の [(1)] である **x**、**y**、**z** に、それぞれ 1、2、3.14 を代入するプログラム部分である。

```
 (4)  = 1;
 (5)  = 2;
 (6)  = 3.14;
```

- **p** が構造体 **xyz** 型オブジェクトを指している。右に示すのは、**p** が指すオブジェクトの [(1)] である **x**、**y**、**z** に、それぞれ 1、2、3.14 を代入するプログラム部分である。

```
 (7)  = 1;
 (8)  = 2;
 (9)  = 3.14;
```

- 右に示すプログラム部分の実行結果を示せ。

[(10)]

```
struct xyz a = {3};
printf("%d\n",  (4) );
printf("%ld\n",  (5) );
printf("%.2f\n",  (6) );
```

- 右に示すプログラム部分の実行結果を示せ。

[(11)]

```
struct xyz a, b = {5};
a = b;
printf("%d\n",  (4) );
printf("%ld\n",  (5) );
printf("%.2f\n",  (6) );
```

- 右に示すのは、**p** が指す構造体 **xyz** 型オブジェクトの [(1)] である **x**、**y**、**z** に 0 を代入する関数である。

```
void set0(struct xyz *p)
{
     (12)  = 0;
     (13)  = 0;
     (14)  = 0;
}
```

- 右に示すのは、[(1)] である **x**、**y**、**z** の値がすべて 0 である構造体 **xyz**（の値）をそっくり返す関数である。

```
 (15)  xyz0(void)
{
     (16)  t = {  (17)  };

    return  (18) ;
}
```

- 右に示すのは、*x*、*y*、*z*という三つの ☐(1)☐ をもつ構
造体に *XYZ* という型名を与える宣言である。
※次問以降、*XYZ*型は、本問で宣言されたものを意味する。

```
☐(19)☐ struct {
    int    x;
    long   y;
    double z;
} ☐(20)☐ ;
```

- 右に示すのは、*p*が指す *XYZ* 型オブジェクトの ☐(1)☐ で
ある*x*、*y*、*z*に **0** を代入する関数である。

```
void set0( ☐(21)☐ *p)
{
    ☐(22)☐ = 0;
    ☐(23)☐ = 0;
    ☐(24)☐ = 0;
}
```

- 右に示すのは、 ☐(1)☐ である*x*、*y*、*z*の値がすべて**0**
である *XYZ* 型（の値）をそっくり返す関数である。

```
☐(25)☐ XYZ0(void)
{
    ☐(26)☐ t = { ☐(27)☐ };

    return ☐(28)☐ ;
}
```

12

構造体

- 以下に示すのは、*XYZ* 型構造体型の ***x** と ***y** のすべての ☐(1)☐ の値が等しければ**1**を返却し、
そうでなければ**0**を返却する関数である。

```
//--- xとyが指すXYZ型オブジェクトの等価性を判定 ---//
int XYZeq(const XYZ *x, const XYZ *y)
{
    if ( ☐(29)☐ ) return 0;
    if ( ☐(30)☐ ) return 0;
    if ( ☐(31)☐ ) return 0;
    return 1;
}
```

- 以下に示すのは、*XYZ* 型構造体の配列 *a* の要素を、 ☐(1)☐ である*x*の昇順にソートする関
数である。

```
//--- xとyが指すXYZ型オブジェクトを交換 ---//
void swap_XYZ(XYZ *x, XYZ *y)
{
    XYZ temp = *x;
    ☐(32)☐ = ☐(33)☐ ;
    ☐(34)☐ = ☐(35)☐ ;
}

//--- XYZ型配列aの先頭n個の要素をxの昇順にソート ---//
void sort_by_x(XYZ a[], int n)
{
    for (int i = 0; i < n - 1; i++) {
        for (int j = n - 1; j > i; j--)
            if ( ☐(36)☐ > ☐(37)☐ )
                swap_XYZ( ☐(38)☐ , ☐(39)☐ );
    }
}
```

▪ 演算子 **.** と **->** の総称は、 (40) 演算子である。なお、前者の通称は (41) 演算子であり、後者の通称は (42) 演算子である。

▪ (43) が異なれば、同一の有効範囲内においても、同じ綴りの識別子を与えることができる。その (43) には、 (44) 、 (45) 、 (46) 、 (47) の4種類がある。

▪ 以下に示すのは、*ABC* 型構造体の配列 a 中の要素で、すべてのメンバが k と等しい全要素の添字を配列 *idx* に格納するプログラム部分である。

※関数 *ABCsearch* は、k と等しい配列 a 内の要素の添字が 1、4、5 であれば、配列 *idx* に対して先頭から順に 1、4、5 を格納して、その個数である 3 を返却する。

```
typedef struct {
    short a;
    int   b;
    long  c;
} ABC;

//--- xとyが指すABC型オブジェクトの等価性を判定 ---//
int ABCeq(const ABC *x, const ABC *y)
{
    if (x->a != (48) ) return (49) ;
    if (x->b != (50) ) return (51) ;
    if (x->c != (52) ) return (53) ;
    return 1;
}

//--- ABC型配列aの先頭n個の要素からkと一致する要素の添字を求める ---//
(54)  ABCsearch( (55)  ABC a[], ABC k, int n, int (56) )
{
    int count = 0;

    for (int i = 0; i < n; i++) {
        if (ABCeq( (57) , &k))
            idx[ (58) ] = i;
    }
    return (59) ;            // 一致した要素数を返却
}
```

▪ 以下に示すのは、前問の *ABC* 型構造体の配列 a の要素の全メンバの値を表示する関数である（値を表示するために最低限必要な桁数で表示するものとする）。

```
//--- ABC型配列aの先頭n個の要素の全メンバの値を表示 ---//
void ABCprint_array( (60)  ABC * (61) , int n)
{
    for (int i = 0; i < n; i++) {
        printf("a[%d]のaは (62) です。\n", i, a[i] (63) );
        printf("a[%d]のbは (64) です。\n", i, a[i] (65) );
        printf("a[%d]のcは (66) です。\n", i, a[i] (67) );
    }
}
```

▪ 以下に示すのは、X座標とY座標とから構成される*Point*型構造体と、左上隅と右下隅の*Point*型座標で構成される*Rectangle*型構造体を用いて、矩形（長方形）の面積と、周囲の長さ（四辺の長さの合計値）とを求めて表示するプログラムである。

```c
#include <stdio.h>

#define abs( (68) )  ((n >= 0) ? (n) : ( (69) ))        // 絶対値

//=== 点の座標を表す構造体 ===//
typedef struct {
    double x;    // X座標
    double y;    // Y座標
} Point;

//=== 矩形（長方形）を表す構造体 ===//
typedef struct {
    Point p1;    // 左上隅（または右下隅）
    Point p2;    // 右下隅（または左上隅）
} Rectangle;

//--- 座標を読み込む ---//
  (70)   scan_point(void)
{
    Point temp;

    printf("X座標：");    scanf("%lf",  (71) );
    printf("Y座標：");    scanf("%lf",  (72) );

    return temp;
}

//--- 矩形の面積を計算する ---//
double area_of(Rectangle r)
{
    return abs(r. (73)  - r. (74) ) * abs(r. (75)  - r. (76) );
}

//--- 矩形の全辺の長さの合計を計算する ---//
double circumference_of(const Rectangle  (77) )
{
    return 2 * (abs(r-> (78)  - r-> (79) ) + abs(r-> (80)  - r-> (81) ));
}

int main(void)
{
    Rectangle r;           // 矩形

    puts("左上隅と右下隅の座標を入力してください");
    puts("座標1");     (82)  = scan_point();
    puts("座標2");     (83)  = scan_point();

    printf("面積は%fです。\n",  (84) );
    printf("周囲の長さは%fです。\n",  (85) );

     (86)  0;
}
```

第13章

ファイル処理

問題 13-1

▶『明解』演習 13-1 (p.357)

キーボードからファイル名を読み込んで、その名前のファイルが存在すれば『そのファイルは存在します。』と表示し、そうでなければ『そのファイルは存在しません。』と表示するプログラムを作成せよ。

```c
// 任意のファイルの存在をチェック
#include <stdio.h>

int main(void)
{
    FILE *fp;
    char fname[256];

    printf("ファイル名：");
    scanf("%s", fname);

    fp = fopen(fname, "r");                    // ファイルのオープン

    if (fp == NULL)
        printf("そのファイルは存在しません。\n");
    else {
        printf("そのファイルは存在します。\n");
        fclose(fp);                            // ファイルのクローズ
    }

    return 0;
}
```

```
                              実行例
ファイル名：abc.txt␘
そのファイルは存在しません。
```

ファイルのオープンとクローズ（fopen 関数／fclose 関数）

プログラムで**ファイル**（file）を取り扱うときは、まず最初に開きます。その後、読み書きすべき場所を探した上で読み書きを行って、それから最後に閉じます。

ファイルを開く**オープン**（open）の操作は、**fopen 関数**で行います。呼出しの際は、オープンするファイルの名前を第1引数に、ファイルの種類やモードを第2引数に与えます。

なお、指定するモードには、次の4種類があります。

- **読取りモード** … ファイルからの入力だけを行う。
- **書込みモード** … ファイルへの出力だけを行う。
- **更新モード** … ファイルに対する入出力を行う。
- **追加モード** … ファイルの末尾位置以降への出力を行う。

呼び出された **fopen 関数**は、オープンするファイル用に、**ストリーム**（stream）を準備して、そのストリームを制御するための情報を格納している **FILE 型**オブジェクトへのポインタを返します。

ファイルのオープンに成功した後は、その **FILE *** 型のポインタを通じて、ストリームに対する各種の指示を行います。

ファイルの使用が終了したら、ストリームとの結び付きを切り離してストリームを破棄します。その作業が、**クローズ**（close）です。ファイルをクローズするには、ストリームへのポインタを引数として与えて **fclose 関数**を呼び出します。

```c
// 任意のファイルの存在をチェック（別解）
#include <stdio.h>

//--- 名前がfilenameであるファイルが存在するかどうかを調査 ---//
int fexist(const char *filename)
{
    FILE *fp;

    if ((fp = fopen(filename, "r")) == NULL)
        return 0;
    fclose(fp);
    return 1;
}

int main(void)
{
    FILE *fp;
    char fname[256];

    printf("ファイル名：");
    scanf("%s", fname);

    if (fexist(fname))
        printf("そのファイルは存在します。\n");
    else
        printf("そのファイルは存在しません。\n");

    return 0;
}
```

実行例
ファイル名：abc.txt ↵
そのファイルは存在しません。

ファイルが存在するかどうかのチェック

左ページのプログラムを理解しましょう。`fname`に読み込んだ名前のファイルのオープンを、読取りモード`"r"`で試みて、成功したかどうかでファイルの存在のチェックを行っています。

▶ オープンが成功したときは、ファイルのクローズも行います。

　　　　　　　　　　　　　　　＊

本ページの別解は、チェックのための一連の処理を、関数`fexist`として独立させたプログラムです。関数`fexist`は、仮引数`filename`に受け取った名前のファイルが存在すれば1を返却して、そうでなければ0を返却する仕様です。

▶ ここで示した方法は、あくまでも簡易的な判定法です。たとえば、別のアプリケーションが排他的（他のアプリケーションがアクセスできないよう）にファイルを利用している場合などは、ファイルのオープンに失敗します（すなわち、ファイルの存在を正しく判定できません）。

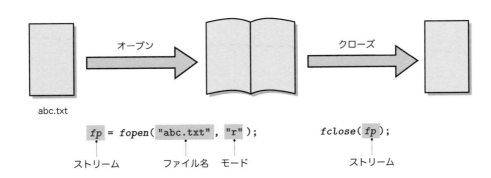

```
問題 13-2                                        ▶『明解』演習 13-2 (p.357)
```

キーボードからファイル名を読み込んで、その名前のファイルの中身を消去するプログラムを作成せよ。

```c
// 任意のファイルの中身を消去
#include <stdio.h>

//--- 名前がfilenameであるファイルの中身を消去 ---//
int ferase(const char *filename)
{
    FILE *fp;

    if ((fp = fopen(filename, "w")) == NULL)
        return 0;
    fclose(fp);
    return 1;
}

int main(void)
{
    FILE *fp;
    char fname[256];

    printf("中身を消去するファイル名：");
    scanf("%s", fname);

    if (ferase(fname))
        printf("そのファイルの中身を消去しました。\n");
    else
        printf("そのファイルの中身は消去できませんでした。\n");

    return 0;
}
```

```
                          実行例
中身を消去するファイル名：abc.txt⏎
そのファイルの中身を消去しました。
```

ファイルの中身の消去

　　ファイルの中身を消去するのが関数 *ferase* です。**ファイルを書込みモード "w" でオープンすると、そのファイルの中身がすべて消去されること**を利用しています（仮引数 *filename* に受け取った名前のファイルを書込みモードでオープンして、クローズするだけです）。

　　▶　消去されるのは、ファイルの中身であって、ファイル自体ではありません。

FILE 型

　　<stdio.h> ヘッダで定義されている **FILE 型**は、ストリームの制御に必要な情報を保存するための型であり、次のデータが含まれています。

- **ファイル位置表示子**（file position indicator）
  現在アクセスしているアドレスを記録します。

- **エラー表示子**（error indicator）
  読取りエラーまたは書込みエラーが起こったかどうかを記録します。

- **ファイル終了表示子**（end-of-file indicator）
  ファイルの終わりに達したかどうかを記録します。

ストリームを通じた入出力では、これらの情報をもとに処理を行います。そして、処理の結果に応じて、その情報が更新されます。FILE 型の具体的な実現法は、処理系によって異なりますが、通常は構造体として実現されます。

標準ストリーム

キーボードやコンソール画面に対する入出力が行えるのは、C言語プログラムの実行開始時に、**標準ストリーム**（standard stream）**が準備される**からです。

その標準ストリームには、3種類があります。

- **stdin** … **標準入力ストリーム**（standard input stream）

通常の入力を読み取るためのストリームです。ほとんどの環境では、**キーボード**に割り当てられています。*scanf* 関数、*getchar* 関数といった関数は、このストリームから文字を読み取ります。

- **stdout** … **標準出力ストリーム**（standard output stream）

通常の出力を書き込むためのストリームです。ほとんどの環境では、**ディスプレイ画面**に割り当てられています。*printf* 関数、*puts* 関数、*putchar* 関数といった関数は、このストリームに文字を書き込みます。

- **stderr** … **標準エラーストリーム**（standard error stream）

エラーを書き出すためのストリームです。ほとんどの環境では、標準出力ストリームと同様に、**ディスプレイ画面**に割り当てられています。

ファイルの種類とモード

ファイルを開く際に *fopen* 関数の第2引数に与えるファイルの種類とモードには、次のものがあります。

r　テキストファイルを読取りモードでオープンする。

w　テキストファイルを書込みモードで生成するか、または長さ0に切り捨てる。

a　追加、すなわちテキストファイルをファイルの終わりの位置からの書込みモードでオープンまたは生成する。

rb　バイナリファイルを読取りモードでオープンする。

wb　バイナリファイルを書込みモードで生成するか、または長さ0に切り捨てる。

ab　追加、すなわちバイナリファイルをファイルの終わりの位置から書込みモードでオープンまたは生成する。

r+　テキストファイルを更新（読取りと書込み）モードでオープンする。

w+　テキストファイルを更新モードで生成するか、または長さ0に切り捨てる。

a+　追加、すなわちテキストファイルをファイルの終わりの位置から書込みをする更新モードでオープンまたは生成する。

r+b または rb+　バイナリファイルを更新（読取りと書込み）モードでオープンする。

w+b または wb+　バイナリファイルを更新モードで生成するか、または長さ0に切り捨てる。

a+b または ab+　追加、すなわちバイナリファイルをファイルの終わりの位置から書込みをする更新モードでオープンまたは生成する。

問題 13-3

▶『明解』演習 13-3 (p.359)

ファイルに保存されている名前、身長、体重の"個人データ"を読み込んで、身長順にソートした上で画面に表示するとともに、平均身長と平均体重を表示するプログラムを作成せよ。

```c
// 身長と体重を読み込んで身長順にソートするとともに平均値を求めて表示する
#include <stdio.h>
#include <string.h>

#define NINZU_MAX  50    // 読み込む人数の上限
#define NAME_LEN  100    // 名前用文字列の要素数

int main(void)
{
    FILE *fp;

    if ((fp = fopen("hw.dat", "r")) == NULL)
        printf("\aファイルをオープンできません。\n");
    else {
        int    ninzu = 0;                        // 人数
        char   name[NINZU_MAX][NAME_LEN];        // 名前
        double height[NINZU_MAX];                // 身長
        double weight[NINZU_MAX];                // 体重
        double hsum = 0.0;                       // 身長の合計
        double wsum = 0.0;                       // 体重の合計

        for (int i = 0; i < NINZU_MAX; i++) {
            if (fscanf(fp, "%s%lf%lf",
                           name[ninzu], &height[ninzu], &weight[ninzu]) != 3)
                break;

            hsum += height[ninzu];
            wsum += weight[ninzu];
            ninzu++;
        }

        for (int i = 0; i < ninzu - 1; i++) {          // 身長の昇順にバブルソート
            for (int j = ninzu - 1; j > i; j--) {
                if (height[j - 1] > height[j]) {
                    char tn[NAME_LEN];
                    double td;
                    strcpy(tn, name[j]);
                    strcpy(name[j], name[j-1]);
                    strcpy(name[j-1], tn);
                    td = height[j];  height[j] = height[j-1];  height[j-1] = td;
                    td = weight[j];  weight[j] = weight[j-1];  weight[j-1] = td;
                }
            }
        }

        for (int i = 0; i < ninzu; i++)
            printf("%-10s %5.1f %5.1f\n", name[i], height[i], weight[i]);

        printf("----------------------\n");
        printf("平均        %5.1f %5.1f\n", hsum / ninzu, wsum / ninzu);
        fclose(fp);                                    // クローズ
    }

    return 0;
}
```

実行例		
Aiba	160.0	59.3
Kurata	162.0	51.6
Tanaka	170.0	60.7
Tsuji	175.0	83.9
Washio	175.0	72.5
Masaki	182.0	76.5
――――――――――		
平均	170.7	67.4

fscanf 関数 … ストリームから書式化して読み取る

前問までは、ファイルの存在をチェックしたり、中身を消去するだけでした。本プログラムでは、ファイルからのデータの読取りを行っています。

読取りに利用している **fscanf** 関数は、*scanf* 関数と同等な入力を、任意のストリームから行う関数です。たとえば、ストリーム *fp* から10進の整数値を読み取って、変数 *x* に格納するには、次のように呼び出します。

```
fscanf(fp, "%d", &x);          // scanf関数に引数が一つ増えただけ！
```

scanf 関数に対して、入力元のストリームを第1引数に追加するだけですから、使い方は簡単です。

すなわち、次の二つは、実質的に同じです。いずれも、標準入力ストリームから、整数値を読み取って変数 *x* に格納します。

```
scanf("%d", &x);

fscanf(stdin, "%d", &x);          // scanf("%d", &x);と同じ
```

データの読取り

本プログラムは、下図に示す形式でデータが格納されたファイル **"hw.dat"** からの読取りを行って集計を行います。

実際の読取りを行っているのが、プログラム網かけ部です。

ストリーム *fp* から、1個の文字列と、2個の **double** 型実数値を読み取って、それらを *name[ninzu]*、*height[ninzu]*、*weight[ninzu]* に格納しています。

```
Aiba  160 59.3
Kurata 162 51.6
Masaki 182 76.5
Tanaka 170 60.7
Tsuji  175 83.9
Washio 175 72.5
```

▶ *ninzu* は0で初期化されていて、データを格納するたびにインクリメントされますので、データの格納は、各配列の先頭から順に1個ずつ行われます。

さて、*scanf* 関数と *fscanf* 関数は、読取りに成功した項目数を返却する仕様です。そこで、名前、身長、体重の3項目の読取りを依頼して3が返されなければ、個人データが読み取れなかった（データをすべて読み終わってしまったか、あるいは、何らかのエラーの発生によってデータが読めなくなった）と判断して、**break** 文によって読取りを終了します。

3項目を正常に読み取れた場合は、読み取った身長と体重を *hsum* と *wsum* に加え、変数 *ninzu* のインクリメントを行います。

for 文による繰返しが終了した後は、身長順にソートを行った上で、身長と体重の平均値を表示し、ファイルをクローズします。

▶ 本プログラムで利用しているバブルソートは、問題**8-5**（p.204）で学習しました。

構造体の導入

本プログラムは、名前と身長と体重がバラバラの変数に入っています。これらをセットにした構造体を導入すると、プログラムがすっきりします。次ページに示すプログラムが、構造体を利用した別解です。

▶ 名前と身長と体重をセットにした構造体が *Human* です。

関数 *swap_Human* は、二つの *Human* 型構造体（ポインタ *x* が指す構造体と *y* が指す構造体）の値、すなわち全メンバの値を交換する関数です。

関数 *sort_by_height* は、*Human* 型構造体の配列を身長の昇順にソートする関数です。

```
// 身長と体重を読み込んで身長順にソートするとともに平均値を求めて表示する（別解）

#include <stdio.h>
#include <string.h>

#define NINZU_MAX   50    // 読み込む人数の上限
#define NAME_LEN   100    // 名前用文字列の要素数

//=== 個人データを表す構造体 ===//
typedef struct {
    char   name[NAME_LEN];    // 名前
    double height;            // 身長
    double weight;            // 体重
} Human;

//--- xおよびyが指す個人データを交換 ---//
void swap_Human(Human *x, Human *y)
{
    Human temp = *x;
    *x = *y;
    *y = temp;
}

//--- 個人データの配列aの先頭n個の要素を身長の昇順にバブルソート ---//
void sort_by_height(Human a[], int n)
{
    for (int i = 0; i < n - 1; i++) {
        for (int j = n - 1; j > i; j--)
            if (a[j - 1].height > a[j].height)
                swap_Human(&a[j - 1], &a[j]);
    }
}


int main(void)
{
    FILE *fp;

    if ((fp = fopen("hw.dat", "r")) == NULL)                  // オープン
        printf("\aファイルをオープンできません。\n");
    else {
        int    ninzu = 0;          // 人数
        Human  data[NINZU_MAX];    // 個人データ
        double hsum = 0.0;         // 身長の合計
        double wsum = 0.0;         // 体重の合計

        for (int i = 0; i < NINZU_MAX; i++) {
            if (fscanf(fp, "%s%lf%lf", data[ninzu].name, &data[ninzu].height,
                                       &data[ninzu].weight) != 3)
                break;
            hsum += data[ninzu].height;
            wsum += data[ninzu].weight;
            ninzu++;
        }

        sort_by_height(data, ninzu);

        for (int i = 0; i < ninzu; i++)
            printf("%-10s %5.1f %5.1f\n",
                        data[i].name, data[i].height, data[i].weight);
        printf("----------------------\n");
        printf("平均         %5.1f %5.1f\n", hsum / ninzu, wsum / ninzu);
        fclose(fp);                                          // クローズ
    }

    return 0;
}
```

```
┌─────────────────────────┐
│         実行結果         │
├─────────────────────────┤
│ Aiba      160.0  59.3   │
│ Kurata    162.0  51.6   │
│ Tanaka    170.0  60.7   │
│ Tsuji     175.0  83.9   │
│ Washio    175.0  72.5   │
│ Masaki    182.0  76.5   │
│ ----------------------  │
│ 平均      170.7  67.4   │
└─────────────────────────┘
```

▶『明解』演習 13–4 (p.361)

問題 13-4

キーボードから、複数人の名前、身長、体重を読み込んで、それをファイルに書き込むプログラムを作成せよ。書込みの形式は、前問で読み取ったファイルと同じ形式とする。

```c
// 身長と体重を読み込んで平均値を求めてファイルに書き込む
#include <stdio.h>
#include <string.h>

#define NAME_LEN    100    // 名前用文字列の要素数

int main(void)
{
    FILE *fp;

    if ((fp = fopen("hw2.dat", "w")) == NULL)               // オープン
        printf("\aファイルをオープンできません。\n");
    else {
        char    name[NAME_LEN];   // 名前
        double height;            // 身長
        double weight;            // 体重

        for (int i = 0; ; i++) {
            int flag;
            printf("%d人目のデータを入力しますか（はい…1／終了…0）\n", i + 1);
            scanf("%d", &flag);
            if (flag == 0) break;

            printf("名前：");  scanf("%s",  name);
            printf("身長：");  scanf("%lf", &height);
            printf("体重：");  scanf("%lf", &weight);
            fprintf(fp, "%s %f %f\n", name, height, weight);
        }
        fclose(fp);                                         // クローズ
    }

    return 0;
}
```

13

ファイル処理

fprintf 関数 … ストリームに対して書式化して書き込む

ファイルに対する書込みのために使っている **fprintf** 関数は、標準出力ストリームへの出力を行う **printf** 関数と同様な処理を任意のストリームに対して行う関数です。

この関数の使い方も、**fscanf** 関数と同様に簡単であって、**printf** 関数に対して、出力先のストリームを第1引数に追加するだけです。

たとえば、ストリーム **fp** に対して、整数値 **x** の値を10進数で書き込むには、次のように呼び出します。

```c
fprintf(fp, "%d", x);        // printf関数に引数が一つ増えただけ！
```

次の二つの働きは同じです。いずれも、標準出力ストリームに対して整数値 **x** の値を10進数で書き込みます。

```c
printf("%d", x);

fprintf(stdout, "%d", x);    // printf("%d", x); と同じ
```

▶ 本プログラムの実行例は、省略します。

問題 13-5

▶『明解』演習 13-5 (p.365)

前回実行時の気分と時刻を表示するプログラムを作成せよ。前回の時刻と前回の気分を表示した後に、『現在の気分は：』と入力を促してキーボードから文字列を読み込んで、ファイルに書き込む。たとえば、"最高!!"と入力した場合、次回に実行したときは、『前回は *9999* 年 *99* 月 *99* 日 *99* 時 *99* 分 *99* 秒で、気分は最高 *!!* でした。』と表示すること。

```c
// 前回のプログラム実行時の日付と時刻と気分を表示する
#include <time.h>
#include <stdio.h>

char data_file[] = "kibun.dat";              // ファイル名

//--- 前回の日付・時刻と気分を取得・表示 ---//
void get_data(void)
{
    FILE *fp;

    if ((fp = fopen(data_file, "r")) == NULL)            // オープン
        printf("本プログラムを実行するのは初めてですね。\n");
    else {
        int year, month, day, h, m, s;
        char kibun[2048];                    // 前回の気分

        fscanf(fp, "%d%d%d%d%d%d", &year, &month, &day, &h, &m, &s);
        fscanf(fp, "%s", kibun);
        printf("前回は%d年%d月%d日%d時%d分%d秒で、気分は%sでした。\n",
                                   year, month, day, h, m, s, kibun);
        fclose(fp);                          // クローズ
    }
}

//--- 今回の日付・時刻と気分を書き込む ---//
void put_data(const char *kibun)
{
    FILE *fp;

    if ((fp = fopen(data_file, "w")) == NULL)            // オープン
        printf("\aファイルをオープンできません。\n");
    else {
        time_t current = time(NULL);                // 現在の暦時刻
        struct tm *timer = localtime(&current);     // 要素別の時刻（地方時）
        fprintf(fp, "%d %d %d %d %d %d\n",
                timer->tm_year + 1900, timer->tm_mon + 1, timer->tm_mday,
                timer->tm_hour,        timer->tm_min,     timer->tm_sec);
        fprintf(fp, "%s\n", kibun);
        fclose(fp);                          // クローズ
    }
}

int main(void)
{
    char kibun[2048];

    get_data();           // 前回の日付・時刻を取得・表示

    printf("現在の気分は：");
    scanf("%s", kibun);

    put_data(kibun);      // 今回の日付・時刻を書き込む

    return 0;
}
```

前回実行時の情報

　下図に示すのが、実行結果の一例です。プログラムの実行が初めてであれば、図**a**のように、その旨のメッセージを表示します。また、実行が2回目以降であれば、図**b**のように、前回に実行した際の日付と時刻と気分を表示します。

a プログラムを初めて実行したときの実行結果

実行結果
本プログラムを実行するのは初めてですね。

b プログラムを2回目以降に実行したときの実行結果の一例

実行結果一例
前回は*2025年12月24日13時25分37秒*で、気分は**最高!!**でした。

　本プログラムで定義している関数 *get_data* と *put_data* の働きは、次のとおりです。

■ 関数 get_data

　プログラム開始直後に呼び出されます。ファイル **"kibun.dat"** のオープンに成功したか失敗したかどうかで、選択的に処理を行います。

□ **オープンに失敗した場合**

　　初めて実行されたと判断し、『本プログラムを実行するのは初めてですね。』と表示します。

□ **オープンに成功した場合**

　　前回プログラムを実行した際に書き込まれた日付／時刻と気分（6個の **int** 型整数値と1個の文字列）をファイルから読み込んで、その内容を画面に表示します。

■ 関数 put_data

　プログラムの最後に呼び出されます。ファイル **"kibun.dat"** に次のデータを書き込みます。

- 1行目：日付（西暦年、月、日、時、分、秒の10進数をスペースで区切った形式）
- 2行目：気分（文字列 *kibun*）

　右に示すのが、実行後の **"kibun.dat"** の中身の一例です。

```
2025 12 24 13 25 37
最高!!
```

　　　　　　　　　　　＊

　なお、現在の日付と時刻の取得は、標準ライブラリ関数を呼び出すだけで実現しています。具体的な方法は、次ページの **Column 13-1** にまとめています。

Column 13-1	現在の日付と時刻の取得

現在（プログラム実行時）の日付・時刻の取得は、標準ライブラリを呼び出すことで実現できます。その方法を、次のプログラムで学習していきましょう。

```
// 現在の日付・時刻を表示
#include <time.h>
#include <stdio.h>

int main(void)
{
    time_t current = time(NULL);                // 現在の暦時刻              ←■1
    struct tm *timer = localtime(&current);     // 要素別の時刻（地方時）   ←■2
    char *wday_name[] = {"日", "月", "火", "水", "木", "金", "土"};

    printf("現在の日付・時刻は%d年%d月%d日 (%s) %d時%d分%d秒です。\n",
            timer->tm_year + 1900,      // 年（1900を加えて求める）
            timer->tm_mon + 1,          // 月（1を加えて求める）
            timer->tm_mday,             // 日
            wday_name[timer->tm_wday],  // 曜日（0～6）              ←■3
            timer->tm_hour,             // 時
            timer->tm_min,              // 分
            timer->tm_sec               // 秒
        );
    return 0;
}
```

実行結果一例
現在の日付・時刻は*2022年11月18日（金）21時17分32秒*です。

▪ time_t 型：暦時刻

暦時刻（calendar time）と呼ばれる **time_t 型**は、**long** 型や **double** 型などの加減乗除が可能な**算術型**です。具体的に、どの型となるのかは、**<time.h>** ヘッダで定義される仕組みがとられており、次に示すのが、定義の一例です。

```
typedef unsigned long time_t;      // 定義の一例：処理系によって異なる
```

なお、暦時刻は、型だけでなく、その具体的な値も処理系に依存します。

time_t 型を **unsigned int** 型または **unsigned long** 型の同義語とし、1970 年 1 月 1 日 0 時 0 分 0 秒からの経過秒数を値とする処理系が多いようです。

▪ time 関数：現在の時刻を暦時刻で取得

現在の時刻を暦時刻として取得するのが **time 関数**です。求めた暦時刻を返却値として返すだけでなく、引数が指すオブジェクトにも格納します。

そのため、右に示すどの呼出しでも、変数 *current* に現在の時刻が格納されます。本プログラムで使っているのは**B**です。

A `time(&current);`
B `current = time(NULL);`
C `current = time(&current);`

▪ tm 構造体：要素別の時刻

暦時刻 **time_t** 型は、コンピュータにとって計算しやすい算術型の数値であって、私たち人間が直感的に理解できるものではありません。そこで、人間にとって理解しやすい**要素別の時刻**（broken-down time）と呼ばれる **tm 構造体型**が、もう一つの時刻の表現法として提供されます。

右ページに示すのが、その **tm** 構造体の定義の一例です。年・月・日・曜日などの日付や時刻に関する要素をメンバとしてもちます（各メンバが表す値は、注釈として記入しています）。

```
   tm 構造体
struct tm {           // 定義の一例：処理系によって異なる
    int tm_sec;       // 秒 (0～60)
    int tm_min;       // 分 (0～59)
    int tm_hour;      // 時 (0～23)
    int tm_mday;      // 日 (1～31)
    int tm_mon;       // 1月からの月数 (0～11)
    int tm_year;      // 1900年からの年数
    int tm_wday;      // 曜日：日曜～土曜 (0～6)
    int tm_yday;      // 1月1日からの日数 (0～365)
    int tm_isdst;     // 夏時間フラグ
};
```

※ この定義は一例であり、メンバの宣言順序などの細かい点は処理系に依存します。

▫ メンバ **tm_sec** の値の範囲が 0 ～ 59 ではなく 0 ～ 60 となっています。これは、閏秒が考慮されているためです。

▫ メンバ **tm_isdst** の値は、夏時間が採用されていれば正、採用されていなければ 0、その情報が得られなければ負です（夏時間とは、夏期に 1 時間ほど時刻をずらすことであり、現在の日本では採用されていません）。

- localtime 関数：暦時刻から地方時要素別の時刻への変換

暦時刻の値を、地方時要素別の時刻に変換するのが **localtime** 関数です。

この関数の動作イメージを下図に示しています。単一の算術型の暦時刻の値をもとにして、構造体の各メンバの値を計算して設定します。

なお、**localtime** という名前が示すとおり、変換によって得られるのは**地方時**（日本国内用に設定されている環境では日本の時刻）です。

それでは、プログラム全体を理解していきましょう。

1 現在の時刻を **time** 関数を用いて **time_t** 型の**暦時刻**として取得します。

2 その値を**要素別の時刻**である **tm 構造体**に変換します。

3 要素別の暦時刻を西暦で表示します。その際、**tm_year** には 1900 を、**tm_mon** には 1 を加えます。曜日を表す **tm_wday** は、日曜日から土曜日が 0 から 6 に対応しているため、配列 **wday_name** を利用して文字列 "日"、"月"、…、"土" に変換します。

問題 13-6

▶『明解』演習 13-6 (p.367)

キーボードからファイル名を読み込んで、そのファイル中の行数（改行文字の個数）をカウントして画面に表示するプログラムを作成せよ。

```c
// ファイル中の改行文字の個数をカウントする
#include <stdio.h>

int main(void)
{
    FILE *fp;
    char fname[FILENAME_MAX];    // ファイル名

    printf("ファイル名：");
    scanf("%s", fname);

    if ((fp = fopen(fname, "r")) == NULL)            // オープン
        printf("\aファイルをオープンできません。\n");
    else {
        int ch;
        int n_count = 0;                // 改行文字の出現回数

        while ((ch = fgetc(fp)) != EOF)
            if (ch == '\n')
                n_count++;
        fclose(fp);                     // クローズ
        printf("そのファイルは%d行です。\n", n_count);
    }

    return 0;
}
```

```
          実行例
ファイル名：hw.dat⏎
そのファイルは6行です。
```

fgetc 関数 …ストリームから1個の文字を読み取る

本プログラムで利用している **fgetc** 関数は、引数で指定されたストリームから1個の文字を読み込む関数です。すなわち、**getchar** 関数に対して、入力元のストリームが引数として追加されている仕様です。

▶ そのため、**fgetc(stdout, c)** と **getchar(c)** は、実質的に同じ動作を行います。

さて、本プログラムでは、**fgetc** 関数によってファイルから正常に文字が読み取れるあいだ、**while** 文が繰り返し実行されます。そのループ本体では、読み取った文字 **ch** が改行文字であれば変数 **n_count** の値をインクリメントします。

▶ 本プログラムの **while** 文は、問題 **8-11**（p.214）や問題 **8-12**（p.216）と同じ構造です。

ファイルの終わりに到達して文字がなくなってしまうか、何らかのエラーが発生すると、**while** 文による繰返しが終了します。表示ファイルをクローズしてから、**n_count** の値を表示してプログラムの実行を終了します。

▶ ファイル名用の配列 **fname** の要素数 **FILENAME_MAX** については、右ページで学習します。

問題 13-7

▶『明解』演習 13-7 (p.367)

キーボードからファイル名を読み込んで、そのファイル中の各数字文字の個数をカウントして画面に表示するプログラムを作成せよ。

```c
// ファイル中の数字文字の個数をカウントする
#include <stdio.h>

int main(void)
{
    FILE *fp;
    char fname[FILENAME_MAX];        // ファイル名

    printf("ファイル名：");
    scanf("%s", fname);

    if ((fp = fopen(fname, "r")) == NULL)    // オープン
        printf("\aファイルをオープンできません。\n");
    else {
        int ch;
        int cnt[10] = {0};                // 数字の出現回数

        while ((ch = fgetc(fp)) != EOF)
            if (ch >= '0' && ch <= '9')
                cnt[ch - '0']++;
        fclose(fp);                        // クローズ

        puts("数字文字の出現回数");
        for (int i = 0; i < 10; i++)
            printf("'%d' ：%d\n", i, cnt[i]);
    }

    return 0;
}
```

実行例
ファイル名：`hw.dat`⏎
数字文字の出現回数
'0' ：3
'1' ：7
'2' ：3
'3' ：2
'4' ：0
'5' ：6
'6' ：5
'7' ：6
'8' ：2
'9' ：2

13

ファイル処理

数字文字のカウント

本プログラムの基本構造は、前問と同じです（**while** 文による繰返しによって、ファイル内のすべての文字を **fgetc** 関数で読み込んでいきます）。

ただし、カウントの対象が、単一の改行文字ではなく、10 個の数字文字に変更されています。数字文字のカウントは、問題 **8-12**（p.216）で学習した方法で行っています。

FILENAME_MAX … ファイル名格納に必要な配列の要素数

前問と本問のプログラムでは、ファイル名を格納する配列 *fname* の要素数が **FILENAME_MAX** となっています。**<stdio.h>** ヘッダで定義される、このオブジェクト形式マクロは、次の値を表します（標準Cの定義です）。

その処理系でオープン可能であることが保証されるファイル名の最大長を保持するのに必要な配列の要素数。

次に示すのが、定義の一例です。

```c
#define FILENAME_MAX  1024        // 定義の一例：値は処理系によって異なる
```

問題 13-8

▶『明解』演習 13-8 (p.369)

任意のファイルの内容を画面に表示しながら、別のファイルへとコピーを行う（すなわち、コピー先ファイルと画面の両方への出力を行う）プログラムを作成せよ。

```c
// ファイルの中身を画面に表示しながらコピーする
#include <stdio.h>

int main(void)
{
    FILE *sfp;                      // コピー元ファイル
    FILE *dfp;                      // コピー先ファイル
    char sname[FILENAME_MAX];       // コピー元のファイル名
    char dname[FILENAME_MAX];       // コピー先のファイル名

    printf("コピー元ファイル名：");    scanf("%s", sname);
    printf("コピー先ファイル名：");    scanf("%s", dname);

    if ((sfp = fopen(sname, "r")) == NULL)          // コピー元をオープン
        printf("\aコピー元ファイルをオープンできません。\n");
    else {
        if ((dfp = fopen(dname, "w")) == NULL)      // コピー先をオープン
            printf("\aコピー先ファイルをオープンできません。\n");
        else {
            int ch;
            while ((ch = fgetc(sfp)) != EOF) {
                putchar(ch);        // 画面に出力
                fputc(ch, dfp);     // ファイルに出力
            }
            fclose(dfp);                            // コピー先をクローズ
        }
        fclose(sfp);                                // コピー元をクローズ
    }

    return 0;
}
```

fputc 関数 … ストリームに対して1文字書き込む

まず最初に、"コピー元ファイル"と"コピー先ファイル"のファイル名の入力を促して、配列 *sname* と *dname* に読み込みます。

その後、コピー元ファイルを読取りモード **"r"** でオープンして、そのファイルと結び付けられたストリームへのポインタを *sfp* に代入します。

オープンに成功すると、コピー先ファイルを書込みモード **"w"** でオープンして、そのファイルと結び付けられたストリームへのポインタを *dfp* に代入します。

さて、両方のファイルのオープンに成功すると、**while** 文が実行されます。ここで利用している **fputc** 関数は、第1引数の文字を、第2引数のストリームに対して出力する関数です。

ファイルから文字が読み込めるあいだ、*putchar(ch)* によってコンソール画面に出力した後で、*fputc(ch, dfp)* によってストリーム *dfp* にも同じ文字を出力しています。

なお、ファイルの終わりに到達して文字がなくなってしまうか、何らかのエラーが発生すると、**while** 文による繰返しが終了します。ファイルをクローズして、プログラムの実行を終了します。

▶ 本プログラムの実行例は、省略します。

▶『明解』演習 13–9（p.369）

問題 13–9

　任意のファイルの中身を、すべての英小文字を英大文字に変換して別のファイルへとコピーするプログラムを作成せよ。

▶『明解』演習 13–10（p.369）

問題 13–10

　任意のファイルの中身を、すべての英大文字を英小文字に変換して別のファイルへとコピーするプログラムを作成せよ。

```c
// ファイルの中身を小文字を大文字に変換しながらコピーする
#include <ctype.h>
#include <stdio.h>

int main(void)
{
    FILE *sfp;                      // コピー元ファイル
    FILE *dfp;                      // コピー先ファイル
    char sname[FILENAME_MAX];       // コピー元のファイル名
    char dname[FILENAME_MAX];       // コピー先のファイル名

    printf("コピー元ファイル名：");    scanf("%s", sname);
    printf("コピー先ファイル名：");    scanf("%s", dname);

    if ((sfp = fopen(sname, "r")) == NULL)          // コピー元をオープン
        printf("\aコピー元ファイルをオープンできません。\n");
    else {
        if ((dfp = fopen(dname, "w")) == NULL)      // コピー先をオープン
            printf("\aコピー先ファイルをオープンできません。\n");
        else {
            int ch;
            while ((ch = fgetc(sfp)) != EOF)
                fputc(toupper(ch), dfp);
            fclose(dfp);                            // コピー先をクローズ
        }
        fclose(sfp);                                // コピー元をクローズ
    }

    return 0;
}
```

13

ファイル処理

大文字・小文字の変換コピー

　前問とほとんど同じ構造のプログラムです。異なるのは、次の2点です。

- 出力先が画面とファイルではなく、ファイルだけとなっている。
- *toupper* 関数で変換した文字を出力している。

　ここに示すプログラムは、問題 **13-9** の解答です。*toupper* 関数の呼出しを *tolower* 関数の呼出しに変更すれば、問題 **13-10** のプログラムが完成します。

　▶　本プログラムの実行例は、省略します。

問題 13-11

▶『明解』演習 13-11 (p.373)

要素型が double 型で要素数が 10 である配列の全要素の値をバイナリファイルに対して読み書きするプログラムを作成せよ。

```c
// double型の配列をバイナリファイルに書き込んで読み取る
#include <stdio.h>

#define ARY_SIZE    10

int main(void)
{
    FILE *fp;
    double a[ARY_SIZE] = {0.1, 0.2, 0.3, 0.4, 0.5, 0.6, 0.7, 0.8, 0.9, 1.0};

    // 書込み
    if ((fp = fopen("ARRAY.bin", "wb")) == NULL)        // オープン
        printf("\aファイルをオープンできません。\n");
    else {
        fwrite(a, sizeof(double), ARY_SIZE, fp);        // 配列aを書き込む
        fclose(fp);                                      // クローズ
    }

    // 読取り
    if ((fp = fopen("ARRAY.bin", "rb")) == NULL)        // オープン
        printf("\aファイルをオープンできません。\n");
    else {
        fread(a, sizeof(double), ARY_SIZE, fp);         // 配列aに読み取る
        for (int i = 0; i < ARY_SIZE; i++)
            printf("a[%d] = %.1f\n", i, a[i]);
        fclose(fp);                                      // クローズ
    }

    return 0;
}
```

実行結果
```
a[0] = 0.1
a[1] = 0.2
… 中略 …
a[9] = 1.0
```

テキストファイルとバイナリファイル

まずは、テキストファイルとバイナリファイルの違いを学習しましょう。

▪ テキストファイル

テキストファイルでは、データを**文字の並び**で表現します。

たとえば、整数値 357 は、3 個の文字 '3'、'5'、'7' の並びです。この値を、printf 関数や fprintf 関数などで画面やファイルに書き込むと 3 文字分となります。また、数値が 2057 であれば、書き出されるのは、'2'、'0'、'5'、'7' の 4 文字です。

ASCII コード体系であれば、これらの数値データは、右ページの図**a**に示すビットで構成されます。

文字数は、数値の桁数に依存します。

▪ バイナリファイル

バイナリファイルでは、データを**ビットの並び**で表現します。具体的なビット数は処理系に依存しますが、int 型の整数値の大きさは、必ず sizeof(int) になります。

もし int 型整数を 2 バイト 16 ビットで表現する環境であれば、整数値 357 と 2057 は、図**b**に示すビットで構成されます。

文字数（バイト数）は、数値の桁数には依存しません。

a テキスト　桁数と同じ大きさ（文字数）が必要

```
                   '3'            '5'            '7'
整数値 357      ⓪⓪1⓪1⓪⓪1  ⓪⓪1⓪1⓪1⓪1  ⓪⓪1⓪1⓪1⓪1⓪1⓪1
```

```
                   '2'            '⓪'            '5'            '7'
整数値 2057     ⓪⓪1⓪1⓪⓪1⓪  ⓪⓪1⓪1⓪⓪⓪⓪⓪  ⓪⓪1⓪1⓪1⓪1  ⓪⓪1⓪1⓪1⓪1⓪1⓪1
```

b バイナリ　大きさは常に sizeof(int)

```
整数値 357      ⓪⓪⓪⓪⓪⓪⓪⓪1⓪1⓪1⓪⓪1⓪1
```
整数型の内部表現については
第 7 章で学習しました

```
整数値 2057     ⓪⓪⓪⓪1⓪⓪⓪⓪⓪⓪⓪1⓪⓪1
```

---

fwrite 関数と fread 関数による入出力

　本プログラムでは、データの書込みに **fwrite** 関数を使って、読取りに **fread** 関数を使っています。これらの関数の典型的な利用例をまとめたのが、次の表です。

●fwrite 関数と fread 関数の典型的な利用例

	int 型 x の読み書き	int[n] 型配列 a の読み書き
書込み	`fwrite(&x, sizeof(int), 1, fp);`	`fwrite(a, sizeof(int), n, fp);`
読取り	`fread( &x, sizeof(int), 1, fp);`	`fread( a, sizeof(int), n, fp);`

　二つの関数が受け取る引数は、同じ並びです。

- 第 1 引数 … 読み書きするデータの先頭バイトへのポインタ。
- 第 2 引数 … データの大きさ。
- 第 3 引数 … データの個数。
- 第 4 引数 … 読み書き対象のストリームへのポインタ。

　本プログラムでは、ファイルへの書込みと読取りを、次のように行っています。

```
fwrite(a, sizeof(double), ARY_SIZE, fp);        // 配列aを書き込む
fread( a, sizeof(double), ARY_SIZE, fp);        // 配列aに読み取る
```

　第 2 引数 `sizeof(double)` は、要素型である double 型の大きさの指定で、第 3 引数は読み書きするデータが *ARY_SIZE* 個であることの指定です。

＊

　記憶域に格納されている double 型変数の全ビットをそのまま読み書きしていますので、ファイルへの入出力に伴って精度が失われることはありません。

13

ファイル処理

問題 13-12

▶『明解』演習 13-12 (p.373)

前回実行した日時を表示するプログラムを作成せよ。日付と時刻を struct tm 型の値として直接バイナリファイルに読み書きすること。

```c
// 前回のプログラム実行時の日付と時刻を表示する
#include <time.h>
#include <stdio.h>

char data_file[] = "datetime.dat";              // ファイル名

//--- 前回の日付・時刻を取得・表示 ---//
void get_data(void)
{
    FILE *fp;

    if ((fp = fopen(data_file, "rb")) == NULL)        // オープン
        printf("本プログラムを実行するのは初めてですね。\n");
    else {
        struct tm local;
        fread(&local, sizeof(struct tm), 1, fp);
        printf("前回は%d年%d月%d日%d時%d分%d秒でした。\n",
                local.tm_year + 1900, local.tm_mon + 1, local.tm_mday,
                local.tm_hour,        local.tm_min,     local.tm_sec);
        fclose(fp);                                    // クローズ
    }
}

//--- 今回の日付・時刻を書き込む ---//
void put_data(void)
{
    FILE *fp;

    if ((fp = fopen(data_file, "wb")) == NULL)         // オープン
        printf("\aファイルをオープンできません。\n");
    else {
        time_t current = time(NULL);                   // 現在の暦時刻
        struct tm *timer = localtime(&current);        // 要素別の時刻（地方時）
        fwrite(timer, sizeof(struct tm), 1, fp);
        fclose(fp);                                    // クローズ
    }
}

int main(void)
{
    get_data();         // 前回の日付・時刻を取得・表示

    put_data();         // 今回の日付・時刻を書き込む

    return 0;
}
```

実行結果一例

前回は2022年12月24日13時25分37秒でした。

日付と時刻の読み書き

fscanf 関数と fprintf 関数で読み書きを行う問題 13-5 (p.312) と類似した問題です。

▶ 『気分』の読み書きを行っていないことと、テキストファイルではなくバイナリファイルとなっている点が異なります。

日時の保存先がバイナリファイルであるため、struct tm 型データの読み書きを fread 関数と fwrite 関数とで行っています。

▶『明解』演習 13–13（p.375）

問題 13–13

任意のファイルの中身を別のファイルへとコピーするプログラムを作成せよ。*fread* 関数と *fwrite* 関数を利用してバイナリファイルとして読み書きを行うこと。

```c
// ファイルをコピーする
#include <stdio.h>

#define BUF_SIZE    1024

int main(void)
{
    FILE *sfp;                      // コピー元ファイル
    FILE *dfp;                      // コピー先ファイル
    char sname[FILENAME_MAX];       // コピー元のファイル名
    char dname[FILENAME_MAX];       // コピー先のファイル名

    printf("コピー元ファイル名：");    scanf("%s", sname);
    printf("コピー先ファイル名：");    scanf("%s", dname);

    if ((sfp = fopen(sname, "rb")) == NULL)          // コピー元をオープン
        printf("\aコピー元ファイルをオープンできません。\n");
    else {
        if ((dfp = fopen(dname, "wb")) == NULL)      // コピー先をオープン
            printf("\aコピー先ファイルをオープンできません。\n");
        else {
            int n;
            char buf[BUF_SIZE];
            while (1) {
                if ((n = fread(buf, 1, BUF_SIZE, sfp)) != 0)
                    fwrite(buf, 1, n, dfp);
                if (n < BUF_SIZE)
                    break;
            }
            fclose(dfp);                             // コピー先をクローズ
        }
        fclose(sfp);                                 // コピー元をクローズ
    }

    return 0;
}
```

13

ファイル処理

バイナリファイルのコピー

バイナリファイルの中身を、別のファイルへとコピーするプログラムです。

まず最初に、コピー元ファイルを **"rb"** モードでオープンして、コピー先ファイルを **"wb"** モードでオープンしています。

while 文では、コピー元ファイルから *BUF_SIZE* バイトを読み込んで、コピー先ファイルに書き込む処理を繰り返します。

▶ ファイルの読み書きは、*BUF_SIZE* と定義された 1024 バイト単位で行っています。

　　ただし、ファイルの大きさは必ずしも 1024 の倍数ではありませんので、最後の読取りでは、*fread* 関数が読取りに成功するのは 1024 未満となる可能性があります。そこで、*fread* 関数が返却する値（実際に読み取ったバイト数）を変数 *n* に入れておき、*fwrite* 関数によるコピー先への書込みが *n* バイトとなるようにしています。

　　※ 本プログラムの実行例は、省略します。

問題 13-14

コピーしながらコピー内容を画面にダンプするように、前問のプログラムを書きかえたプログラムを作成せよ。

```c
// ファイルを画面にダンプしながらコピー

#include <ctype.h>
#include <stdio.h>

#define BUF_SIZE    16

int main(void)
{
    FILE *sfp;                          // コピー元ファイル
    FILE *dfp;                          // コピー先ファイル
    char sname[FILENAME_MAX];           // コピー元のファイル名
    char dname[FILENAME_MAX];           // コピー先のファイル名

    printf("コピー元ファイル名：");    scanf("%s", sname);
    printf("コピー先ファイル名：");    scanf("%s", dname);

    if ((sfp = fopen(sname, "rb")) == NULL)         // コピー元をオープン
        printf("\aコピー元ファイルをオープンできません。\n");
    else {
        if ((dfp = fopen(dname, "wb")) == NULL)     // コピー先をオープン
            printf("\aコピー先ファイルをオープンできません。\n");
        else {
            int n;
            unsigned long count = 0;
            unsigned char buf[BUF_SIZE];

            while (1) {
                if ((n = fread(buf, 1, BUF_SIZE, sfp)) != 0) {
                    fwrite(buf, 1, n, dfp);
                    printf("%08lX ", count);                    // アドレス

                    for (int i = 0; i < n; i++)                 // 16進数
                        printf("%02X ", (unsigned)buf[i]);

                    if (n < 16)
                        for (int i = n; i < 16; i++)
                            printf("   ");

                    for (int i = 0; i < n; i++)                 // 文字
                        putchar(isprint(buf[i]) ? buf[i] : '.');

                    putchar('\n');

                    count += n;
                }
                if (n < BUF_SIZE)
                    break;
            }
            fclose(dfp);                             // コピー先をクローズ
        }
        fclose(sfp);                                 // コピー元をクローズ
    }

    return 0;
}
```

ダンプ

コピー元ファイルとコピー先のファイルをバイナリファイルとしてオープンするのは、前問と同様です。ただし、コピーする内容を、**文字**と 16 進数の**文字コード**の両方で画面へと出力する点が異なります。

画面への**文字**の出力の際は、表示できる文字と判定されるものは、その文字を表示し、そうでない文字は、代わりにピリオド '.' を表示します（網かけ部）。

ここで、文字が表示可能であるかどうかの判定に利用しているのが、**<ctype.h>** ヘッダで提供される *isprint* **関数**です。この関数は、文字 *c* が、空白 ' ' を含めた表示文字であれば 0 以外の値（真）を返し、成立しなければ 0 を返します。

なお、本プログラムのように、ファイルやメモリの内容を一気に書き出す（表示する）ことを**ダンプ**（dump）といいます。

▶ ダンプは、ダンプカーが一度に荷を下ろすさまにたとえた用語です。

下図に示すのは、本プログラムを実行して、本プログラムの中身をダンプ表示した結果です。

▶ 実行例は一例であって、プログラムの実行環境で採用されている文字コードなどに依存します。

```
コピー元ファイル名：ex1314.c⏎
コピー先ファイル名：ex1314.out⏎
00000000 2F 2F 20 83 74 83 40 83 43 83 8B 82 F0 89 E6 96 // .t.@.C......
00000010 CA 82 C9 83 5F 83 93 83 76 82 B5 82 C8 82 AA 82 ..._...v.......
00000020 E7 83 52 83 73 81 5B 0D 0A 0D 0A 23 69 6E 63 6C ..R.s.[....#incl
00000030 75 64 65 20 3C 63 74 79 70 65 2E 68 3E 0D 0A 23 ude <ctype.h>..#
00000040 69 6E 63 6C 75 64 65 20 3C 73 74 64 69 6F 2E 68 include <stdio.h
00000050 3E 0D 0A 0D 0A 23 64 65 66 69 6E 65 20 42 55 46 >....#define BUF
00000060 5F 53 49 5A 45 20 20 20 31 36 0D 0A 0D 0A 69 6E _SIZE   16....in
00000070 74 20 6D 61 69 6E 28 76 6F 69 64 29 0D 0A 7B 0D t main(void)..{.
00000080 0A 09 46 49 4C 45 20 2A 73 66 70 3B 09 09 09 09 ..FILE *sfp;....
00000090 09 09 2F 2F 20 83 52 83 73 81 5B 8C B3 83 74 83 ..// .R.s.[...t.
000000A0 40 83 43 83 8B 0D 0A 09 46 49 4C 45 20 2A 64 66 @.C.....FILE *df
000000B0 70 3B 09 09 09 09 09 09 2F 2F 20 83 52 83 73 81 p;......// .R.s.
000000C0 5B 90 E6 83 74 83 40 83 43 83 8B 0D 0A 09 63 68 [...t.@.C.....ch
000000D0 61 72 20 73 6E 61 6D 65 5B 46 49 4C 45 4E 41 4D ar sname[FILENAM
000000E0 45 5F 4D 41 58 5D 3B 09 09 2F 2F 20 83 52 83 73 E_MAX];..// .R.s
000000F0 81 5B 8C B3 82 CC 83 74 83 40 83 43 83 8B 96 BC .[.....t.@.C....
00000100 0D 0A 09 63 68 61 72 20 64 6E 61 6D 65 5B 46 49 ...char dname[FI
00000110 4C 45 4E 41 4D 45 5F 4D 41 58 5D 3B 09 09 2F 2F LENAME_MAX];..//
00000120 20 83 52 83 73 81 5B 90 E6 82 CC 83 74 83 40 83 .R.s.[.....t.@.
00000130 43 83 8B 96 BC 0D 0A 0D 0A 09 70 72 69 6E 74 66 C.........printf
00000140 28 22 83 52 83 73 81 5B 8C B3 83 74 83 40 83 43 (".R.s.[...t.@.C
00000150 83 8B 96 BC 81 46 22 29 3B 20 20 20 73 63 61 6E .....F");   scan
00000160 66 28 22 25 73 22 2C 20 73 6E 61 6D 65 29 3B 0D f("%s", sname);.
00000170 0A 09 70 72 69 6E 74 66 28 22 83 52 83 73 81 5B ..printf(".R.s.[

                      … 以降省略 …
```

錬成問題

- C言語のプログラムでは、[(1)]、[(2)]、[(3)]という三つの標準ストリームが用意されている。これらのストリームを指すポインタは、[(4)]ヘッダ中で定義されており、それぞれの名前は、**stdin**、**stdout**、**stderr** である。

- ファイルをオープンするときのモードとしては、[(5)]モード、[(6)]モード、[(7)]モード、追加モードの4種類がある。[(5)]モードでオープンした場合、ファイルに対する書込みは行えない。また、[(6)]モードでオープンすると、ファイルの内容が消去される。

- 変数 x が **int** 型であって、**sizeof(int)** が 2 であるとする。変数 x の値が 1357 であるとき、**fprintf(fp, "%d", x)** によってストリーム **fp** に書き出されるのは、[(8)]バイトである。一方、**fwrite(&x, sizeof(int), 1, fp)** によって書き出されるのは、[(9)]バイトである。

- 変数 x が **double** 型であって、**sizeof(double)** が 8 であるとする。変数 x の値が 1.35 であるとき、**fprintf(fp, "%f", x)** によってストリーム **fp** に書き出されるのは、[(10)]バイトである。一方、**fwrite(x, sizeof(double), 1, fp)** によって書き出されるのは、[(11)]バイトである。

- **fscanf** 関数が返す値は、[(12)]である。
    - ※ 選択肢：
        - (a) 読取りに成功したら **1**、失敗したら **NULL**
        - (b) 読取りに成功したら **0**、失敗したら **-1**
        - (c) 読み取った項目数

- 以下に示すのは、現在の日付と時刻を（西暦年、月、日、時、分、秒を10進数で）テキストファイル **"tm.txt"** に書き出すプログラム部分である。なお、ファイルのオープンに失敗した場合は、警報とともに画面に『ファイル **"tm.txt"** をオープンできません。』と表示する。

```
FILE *fp;

if ((fp = fopen( (13) , (14) )) == NULL)
    puts("\aファイル\"tm.txt\"をオープンできません。");
else {
    time_t current = time(NULL);
    struct tm *local = localtime(&current);
    fprintf(fp, "%d %d %d %d %d %d\n",
                local-> (15)  + 1900 ,local-> (16)  + 1, local-> (17) ,
                local-> (18) ,        local-> (19) ,      local-> (20) );
    fclose(fp);
}
```

- 以下に示すのは、バイナリファイル "tm.bin" に保存されている struct tm 型の値を読み込んで、その日付と時刻を画面に表示するプログラム部分である。ただし、ファイルのオープンに失敗した場合は、警報とともに画面に『ファイル "tm.bin" をオープンできません。』と表示する。

```
FILE *fp;
if ( (21)  = fopen( (22) ,  (23) )) {
    struct tm local;
     (24) ( (25) ,  (26) ,  (27) ,  (28) );
    printf("読み込んだ時刻は%d年%d月%d日%d時%d分%d秒です。\n",
            local. (29)  + 1900, local. (30)  + 1, local. (31) ,
            local. (32) ,          local. (33) ,      local. (34) ));
    fclose(fp);
} else {
    puts("\aファイル\"tm.bin\"をオープンできません。");
}
```

- 以下に示すのは、キーボードから読み込んだ名前をもつテキストファイルの中身を、画面に出力するプログラムである。

```
// テキストファイルの中身を画面に表示する
#include < (35) >

int main(void)
{
    FILE *fp;
     (36)  name[FILENAME_MAX];

    printf("ファイル名：");
    scanf("%s",  (37) );

    if ((fp = fopen( (38) ,  (39) )) == NULL)
        printf("\aファイル\"%s\"をオープンできません。\n", name);
    else {
         (40)  ch;
        while ((ch =  (41) ( (42) )) !=  (43) )
            putchar(ch);
        fclose(fp);
    }

    return 0;
}
```

ここで、*putchar(ch)* の代わりに、 (44) ((45) , (46))としても、同じ結果が得られる。

また、このプログラムで利用している FILENAME_MAX は、"その処理系でオープン可能であることが保証されるファイル名の最大長を保持するのに必要な (47) "である。

※ (47) の選択肢：(a) 配列の要素数　　(b) 文字列の長さ

- 以下に示すのは、ストリーム *fp* と結び付けられたテキストファイルに対して、変数 *x* と配列 *a* の全要素を、1行に1個ずつ10進数で書き出すプログラム部分である。

```
int x;
int a[10];

fprintf(  (48)  ,   (49)  ,   (50)  );              // xを書き出す
for (int i = 0; i < sizeof(a) /   (51)  ; i++)      // 配列aを書き出す
    fprintf(  (52)  ,   (53)  ,   (54)  );
```

- 以下に示すのは、ストリーム *fp* と結び付けられたテキストファイルから、1行に1個ずつ10進数で格納されている変数 *x* と配列 *a* の全要素とを読み取るプログラム部分である。

```
int x;
int a[10];

fscanf(  (55)  ,   (56)  ,   (57)  );               // xを読み取る
for (int i = 0; i < sizeof(a) /   (58)  ; i++)      // 配列aを読み取る
    fscanf(  (59)  ,   (60)  ,   (61)  );
```

- 以下に示すのは、ストリーム *fp* と結び付けられたバイナリファイルに対して、変数 *x* と配列 *a* の全要素とを書き出すプログラム部分である。

```
int x;
int a[10];

fwrite(  (62)  ,   (63)  ,   (64)  ,   (65)  );      // xを書き出す
fwrite(  (66)  ,   (67)  ,   (68)  ,   (69)  );      // 配列aを書き出す
```

- 以下に示すのは、ストリーム *fp* と結び付けられたバイナリファイルから、変数 *x* と配列 *a* の全要素を読み取るプログラム部分である。

```
int x;
int a[10];

fread(  (70)  ,   (71)  ,   (72)  ,   (73)  );       // xを読み取る
fread(  (74)  ,   (75)  ,   (76)  ,   (77)  );       // 配列aを読み取る
```

- 以下に示すのは、右のように定義された *XYZ* 型を要素型とする要素数10の配列 *a* を、ストリーム *fp* と結び付けられたバイナリファイルに書き出すプログラム部分と読み取るプログラム部分である。

```
typedef struct {
    int    x;
    long   y;
    double z;
} XYZ;
```

```
XYZ a[10];

fwrite(  (78)  ,   (79)  ,   (80)  ,   (81)  );      // aを書き出す
fread(  (82)  ,   (83)  ,   (84)  ,   (85)  );       // aを読み取る
```

- C言語のプログラムでは、標準ストリームと結び付けられている `FILE *` 型の変数が提供されている。標準入力ストリームと結び付けられているのが (86) で、標準出力ストリームと結び付けられているのが (87) で、標準エラーストリームと結び付けられているのが (88) である。

- 関数呼出し式 *isprint*(c) は、c が (89) であれば `int` 型の (90) を返却する。

  ※ (89) の選択肢：

      (a) 表示文字   (b) 空白文字または表示文字   (c) 英字あるいは数字

  ※ (90) の選択肢：

      (a) 1   (b) Ø   (c) 正の値   (d) 負の値   (e) Ø 以外の値

- 以下に示すのは、テキストファイルをコピーするプログラムである。

```c
// ファイルをコピーする
#include <stdio.h>

int main(void)
{
    FILE  (91) ;                // コピー元ファイル
    FILE  (92) ;                // コピー先ファイル
    char sname[FILENAME_MAX];
    char dname[FILENAME_MAX];

    printf("コピー元ファイル名：");   scanf("%s",  (93) );
    printf("コピー先ファイル名：");   scanf("%s",  (94) );

    if ((sfp =  (95) (sname,  (96) )) ==  (97) )
        printf("\aコピー元ファイル\"%s\"をオープンできません。\n", sname);
    else {
        int ch;
        if ((dfp =  (98) (dname,  (99) )) ==  (100) )
            printf("\aコピー先ファイル\"%s\"をオープンできません。\n",
                                                        dname);

        else {
            while ((ch =  (101) (sfp)) != EOF)
                 (102) ( (103) ,  (104) );
            fclose( (105) );
        }
        fclose( (106) );
    }

    return Ø;
}
```

13

ファイル処理

錬成問題の解答

錬成問題の解答

　各章の錬成問題の解答を示します。ここに示すものだけが、正解であるわけではありません。たとえば、**x - y**は、**-y + x**や**x + (-y)**などとしてもよいわけです。

　すべての解答パターンを示すことは不可能ですから、その点は読者のみなさんでご判断ください。なお、⬚は半角の空白文字を表し、□は全角の空白文字を表します。

第1章	
1 ソース	2 ビット
3 コンパイル	4 注釈
5 /*	6 */
7 //	8 b
9 関数	10 実引数
11 書式文字列	12 変換指定
13 %d	14 b
15 a	16 改行
17 警報	18 int
19 *	20 #include
21 int	22 main
23 void	24 C言語
25 return	26 \n
27 C\n言\n語\n	28 \a\a
29 こんにちは。\n\nはじめまして。\n	
30 "こんにちは。"	31 ""
32 "はじめまして。"	33 "風"
34 "□林"	35 "□□火"
36 "□□□山"	37 文字列リテラル
38 初期化	39 代入
40 no	41 scanf
42 %d	43 &
44 %d	45 *
46 n1, n2, n3	47 scanf
48 %d	49 &
50 %d	51 n1 * n2 * n3
52 コメント	53 a
54 セミコロン	55 コロン
56 ドット（ピリオド）	57 コンマ
58 ブレース	59 パーレン
60 シングルクォーテーション	
61 ダブルクォーテーション	
62 5	

63 コメントを閉じるための***/**が**/***になっている。
　includeの前の**#**が欠如している。
　<stdio.h>が**<studio.h>**になっている。
　mainが**mein**になっている。
　printfが**print**になっている。
　変数の読込みに与えられているコメントが不正。
　　/*ではなく、**//**とする。
　　/*を使うのであれば、閉じるための***/**が必要。
　scanfが**scan**になっている。

scanfに与えるべき**&n1**が**n1**になっている。
scanfに与えるべき**&n2**が**n2**になっている。
最後の表示はprintfでなければならない。
%dが**/d**になっている。
"…です。"は、"…です。\n"が好ましい。
return 0の後の**;**が欠如している。

64 定数	65 変数
66 宣言	67 初期化子

第2章	
1 演算子	2 オペランド
3 1	4 3
5 式	6 式文
7 int	8 4
9 int	10 2
11 double	12 2.5
13 double	14 2.8
15 double	16 2.5
17 double	18 2.8
19 double	20 2
21 int	22 2
23 int	24 2
25 整数	26 浮動小数点
27 %f	28 -x
29 &n	30 n % 10
31 /*	32 */
33 ,	34 &x
35 &y	36 x + y
37 x - y	38 x * y
39 x / y	40 x % y
41 %d　※別解：%4d	42 %06d
43 %5d	44 %-5d
45 %f　※別解：%10.6f	46 %6.2f
47 %7.2f	

48
```
%%%%%%
%%%
```

49 %lf
50 &r
51 %.3f

52 r * r	53 "%d"
54 "%d"	55 a
56 b	57 a / b
58 a % b	

59

12	84
-12	1
19	5
5	

60 %%
61 100 * a / b

62
```
1234
1234
01234
1234
 1234
1234
01234
1234
1234
```

63
```
12.340000
12
12.3
12.34
 12.3

    12.3

    12.3
```

64 "%d"
65 "%d"
66 %d
67 %d
68 %f
69 y
70 /
71 キャスト
72 2.0
73 2項
74 単項
75 加減
76 乗除
77 代入
78 整数
79 浮動小数点数
80 暗黙
81 double
82 a
83 b
84 %d%d
85 コメントを閉じるための*/が/*になっている。
　xとyの宣言の区切りが,でなく.になっている。
　変数の宣言の末尾が;でなく:になっている。
　ほぼすべての文の末尾が;でなく:になっている。
　scanfに与えるべき%lfが%fになっている。
　scanfに与えるべき&xがxになっている。
　scanfに与えるべき&yがyになっている。
　printfに与えるべき%dが%fになっている。
　表示する値のキャストの位置を間違えている。
　正しくは(int)((x + y) / 2)。

第3章

1 関係
2 等価
3 条件
4 3
5 1 6 0 7 0 8 1
9 1 10 0 11 1 12 1
13 1 14 0 15 15 16 3
17 0 18 1 19 1 20 0
21 1 22 1 23 0 24 1
25 複合文
26 ブロック
27 if (式) 文 → else 文
28 a < b ? a : b
29 a > b ? a : b
30 if
31 %
32 else
33 if
34 ==
35 else if
36 &&
37 else
38 switch
39 case
40 break
41 n >= 0 ? n : -n
42 if
43 %
44 else
45 if
46 %
47 else
48 1
49 0
50 0
51 0
52 1
53 1
54 1
55 0
56 no
57 13
58 >
59 n1 - n2
60 n2 - n1
61 %
62 /
63 %
64 /
65 /
66 a % b
67 %
68 %
69 /
70 mod
71 m == 3
72 m == 4
73 m == 5
74 m >= 3
75 m <= 5
※ 71～73、74と75は順不同。
76 b > max
77 c > max
78 d > max
79 a
80 b
81 c
82 d
83 max1
84 max2
85 a == b
86 b == c
87 a == b
88 b == c
89 a != b
90 b != c
91 c != a
※ 85と86、87と88、88～91は順不同。
92 /*
93 */
94 stdio.h
95 void
96 x % 2
97 y % 2
98 1
99 2
100 return
101 no % 10
102 else
103 {
104 no % 10
105 }
106 else
107 n % 3 == 0
108 if (n % 3 == 1)
109 n % 3
110 mod
111 mod
112 n % 3
113 0
114 1
115 2
116 C
117 B
118 AB
119 C
120 b
121 a
122 c
123 b > c
124 else
125 &&
126 &&
127 &&
128 ||
129 ||
130 ||
131 month >= 9

132 month >= 6   133 month / 3

134 1   135 2

136 3   137 default

138 短絡評価   139 ラベル

140 b   141 b

142 選択   143 制御

144 論理

145 コメントを閉じる*/が欠如している。
*/を書き加えるか、/*ではなく//にする。
printfがprintになっている。
scanfがscanになっている。
scanfに与えるべき&noがnoになっている。
caseと0のあいだの空白が欠如している。
puts("…偶数です。");の後ろのbreak;が欠如。
caseと1のあいだの空白が欠如している。
puts("…奇数です。");の後ろにbreak;があったほうが好ましい。
switch文を終了する}が欠如している。
returnがretrunになっている。

第4章

1 0	2 1	59 繰返し文	60 a
3 0	4 1	61 b	62 b
5 15	6 1	63 増分	64 減分
7 105	8 120	65 1	66 インクリメント
9 25	10 -5	67 1	68 デクリメント
11 60	12 1	69 i <= n2	70 %d\n
13 3	14 論理否定	71 i <= n2	72 i
15 複合代入	16 前置	73 n1	74 i <= n2
17 後置	18 ループ	75 i++	76 %d\n
19 多重	20 !	77 i <= n2 - n1 + 1	78 n1 + i - 1
21 ||	22 !	79 putchar	80 \n
23 &&	24 文字定数	81 i < no	82 i <= no
25 int	26 空白類	83 no--	84 --no
27 キーワード	28 識別子	85 i < no	86 i <= no
29 do	30 ||	87 i < no	88 i % 2 == 0
31 while	32 ||	89 i <= no	90 i % 2 == 0
33 while	34 &&	91 i < no / 2	92 no % 2
35 #	36 h	93 i <= no / 2	94 no % 2
37 int	38 no	95 ABC	96 0
39 printf	40 scanf	97 n % 10	98 10
41 &	42 for	99 n	100 %d□*□
43 i	44 printf	101 i	102 *=
45 putchar	46 ○	103 *=	104 %d□=□%d
47 ×	48 ○	105 n, fact	106 include
49 ○	50 ×	107 stdio	108 main
51 ○	52 ○	109 0	110 0
53 ×	54 ○	111 puts	112 i
55 ○	56 ○	113 no	114 no > 0
57 ×	58	115 no	116 no > 0

58
```
0
1
```

117 sum   118 後

119 前   120 i

121 9   122 9

123 i   124 %3d

125 i * j   126 n

127 i % w == 0   128 n % w == 0

129 n < 0   130 n >= 0

131 ++   132 /=

133 15 - d   134 %d

135 n   136 n / w

137 n % w   138 p

139 (i < p || q != 0)   140 q

141
```
3 4
2 5
1 6
0 7
```

142
```
Hello! 4
```
※for文のループ本体は空文。
ループ終了時のiは4。
printfは1回だけ実行される。

143
```
1
12
123
1234
```

144
```
123
1234
12345
123456
1234567
```

145	空文	146	ド・モルガン

145 空文 146 ド・モルガン
147 i < height 148 i++
149 j < height - i - 1 150 j++
151 j < width 152 j++
153 i <= n / 10 154 i++
155 10 156 (i + j - 1) % 10
157 no 158 i--
159 i 160 no < 0
161 no 162 i++
163 i 164 i >= 1
165 i-- 166 j <= 9 - i
167 j++ 168 ' '
169 i

170
```
3 : 2
4 : 2
5 : 2 3 4
6 : 2
7 : 2 3 4 5 6
8 : 2
9 : 2 3
10 : 2
11 : 2 3 4 5 6 7 8 9 10
12 : 2
13 : 2 3 4 5 6 7 8 9 10 11 12
14 : 2
15 : 2 3
```

※iより小さくてiを割り切ることができない数値を列挙している。

171
```
3 :
4 : 2
5 :
6 : 2 3
7 :
8 : 2 4
9 : 3
10 : 2 5
11 :
12 : 2 3 4 6
13 :
14 : 2 7
15 : 3 5
```

※iの約数を列挙している。

172
```
234567
134567
124567
123567
123467
123457
123456
```

173 includeの前の#が欠如している。
<stdio.h>が<studio.h>になっている。
main関数の本体を囲む{と}が(と)になっている。
変数名としてswitchは使えない。
printfがprintになっている。
scanfがscanになっていて第2実引数に&が欠如。
for文の頭部に式が2個しかない（3個必要）。
returnがretrunになっている。

第5章

1 1 2 15
3 0 4 0
5 オブジェクト形式マクロ
6 マクロ名 7 添字
8 i 9 添字
10 b 11 int[5]
12 int 13 int[4][3]
14 int[3] 15 int
16 b[2][1] 17 b[3][0]
18 走査 19 1, 2, 3
20 (i + 1) * 10 21 0
22 a[i] 23 y[i]
24 x[n - i - 1] 25 a[i] > 0
26 i 27 a[i]
28 a[0] 29 1
30 a[i] 31 a[i]
32 a[i] 33 a[i]
34 max - min 35 a[i]
36 %d□+□ 37 a[n - 1]
38 a[n - 1] 39 a[i]
40 i 41 n - 1
42 %d□+□ 43 %d□=□
44 %d 45 3
46 4 47 {0}
48 要素数5の配列に対して6個の初期化子が与えられている。{0, 1, 2, 3, 4}と5個までにすべき。
for文の繰返しが6回行われ、末尾要素を越えた走査が行われる。i <= 5ではなくi < 5とする。
printf関数に与えている第2引数a[i]と第3引数iが逆になっている。
49 n / 2 50 n - i - 1
51 n - i - 1 52 n
53 a[i] 54 '*'
55 '\n' 56 a[0]
57 n 58 max
59 max 60 n
61 i % 10 62 max
63 n 64 i
65 '*' 66 '□'
67 define 68 NUMBER
69 NUMBER 70 &point[i]
71 && 72 break
73 80 74 3
75 70 76 2
77 60 78 1
79 count[0] 80 count[1]
81 count[2] 82 count[3]
83
```
a[5] = 99999
```
※不定値が表示される。
for文頭部後の;に注意。

錬成問題の解答

84
```
a[Ø][Ø] = 2
a[Ø][1] = 2
a[1][Ø] = Ø
a[1][1] = Ø
```

85 Ø   86 (i == j) ? 1 : Ø

87 a[i][j]   88 b[i][j]

89 count++   90 a[i]

91 defineの前の#が欠如。

for文の繰返しがMAX + 1回行われ、末尾要素を越えた走査が行われてしまう。i < MAXとすべき。

double型を表示する書式文字列が誤っている。"a[%d] = %d\n"ではなくて、"a[%f] = %d\n"とすべき。

92 <stdio.h>   93 int i = Ø

94 3   95 mx[i][j]

96 my[i][j]   97 int i = Ø

98 3   99 mz[i][j]

100 putchar   101 return

第6章

1 返却値型   2 関数名

3 仮引数並び   4 関数頭部

5 関数本体   6 関数定義

7 a   8 b

9 関数呼出し   10 実引数

11 値渡し   12 void

13 b   14 int

15 3   16 52 15 37

17 記憶域期間   18 自動

19 静的   20 不定値

21 Ø   22 void

23 'R'   24 break ※returnでも可

25 'G'   26 'B'

27 void   28 n--

29 n   30 Ø.5 *

31 tmp < a || tmp > b

32 1   ※Ø以外の値であれば何でもよい

33 tmp >= a && tmp <= b

34 1   35 -1

36 return 1   37 return -1

38 b   39 b

40 ライブラリ関数   41 ファイル

42 ブロック   43 a

44 a   45 a + b

46 a > b   47 b - a

48 const   49 count++

50 a[i]   51 count

52 1.Ø   53 i <= n

54 *=   55 1.Ø

56 n--   57 *=

58 x > y   59 x

6Ø y   61 max

62 return   63 return

64 y > max   65 max

66 max2(c, d)   67 static int

68 ++c   69 a

70 b   71 v[i][j]

72 Ø

73 a[i] >= btm && a[i] <= top

74 i   75 -1

76 b   77 b

78 a   79 n-- > Ø

80 a[n] > Ø   81 n

82 -1   83 a[]

84 v   85 x[]

86 x   87 n

88 Ø   89 関数原型

90
```
1 1 1
1 2 2
1 3 3
```

91
```
int sum = Ø;
for (int i = 1; i <= n; i++)
    sum += i;
return sum;
```

92 ファイル   93 ブロック

94 ブロック   95 e

96 const   97 b[i]

98 [][3]   99 Ø

100 n   101 a[i][j]

102 呼び出されたときに引数として与えられた値を記憶して、前回の値を返却する。

1回目に呼び出されたときはØを返却。

2回目以降に呼び出されたときは、前回の呼出し時に引数として与えた値を返却。

例：val(5) → Øを返却

     val(3) → 5を返却

     val(7) → 3を返却

103 一例を示す。

```
int main(void)
{
  int retry;

  do {
    int n;
    printf("記憶させる値：");
    scanf("%d", &n);
    printf("記憶させました。前回は"
           "%dでした。\n", val(n));
    printf("もう一度？【Yes…Ø／No…9】：");
    scanf("%d", &retry);
  } while (retry == Ø);

  return Ø;
}
```

第7章	
1 優先順位	2 結合性
3 左	4 右
5 1	6 Ø
7 25	8 9
9 24	10 9
11 4	12 72
13 4	14 72
15 Ø	16 1
17 型指定	18 a
19 c	20 1
21 size_t	22 b
23 limits.h	24 CHAR_MIN
25 CHAR_MAX	26 INT_MIN
27 INT_MAX	28 UCHAR_MAX
29 UINT_MAX	30 sizeof(v)
31 sizeof(v[Ø])	32 i <= n2
33 %o %d %X	34 short int
35 int	36 long int
37 long long int	38 float
39 double	40 long double
41 8	42 10
43 16	44 8
45 8	46 10
47 8	48 16
49 u	50 U ※49と50は順不同
51 l	52 L ※51と52は順不同
53 double	
54 f	55 F ※54と55は順不同
56 l	57 L ※56と57は順不同
58 b	

59 Ø	63 Ø	67 Ø	71 1
60 Ø	64 1	68 1	72 Ø
61 Ø	65 1	69 1	
62 1	66 1	70 Ø	

73 ~x	74 Ø
75 ~Ø	76 *x |= 1
77 *x &= ~1	78 *x ^= 1
79 *x & 1	80 (*x >> n) & 1

81
```
x + 1 = Ø
x + 7 = 6
```

82 15	
83 x >> i	

84
```
ØØØØØØØØØØØØØØØØ
ØØØØØØØØØØØØØØØ1
1111111111111111
1111111111111110
ØØØØØØØØ1Ø1ØØØØØ
ØØØØØØØØ11111Ø1Ø
ØØØØØØØØ1Ø111Ø1Ø
ØØØØØØØØ1Ø1Ø1Ø1Ø
ØØØØØØØØ1Ø1Ø1Ø1Ø
ØØØØØØØØ1Ø1Ø1ØØ
ØØØØØØØØ1Ø1Ø1Ø1
ØØØØØ1Ø1Ø1Ø1Ø1Ø
ØØØØØØ1Ø1Ø1Ø1ØØ
1111111111111ØØØ
```

85 CHAR_BIT	
86 (x & 1) == Ø	
87 >>=	
88 math.h	
89 Ø	
90 100	
91 i / 100.Ø	
92 sqrt(i / 100.Ø)	

93 int	94 int
95 int	96 unsigned int
97 long int	98 unsigned long
99 double	100 float
101 long double	

102 `<limits.h>`が`<limit.h>`になっている。

符号無し整数の最小値を表すマクロは提供されないので、`UCHAR_MIN`や`UINT_MIN`は誤り。いずれも0にすべき。

第8章	
1 6	2 Ø
3 6	4 1
5 Ø	6 21
7 ソート	8 \a
9 \b	10 \\
11 \'	12 \n
13 \r	14 \t
15 \"	16 列挙
17 列挙体タグ	18 列挙定数
19 Ø	20 5
21 6	22 (x) * (x)
23 (x) * (x) * (x)	24 (x)
25 -(x)	26 (x)
27 (y)	28 (x)
29 (y)	30 ((x) - (y))
31 ((y) - (x))	32 11 14
33 type t = (x); (x) = (y); (y) = (t);	
34 n / 2	35 double
36 v[i]	37 v[n - i - 1]
※36と37は順不同	38 i
39 a[j]	40 float
41 a[j]	42 a[j - 1]
※ 41と42は順不同	43 ,
44 str	45

45
```
"ABC"
'ABC'
'ABC'
""
75
```

46 1	
47 end of file	
48 オブジェクト形式	
49 関数形式	
50 (x)	51 (y)
52 int t = (x); (x) = (y); (y) = (t);	
53 再帰	54 n - 1
55 1 2 3 1	56 'Ø'+ i % 3 + 1
57 Ø	58 x % y
59 enum	60 switch
61 case	62 case
63 case	64 Ø
65 getchar()	66 EOF
67 c_count	68 '\n'
69 ch	70 'Ø'
71 Ø	72 10

第9章

1	Ø	2	ナル
3	静的	4	文字列str = 74Ø

5
```
1
3
4
```

6	%s		
7	name		
8	%s		
9	name	10	s[Ø]
11	s[Ø]	12	s[1]
13	s[2]	14	s[3]
15	'\Ø'	16	s[i]
17	'Ø'	18	'9'
19	count	20	len
21	len	22	i
23	s[i]	24	i
25	len	26	len++
27	len	28	i--
29	len	30	len
31	len++	32	i < len / 2
33	s[len - i - 1]	34	Ø
35	1		

36
```
ABCDEFG
ABCDEFG
ABCD
  ABCDEFG
ABCDEFG
```

37	'Ø'		
38	'9'		
39	idx++		
40	idx	41	i
42	v[i][j]	43	v[i][j]
44	s2	45	i
46	s1[i]	47	==
48	'\Ø'	49	1
50	Ø	51	s[i]
52	i	53	-1
54	s[i]	55	i
56	i	57	idx
58	s2[Ø]	59	-1
60	Ø	61	++j
62	i	63	i + j
64	-1	65	Ø
66	s1[i]	67	s2[j]
68	idx++	69	idx

第10章

1	アドレス	2	ポインタ
3	間接	4	指す
5	Ø	6	k + i
7	k - i	8	k + 1
9	空ポインタ	10	stddef.h
11	int *	12	int *
13	*quot	14	*rem
15	int *	16	int *
17	*sum	18	*diff
19	a - b	20	b - a
21	*	22	px
23	py	24	pt
25	int	26	int *
27	int *	28	int
29	25　※5 * (*p)であることに注意。		
30	8	31	7
32	5	33	8
34	*py	35	temp
36	n1	37	n2
38	n1	39	n2
40	n2	41	n3
42	n1	43	n2

※36と37、38と39、40と41、42と43は順不同。

44	y	45	x % y
46	[]	47	a[1]
48	gcdary(&a[1], n - 1)		
49	%p	50	&n
51	%p	52	&x
53	100	54	400
55	500	56	1
57	Ø	58	Ø
59	Ø	60	1
61	2	62	[]
63	Ø	64	*
65	*	66	&x[2]
67	*	68	i
69	b		

第11章

1　配列に対して文字列を代入することはできない。
char s[12] = "ABC";という初期化であれば可。
変換指定は%Sではなく%sでなければならない。

2
```
ABC
XYZ
```

		3	*s
		4	'\''
		5	*s++
6	'\''	7	*s++
8	string.h	9	strlen
10	s	11	strcpy
12	s2	13	s1
14	s	15	strcpy
16	s3	17	strcpy
18	s2	19	s1
20	s	21	strcat
22	s1	23	s2
24	!*s　※ *s == Øでも可		
25	*s++	26	*s++
27	*s++	28	*s++
29	*s	30	*s
31	d	32	d
33	s		

34
```
I
C
3
6
```

35 文字列リテラル"5"の先頭文字である'5'
36 *s1
37 *s1++
38 *s2
39 *s2++
40 n > 0
41 break
42 s1
43 tmp
44 p
45 s
46 --
47 *p--
48 *s++
49 i
50 *s - '0'
51 s
52 *s1
53 ;
54 tmp
55 *s1
56 break
57 *s1
58 tmp
59 *s
60 &&
61 *s
62 s
63 <ctype.h>
64 *s
65 toupper
66 *s2
67 *s2
68 t
69 s1
70 *s1++
71 *s2
72 s2
73 *s2++
74 *s1

44 ラベル名
45 タグ名
46 メンバ名
47 一般的な識別子
※44～47は順不同。
48 y->a
49 0
50 y->b
51 0
52 y->c
53 0
54 int
55 const
56 idx[]
57 &a[i]
58 count++
59 count
60 const
61 a
62 %d
63 .a
64 %d
65 .b
66 %ld
67 .c
68 n
69 -(n) ※()は省略不可。
70 Point
71 &temp.x
72 &temp.y
73 p2.x
74 p1.x
75 p2.y
76 p1.y
77 *r
78 p2.x
79 p1.x
80 p2.y
81 p1.y
82 r.p1
83 r.p2
84 area_of(r)
85 circumference_of(&r)
86 return

第12章

1 メンバ
2 構造体タグ
3 集成体
4 a.x
5 a.y
6 a.z
7 p->x
8 p->y
9 p->z

10
```
3
0
0.00
```

11
```
5
0
0.00
```

12 p->x
13 p->y
14 p->z
15 strct xyz
16 strct xyz
17 0
18 t
19 typedef
20 XYZ
21 XYZ
22 p->x
23 p->y
24 p->z
25 XYZ
26 XYZ
27 0
28 t
29 x->x != y->x
30 x->y != y->y
31 x->z != y->z
※29～31は順不同。
32 *x
33 *y
34 *y
35 temp
36 a[j - 1].x
37 a[j].x
38 &a[j - 1]
39 &a[j]
40 メンバアクセス
41 ドット
42 アロー
43 名前空間

第13章

1 標準入力ストリーム
2 標準出力ストリーム
3 標準エラーストリーム
4 <stdio.h>
5 読取り
6 書込み
7 更新
8 4
9 2
10 8 ※出力されるのは1.35ではなく1.350000
11 8
12 c
13 "tm.txt"
14 "w"
15 tm_year
16 tm_mon
17 tm_mday
18 tm_hour
19 tm_min
20 tm_sec
21 fp
22 "tm.bin"
23 "rb"
24 fread
25 &local
26 sizeof(struct tm)
27 1
28 fp
29 tm_year
30 tm_mon
31 tm_mday
32 tm_hour
33 tm_min
34 tm_sec
35 stdio.h
36 char
37 name
38 name
39 "r"
40 int
41 fgetc
42 fp
43 EOF
44 fputc
45 ch
46 stdout
47 a
48 fp

49	`"%d\n"`	50	`x`
51	`sizeof(a[0])`	52	`fp`
53	`"%d\n"`	54	`a[i]`
55	`fp`	56	`"%d"`
57	`&x`	58	`sizof(a[0])`
59	`fp`	60	`"%d"`
61	`&a[i]`	62	`&x`
63	`sizeof(int)`	64	`1`
65	`fp`	66	`a`
67	`sizeof(int)`		
68	`sizeof(a) / sizeof(a[0])`　※10でも可		
69	`fp`	70	`&x`
71	`sizeof(int)`	72	`1`
73	`fp`	74	`a`
75	`sizeof(int)`		
76	`sizeof(a) / sizeof(a[0])`　※10でも可		
77	`fp`	78	`a`
79	`sizeof(XYZ)`		
80	`sizeof(a) / sizeof(a[0])`　※10でも可		
81	`fp`	82	`a`
83	`sizeof(XYZ)`		
84	`sizeof(a) / sizeof(a[0])`　※10でも可		
85	`fp`	86	`stdin`
87	`stdout`	88	`stderr`
89	`b`	90	`e`
91	`*sfp`	92	`*dfp`
93	`sname`	94	`dname`
95	`fopen`	96	`"r"`
97	`NULL`	98	`fopen`
99	`"w"`	100	`NULL`
101	`fgetc`	102	`fputc`
103	`ch`	104	`dfp`
105	`dfp`	106	`sfp`

参考文献

1) Brian W. Kernighan and Dennis M. Ritchie
"The C Programming Language Second Edition", Prentice Hall, 1988

2) American National Standards Institute
"ANSI/ISO 9899-1990 American National Standard for Programming Languages – C", 1992

3) International Standard
"ISO/IEC 9899 Information technology – Programming Languages – C Third Edigion", 2011

4) International Standard
"ISO/IEC 9899 Information technology – Programming Languages – C Fourth Edition", 2018

5) 日本工業規格
"JIS X3010-1993 プログラム言語C", 1993

6) 日本工業規格
"JIS X3010-2003 プログラム言語C", 2003

7) 平林 雅英
"ANSI C/C++ 辞典", 共立出版社, 1996

8) Bjarne Stroustrup・柴田望洋 訳
"プログラミング言語C++ 第4版", ＳＢクリエイティブ, 2015

9) 柴田望洋
"新・明解C言語 入門編 第2版", ＳＢクリエイティブ, 2021

索引

記号

! （論理否定演算子）	67
!=演算子	42
"	219
" " （文字列リテラル）	4, 77, 226
#define指令	114, 198, 201
#include指令	147
%	21
%演算子	21
%%	21
%d	3, 10, 32
%f	26, 27, 32
%ld	164
%lf	26, 27
%lu	164
%o	184
%p	256
%s	227, 228
%u	164
%x	184
%X	184
& （アドレス演算子）	10, 244, 250
& （ビット単位のAND演算子）	173
&& （論理AND演算子）	50, 67
'	219
' ' （文字定数）	77
( ) （演算順序の変更）	24
( ) （仮引数の宣言）	134
( ) （関数呼出し演算子）	3, 135
( ) （キャスト演算子）	30
* （2項*演算子）	11, 21
* （間接演算子）	245
*/	2
+ （2項+演算子）	21
+ （加算演算子）	252
++ （後置増分演算子）	69
++ （前置増分演算子）	72
++ （増分演算子）	267
+= （複合代入演算子）	69
, （仮引数宣言節）	134
, （コンマ演算子）	202
, （実引数の区切り）	3, 135
, （初期化子）	112
, （宣言における区切り）	13

-- （減分演算子）	267
-- （後置減分演算子）	69
-- （前置減分演算子）	72
- （2項-演算子）	21
- （減算演算子）	252
-> （メンバアクセス演算子）	293
. （小数点）	190
. （メンバアクセス演算子）	289
/演算子	21
/*	2
//	2
/= （複合代入演算子）	81
;	201
; （for文の区切り）	83
; （式文）	5, 25, 86
; （宣言）	8
<演算子	43
<<演算子	172
<=演算子	43
<ctype.h>	235, 325
<limits.h>	165, 167
<math.h>	188
<stddef.h>	169, 250
<stdio.h>	147
<stdlib.h>	281
<string.h>	269
<time.h>	314
= （初期化子）	9
= （単純代入演算子）	8, 25, 116, 120
==演算子	42
>演算子	43
>=演算子	43
>>演算子	172
? : （条件演算子）	49
[ ] （仮引数のポインタの宣言）	254
[ ] （添字演算子）	110, 253
[ ] （配列の宣言）	110
[ ] （要素指示子）	113
\	7
\"	219
\'	219
\\	218
\a	6, 218
\n	4, 218

\x 219
^ （ビット単位の排他OR演算子） 173
__STDC_NO_VLA__ 113
{ } （構造体の宣言） 288
{ } （初期化子） 112, 226, 289
{ } （複合文） 54
{ } （ブロック） 201
| （ビット単位のOR演算子） 173
|| （論理OR演算子） 50, 67
~ （補数演算子） 173
¥ 7

数字

0 v
　非〜 40
0フラグ 32
1次元配列 122
1の補数 173
　〜表現 171
2項
　〜*演算子 11, 21
　〜+演算子 21
　〜-演算子 21
　〜演算子 24
2次元配列 122, 264
2重ループ 92
2進
　純〜記数法 171
2値
　〜の交換 115, 200, 201, 248
　〜の差 49
2の補数表現 171
3項
　〜演算子 24, 49
3次元配列 125
3値
　〜の最小値 47
　〜のソート 248
　〜の和 14
4値の最大値 48, 199
8進拡張表記 219
8進数 184
8進定数 184, 191
10進定数 184, 191
16進拡張表記 219
16進数 184
16進定数 184, 191

A

AND
　ビット単位の〜演算子 173
　論理〜演算子 50, 67
ANSI 14
atof() 280
atoi() 280
atol() 280
atoll() 280
auto 155

B

BMI 33
break文 56, 91

C

C言語 11
C++ 125
case 56
char 164
CHAR_BIT 167
CHAR_MAX 165
CHAR_MIN 165
const 147
continue文 91

D

default 57
do文 66
　〜とwhile文 71
double 26, 186

E

else 41, 43, 201
enum 207
EOF 214

F

f （浮動小数点接尾語） 187
F （浮動小数点接尾語） 187
fclose() 304
fgetc() 316
FILE 304, 306
FILENAME_MAX 317
float 186
fopen() 304
for文 83

fprintf()	311		

```
fprintf() ................................ 311
fputc() ................................. 318
fread() ................................. 321
fscanf() ................................ 309
fwrite() ................................ 321
```

G

```
getchar() ............................... 214
```

I

```
if ....................................... 40
if文 .......................... 40, 41, 44
int ............................... 26, 164
INT_MAX ................................. 165
INT_MIN ................................. 165
ISO ...................................... 14
isprint() ............................... 325
```

J

```
JIS ...................................... 14
  〜コード ............................... 215
```

K

```
K&R ...................................... 12
```

L

```
l   （整数接尾語） ......................... 184
l   （浮動小数点接尾語） ................... 187
ll  （整数接尾語） ......................... 184
L   （整数接尾語） ......................... 184
L   （浮動小数点接尾語） ................... 187
LL  （整数接尾語） ......................... 184
LLONG_MAX ............................... 165
LLONG_MIN ............................... 165
localtime() ............................. 315
long .................................... 164
long double ............................. 186
LONG_MAX ................................ 165
LONG_MIN ................................ 165
```

M

```
main関数 ........................... 137, 141
```

N

```
NULL .................................... 250
```

O

```
OR
  ビット単位の〜演算子 ................. 173
  ビット単位の排他〜演算子 ............. 173
  論理〜演算子 ....................... 50, 67
```

P

```
printf() ................................. 3
putchar() ................................ 77
puts() ................................... 12
```

R

```
register ................................ 155
restrict ................................ 269
return文 ........................... 135, 136
```

S

```
scanf() ...................... 10, 250, 309
SCHAR_MAX ............................... 165
SCHAR_MIN ............................... 165
short ................................... 164
SHRT_MAX ................................ 165
SHRT_MIN ................................ 165
signed .................................. 164
sizeof演算子 ....................... 168, 170
size_t .................................. 169
sqrt() .................................. 188
sqrtf() ................................. 188
sqrtl() ................................. 188
static .................................. 154
stderr .................................. 307
stdin ................................... 307
stdout .................................. 307
strcat() ................................ 273
strcmp() ................................ 274
strcpy() ................................ 270
strlen() ................................ 268
strncat() ............................... 273
strncmp() ............................... 274
strncpy() ............................... 270
struct .................................. 288
struct tm ............................... 314
switch文 ................................. 56
```

T

```
time() .................................. 314
time_t .................................. 314
```

tm_hour 315	暗黙の型変換 29
tm_isdst 315	

い

tm_mday 315	インクリメント 69
tm_min 315	ポインタの～ 266
tm_mon 315	インクルード 147
tm_sec 315	インタプリタ 6
tm_wday 315	インデンテーション 87
tm_yday 315	インデント 87
tm_year 315	引用符
tolower() 235	単一～ 219
toupper() 235	二重～ 219, 226
typedef	
～宣言 169, 292	**う**
～名 169, 292	ウォーニング 141
	閏秒 315

U

u （整数接尾語） 184	**え**
U （整数接尾語） 184	エイリアス 245
UCHAR_MAX 165	エラー
UINT_MAX 165, 175	標準～ストリーム 307
ULLONG_MAX 165	～表示子 306
ULONG_MAX 165	円記号 7
unsigned 164, 171	演算 28
USHRT_MAX 165	算術～ 25
	論理～ 173

V

VLA 113, 125	演算子 20, 25
void （型） 140	!=～ 42
void （仮引数型並び） 141	%～ 21
	/～ 21
	<～ 43

W

while （do文の一部） 66, 75	<<～ 172
while文 70	<=～ 43
～とdo文 71	==～ 42
	>～ 43
	>=～ 43

あ

アクセス 110	>>～ 172
メンバ～演算子 293	2項～ 24
値 46	2項*～ 11, 21
～渡し 139	2項+～ 21
あだ名 245	2項-～ 21
後判定繰返し 71	3項～ 24, 49
アドレス 244	sizeof～ 168, 170
～演算子 10, 244, 250	アドレス～ & 10, 244, 250
あまり 20	アロー～ -> 293
アルゴリズム 205	加減～ 20
アロー演算子 293	加算～ + ... 252

関係〜	42
関数呼出し〜 （ ）	3, 135
間接〜 *	245
キャスト〜 （ ）	30
減算〜 -	252
減分〜 --	267
後置減分〜 --	69
後置増分〜 ++	69
コンマ〜 ,	202
条件〜 ? :	49
乗除〜	20
前置減分〜 --	72
前置増分〜 ++	72
増分〜 ++	267
添字〜 [ ]	110, 253
代入〜	25
単項〜	24
単項&〜	244
単項*〜	245
単項+〜	24
単項-〜	24
単項算術〜	25
単純代入〜 =	8, 25, 116, 120
等価〜	42
ドット〜 .	289
ビット単位のAND〜 &	173
ビット単位のOR〜 ǀ	173
ビット単位のシフト〜	172
ビット単位の排他OR〜 ^	173
複合代入〜	69
複合代入〜 +=	69
複合代入〜 /=	81
複合代入〜 >>=	175
補数〜 -	173
メンバアクセス〜	293
メンバアクセス〜 ->	293
メンバアクセス〜 .	289
論理〜	51
論理AND〜 &&	50, 67
論理OR〜 ǀǀ	50, 67
論理否定〜 ！	67

お

大きさ	186
オブジェクトの〜	168
オーバフロー	185
オープン	304

大文字	235, 278
落ちる	57
オブジェクト	26, 244
〜形式マクロ	114
〜の大きさ	168
オペランド	20
オペレーティングシステム	4

か

改行	4, 218
解釈	6
階乗	210
カウンタ用変数	83
書込みモード	304, 306
隠される	144
拡張子	2
拡張表記	4, 218
8進〜	219
16進〜	219
単純〜	218
加減演算子	20
加算	10
〜演算子	252
仮数	186
型	8, 26, 46
暗黙の〜変換	29
仮引数〜並び	134
関数〜	291
基本〜	166
共用体〜	291
構造体〜	291
算術〜	166
集成体〜	291
スカラ〜	250
整数〜	164
高い〜	164
配列〜	291
低い〜	164
符号付き整数〜	164, 171
符号無し整数〜	164, 171
浮動小数点〜	186
返却値〜	134
ポインタ〜	291
文字〜	164, 167
要素〜	110, 122
列挙〜	207
〜指定子	164

～修飾子 147
かつ 50
可搬性 173, 217
可変長配列 113, 125
画面 3, 307
仮引数 134
　～型並び 134
関係
　大小～ 42
　～演算子 42
関数 3, 134, 137
　main～ 137, 141
　再帰～呼出し 211
　ライブラリ～ 137
　～型 291
　～形式マクロ 198
　～原型宣言 145
　～定義 134, 145
　～頭部 134
　～本体 134
　～名 134
　～呼出し 3, 135
　～呼出し演算子 3, 135
　～呼出し式 135
間接演算子 245

き

キーボード 307
キーワード 73
記憶域 167
　自動～期間 154
　静的～期間 154
　～期間 154
　～クラス指定子 154
期間
　記憶域～ 154
　自動記憶域～ 154
　静的記憶域～ 154
記号文字 7
奇数 86
基本型 166
逆斜線 7, 218
キャスト 30
　～演算子 30
行 4, 122
　～末コメント 2
共用体型 291

行列
　～の積 123, 152
　～の和 153
切捨て
　小数部の～ 9, 28

く

空間
　名前～ 207, 295
空白 85
空白類文字 99
空文 86, 201
空ポインタ 250
　～定数 250
空文字列 228
区切り子 85
九九 92
組合せ 212
クラス
　記憶域～指定子 154
繰返し 66
　後判定～ 71
　前判定～ 71
　～文 89
クローズ 304

け

警告 141
継続条件 67
警報 6, 218
桁あふれ 185
桁数 82
結合 2
結合性 182
原型
　関数～宣言 145
現在の日付と時刻 314
減算 3
　～演算子 252
原始プログラム 2
減分
　後置～演算子 69
　前置～演算子 72
　～演算子 267

こ

交換
　2値の〜 115, 200, 201, 248
降順 204
更新モード 304
構成メンバ 297
構成要素 123
構造体 288
　〜型 291
　〜タグ 288
　〜の配列 295
後置 71
　〜減分演算子 69
　〜増分演算子 69
構文 44
　〜図 44, 45, 48
コード
　JIS〜 215
　文字〜 274
国際標準化機構 14
国際文字名 80
誤差 189
コメント 2
　行末〜 2
　伝統的〜 2
小文字 235, 278
コンパイル 2, 6
コンマ演算子 202

さ

差 49
再帰
　〜関数呼出し 211
　〜的 210
　〜的定義 210
最小値
　3値の〜 47
最小フィールド幅 32, 230
最大公約数 212
最大値
　4値の〜 48, 199
指す 245
　文字列を〜 262
算術
　単項〜演算子 25
　〜演算 25
　〜型 166

参照
　〜外し 245, 271
　〜マニュアル 12

し

式 25
　関数呼出し〜 135
　条件〜 49
　制御〜 40, 66
　添字〜 111
　代入〜 25, 116
　〜の評価 46
　〜文 25, 86
識別子 80, 144
時刻
　現在の〜 314
　要素別の〜 314
　暦〜 314
字下げ 87
指数 186
実行 4
　プログラムの〜 137
　〜プログラム 2
実数 186
実引数 3, 135
指定子
　型〜 164
　記憶域クラス〜 154
　変換〜 32, 230
自動記憶域期間 154
シフト
　ビット単位の〜演算子 172
自由形式 99
修飾子
　型〜 147
集成体型 291
終了条件 67
出力
　標準〜ストリーム 307
純2進記数法 171
商 20
条件
　継続〜 67
　終了〜 67
　〜演算子 49
　〜式 49
乗算 11

昇順 204	論理〜 173
乗除演算子 20	絶対値 44
小数点 190	符号と〜表現 171
小数部 20, 188, 190	セット 167, 179
〜の切捨て 9, 28	接尾語
冗長な判定 43	整数〜 184, 191
剰余 20	浮動小数点〜 187, 191
初期化 9, 154	ゼロ v
〜と記憶域期間 155	線形探索 150, 231
初期化子 9, 112, 226, 289	宣言 8, 54, 145
除算 20, 21	typedef〜 169, 292
書式 3	関数原型〜 145
〜文字列 3	選択文 57
処理系 6	前置 71
指令	〜減分演算子 72
#define〜 114, 198, 201	〜増分演算子 72
#include〜 147	占有 168
前処理〜 99	
診断メッセージ 2	

す	**そ**
	走査 111
数字 80	増分
非〜 80	後置〜演算子 69
〜文字 215, 216, 234	前置〜演算子 72
スカラ型 250	〜演算子 267
スコープ 144	添字 110, 123
ストリーム 304, 306	〜演算子 110, 253
標準〜 307	〜式 111
標準エラー〜 307	ソース
標準出力〜 307	〜ファイル 2
標準入力〜 307	〜プログラム 2
	ソート 204
せ	3値の〜 248
	バブル〜 205
制御式 40, 66	
整数	**た**
符号付き〜型 164, 171	
符号無し〜型 164, 171	大小関係 42
〜型 164	代入 8
〜接尾語 184, 191	単純〜演算子 25, 116, 120
〜定数 27, 184, 191	複合〜演算子 69
生成 155	〜演算子 25
生存期間 154	〜式 25, 116
静的記憶域期間 154	高い型 164
精度 186, 189	タグ
精度　（変換指定） 32, 230	構造体〜 288
積 21	列挙体〜 207
行列の〜 123, 152	多次元配列 122, 153
	多重ループ 92

縦向きの棒グラフ	119

単一引用符 219

単項

～&演算子 244

～*演算子 245

～+演算子 24

～-演算子 24

～演算子 24

～算術演算子 25

探索

線形～ 150, 231

逐次～ 150

単純

～拡張表記 218

～代入演算子 25, 116, 120

段付け 87

ダンプ 325

短絡評価 51, 52

ち	

置換 114

逐次探索 150

地方時 315

注釈 2

つ	

追加モード 304

て	

定義 145

関数～ 134, 145

定数 8, 25

8進～ 184, 191

10進～ 184, 191

16進～ 184, 191

空ポインタ～ 250

整数～ 27, 184, 191

浮動小数点～ 27, 187, 191

文字～ 77

列挙～ 207

テキスト 2

～形式 2

テキストファイル 320

デクリメント 69

ポインタの～ 266

展開 198

伝統的コメント 2

と	

等価演算子 42

同義語 169

ドット演算子 289

ド・モルガンの法則 67

な	

夏時間 315

名前 8

～空間 207, 295

ナル文字 226

に	

二重引用符 219, 226

日本工業規格 14

入力

標準～ストリーム 307

は	

排他

ビット単位の～OR演算子 173

～的論理和 173

バイト 168

バイナリファイル 320

配列 110

1次元～ 122

2次元～ 122, 264

3次元～ 125

可変長～ 113, 125

構造体の～ 295

多次元～ 122, 153

ポインタの～ 264

文字列の～ 229, 264

～型 291

～とポインタ 252, 253, 256

～による文字列 262

～の要素数 171

～名 252

破棄 155

派生 122, 291

～型 291

バックスラッシュ 7

バブルソート 205

番地 244

判定 40

後～繰返し 71

前～繰返し 71

冗長な〜 …………………………… 43	バイナリ〜 ………………………… 320
反転 ………………………………… 179	〜位置表示子 ……………………… 306
符号の〜 …………………………… 24	〜終了表示子 ……………………… 306
汎用性 ……………………………… 140	〜有効範囲 ………………………… 144
	複合
ひ	〜代入演算子 ……………………… 69
非0 …………………………………… 40	〜文 ………………………………… 54
ビープ ……………………………… 6	副作用 ……………………………… 199
引数 ………………………………… 139	符号
仮〜 ………………………………… 134	〜付き整数型 ……………… 164, 171
仮〜型並び ………………………… 134	〜と絶対値表現 …………………… 171
実〜 …………………………… 3, 135	〜無し整数型 ……………… 164, 171
低い型 ……………………………… 164	〜の反転 …………………………… 24
非数字 ……………………………… 80	〜ビット …………………………… 171
左結合 ……………………………… 182	不定値 …………………………… 9, 154
日付	浮動小数点 ………………………… 186
現在の〜 …………………………… 314	〜型 ………………………………… 186
ビット ……………………… 2, 167, 320	〜数 ………………………………… 26
符号〜 ……………………………… 171	〜接尾語 …………………… 187, 191
〜単位のAND演算子 ……………… 173	〜定数 ………………… 27, 187, 191
〜単位のOR演算子 ………………… 173	部品 ………………………………… 138
〜単位のシフト演算子 …………… 172	プログラム
〜単位の排他OR演算子 …………… 173	原始〜 ……………………………… 2
表 …………………………………… 122	実行〜 ……………………………… 2
評価 …………………………… 40, 46	ソース〜 …………………………… 2
短絡〜 ………………………… 51, 52	〜の構造 …………………………… 6
表記	〜の実行 …………………………… 137
拡張〜 ………………………… 4, 218	ブロック …………………………… 54, 201
単純拡張〜 ………………………… 218	〜有効範囲 ………………………… 144
表示 …………………………… 3, 12	プロトタイプ ……………………… 145
表示子	プロンプト ………………………… 4
エラー〜 …………………………… 306	文 ……………………………… 5, 54
ファイル位置〜 …………………… 306	break〜 ……………………… 56, 91
ファイル終了〜 …………………… 306	continue〜 ………………………… 91
標準	do〜 ………………………………… 66
〜エラーストリーム ……………… 307	for〜 ……………………………… 83
〜出力ストリーム ………………… 307	if〜 ………………………… 40, 41, 44
〜ストリーム ……………………… 307	return〜 …………………… 135, 136
〜入力ストリーム ………………… 307	switch〜 …………………………… 56
標準C ……………………………… 14	while〜 …………………………… 70
標準体重 …………………………… 32	空〜 …………………………… 86, 201
	繰返し〜 …………………………… 89
ふ	式〜 …………………………… 25, 86
負 …………………………………… 3	選択〜 ……………………………… 57
ファイル …………………………… 304	複合〜 ……………………………… 54
ソース〜 …………………………… 2	分布 ………………………………… 118
テキスト〜 ………………………… 320	

へ

米国国家規格協会 14
平方根 188
ヘッダ 147
別名 245
変換
　暗黙の型〜 29
　〜指定 3, 23, 32, 229, 230
　〜指定子 32, 230
返却 136
　〜値 134
　〜値型 134
変数 8, 25
　カウンタ用〜 83

ほ

ポインタ 244
　空〜 250
　空〜定数 250
　〜型 291
　〜と配列 252, 253, 256
　〜による文字列 262
　〜のインクリメント 266
　〜のデクリメント 266
　〜の配列 264
棒グラフ
　縦向きの〜 119
　横向きの〜 118
補数
　1の〜 173
　1の〜表現 171
　2の〜表現 171
　〜演算子 173
翻訳 2, 6
　〜フェーズ 6

ま

前処理指令 99
前判定繰返し 71
マクロ
　オブジェクト形式〜 114
　関数形式〜 198
　〜の副作用 199
　〜名 114
マジックナンバー 114
または 50

み

見える 144
右結合 182

め

メッセージ
　診断〜 2
メンバ 288
　構成〜 297
　〜アクセス演算子 293

も

文字 215, 320
　大〜 235, 278
　記号〜 7
　空白類〜 99
　小〜 235, 278
　数字〜 215, 216, 234
　ナル〜 226
　〜型 164, 167
　〜コード 274
　〜定数 77
文字列 226
　空〜 228
　書式〜 3
　配列による〜 262
　ポインタによる〜 262
　〜の配列 229, 264
　〜リテラル 4, 87, 226, 262
　〜を指す 262

や

約数 41, 90

ゆ

ユークリッドの互除法 212, 213
有効範囲 144
　ファイル〜 144
　ブロック〜 144
優先順位 182

よ

要素 110
　構成〜 123
　〜型 110, 122
　〜指示子 113
　〜別の時刻 314

要素数 110
　配列の〜 171
曜日 315
横向きの棒グラフ 118
呼出し 135
読込み 10
読取りモード 304

ら

ライブラリ関数 137
ラベル 56

り

リセット 179
リテラル 4
　文字列〜 4, 87, 226, 262
リンク 2

る

ループ 66
　多重〜 92
　〜本体 66, 75

れ

例外 185
暦時刻 314
レジスタ 155
列 122
列挙
　〜型 207
　〜体 207
　〜体タグ 207
　〜定数 207

ろ

論理
　排他的〜和 173
　〜AND演算子 50, 67
　〜OR演算子 50, 67
　〜演算 173
　〜演算子 51
　〜積 173
　〜否定演算子 67
　〜和 173

わ

和
　３値の〜 14
　行列の〜 153
　排他的論理〜 173
　論理〜 173

索引

謝辞

　本書をまとめるにあたり、ＳＢクリエイティブ株式会社の野沢喜美男編集長には、随分とお世話になりました。

　この場をお借りして感謝の意を表します。

著者紹介

■ 柴田 望洋
しば た ぼうよう

工学博士

福岡工業大学 情報工学部 情報工学科 准教授

福岡陳氏太極拳研究会 会長

■1963年、福岡県に生まれる。九州大学工学部卒業、同大学院工学研究科修士課程・博士後期課程修了後、九州大学助手、国立特殊教育総合研究所研究員を歴任して、1994年より現職。2000年には、わかりやすいC言語教科書・参考書の執筆の業績が認められ、㈳日本工学教育協会より著作賞を授与される。大学での教育研究活動だけでなく、プログラミングや武術（1990年～1992年に全日本武術選手権大会陳式太極拳の部優勝）、健康法の研究や指導に明け暮れる毎日を過ごす。

■主な著書（*は共著／★は翻訳書）

『秘伝C言語問答ポインタ編』，ソフトバンク，1991（第2版：2001）

『C：98 スーパーライブラリ』，ソフトバンク，1991（新版：1994）

『Cプログラマのための C++ 入門』，ソフトバンク，1992（新装版：1999）

『超過去問 基本情報技術者 午前試験』，ソフトバンクパブリッシング，2004

『解きながら学ぶ C++ 入門編*』，ソフトバンククリエイティブ，2010

『プログラミング言語 C++ 第4版★』，ビャーネ・ストラウストラップ（著），SBクリエイティブ，2015

『新・明解C言語 中級編』，SBクリエイティブ，2015

『新・明解C言語 実践編』，SBクリエイティブ，2015

『新・明解C言語 ポインタ完全攻略』，SBクリエイティブ，2016

『新・解きながら学ぶJava*』，SBクリエイティブ，2017

『新・明解 C++ 入門』，SBクリエイティブ，2017

『新・明解 C++ で学ぶオブジェクト指向プログラミング』，SBクリエイティブ，2018

『新・明解 Python 入門』，SBクリエイティブ，2019

『新・明解 Python で学ぶアルゴリズムとデータ構造』，SBクリエイティブ，2020

『新・明解 Java 入門 第2版』，SBクリエイティブ，2020

『新・明解 Java で学ぶアルゴリズムとデータ構造 第2版』，SBクリエイティブ，2020

『新・明解C言語で学ぶアルゴリズムとデータ構造 第2版』，SBクリエイティブ，2021

『新・明解C言語 入門編 第2版』，SBクリエイティブ，2021

■ 由梨 かおる
ゆ り

言語科学研究所 主任研究員

本書をお読みいただいたご意見、ご感想を以下のQRコード、URLよりお寄せください。

https://isbn2.sbcr.jp/15178/

新・解きながら学ぶC言語 第2版

2022年2月28日　初版発行
2025年4月25日　第3刷発行

監修・著者　…　柴田 望洋（しばた ぼうよう）
著　　　者　…　由梨 かおる（ゆり）
編　　　集　…　野沢 喜美男
発　行　者　…　出井 貴完
発　行　所　…　SBクリエイティブ株式会社
　　　　　　　　〒105-0001　東京都港区虎ノ門2-2-1
　　　　　　　　https://www.sbcr.jp/
印　　　刷　…　昭和情報プロセス株式会社
装　　　丁　…　bookwall

落丁本、乱丁本は小社営業部にてお取り替えいたします。
定価はカバーに記載されております。

Printed in Japan　　　　　　　　ISBN978-4-8156-1517-8

SBクリエイティブの柴田望洋の著作

C言語入門書の最高峰!!（バイブル）

新・明解C言語 入門編 第2版

C言語の基礎を徹底的に学習するための
　　プログラムリスト243編　図表245点

6色版

B5変形判、440ページ

　数多くのプログラムリストと図表を参照しながら、C言語の基礎を学習するための入門書です。6色によるプログラムリスト・図表・解説は、すべてが見開きに収まるようにレイアウトされていますので、『読みやすい。』と大好評です。全編が語り口調ですから、著者の講義を受けているような感じで、読み進められるでしょう。
　解説に使う用語なども含め、標準C（ISO／ANSI／JIS規格）に完全対応していますので、情報処理技術者試験の学習にも向いています。
　独習用としてはもちろん、大学や専門学校の講義テキストとして最適な一冊です。

楽しいプログラムを作りながら、中級者への道を着実に歩もう!!

新・明解C言語 中級編 第2版

たのしみながらC言語を学習するための
　　プログラムリスト118編　図表152点

2色刷

B5変形判、384ページ

　『新人研修で学習したレベルと、実際の仕事で要求されるレベルが違いすぎる。』、『プログラミングの講義で学習したレベルと、卒業研究で要求されるレベルが違いすぎる。』と、多くのプログラマが悲鳴をあげています。
　本書は、**作って楽しく、動かして楽しいプログラム**を通して、初心者が次のステップへの道をたどるための技術や知識を伝授します。
　『数当てゲーム』、『じゃんけん』、『キーボードタイピング』、『能力開発ソフトウェア』などのプログラムを通じて、配列、ポインタ、ファイル処理、記憶域の動的確保などの各種テクニックをマスターしましょう。

SBクリエイティブの柴田望洋の著作

問題解決能力を磨いて、次の飛翔(ステップ)へ!!
新・明解C言語 実践編 第2版

C言語プログラミングの実践力を身に付けるための
プログラムリスト 261 編　図表 166 点　　2色刷

B5 変形判、360 ページ

　本書で取り上げるトピックは、学習や開発の現場で実際に生じた、問題点や疑問点です。〔見えないエラー〕〔見えにくいエラー〕〔見落としやすいエラー〕に始まって、問題点や疑問点を解決するとともに、本格的なライブラリ開発の技術を伝授します。
　開発するライブラリは、〔複製や置換などの文字列処理〕〔あらゆる要素型の配列に対応可能な汎用ユーティリティ〕〔データやキーの型に依存しない汎用２分木探索〕〔自動生成プログラムの実行によって作成する処理系特性ヘッダ〕〔コンソール画面の文字色やカーソル位置などの制御〕など、本当に盛りだくさんです。
　初心者からの脱出を目指すプログラマや学習者に最適な一冊です。

ポインタのすべてをやさしく楽しく学習しよう!
新・明解C言語 ポインタ完全攻略

ポインタを楽しく学習するための
プログラムリスト 169 編　図表 133 点　　3色刷

B5 変形判、304 ページ

　『初めてポインタが理解できた。』、『他の入門書とまったく異なるスタイルの解説図がとても分かりやすい。』と各方面で絶賛されたばかりか、なんと情報処理技術者試験のカリキュラム作成の際にも参考にされたという、あの『秘伝C言語問答ポインタ編』をベースにして一から書き直した本です。
　ポインタという観点からC言語を広く深く学習できるように工夫されています。ポインタや文字列の基礎から応用までを徹底学習できるようになっています。
　ポインタが理解できずC言語に挫折した初心者から、ポインタを確実にマスターしたい上級者まで、すべてのCプログラマに最適の書です。
　本書を読破して、ポインタの〔達人〕を目指しましょう。

SBクリエイティブの柴田望洋の著作

アルゴリズムとデータ構造学習の決定版!!

新・明解C言語で学ぶアルゴリズムとデータ構造 第2版

アルゴリズム体験学習ソフトウェアで
アルゴリズムとデータ構造の基本を完全制覇!

2色刷

B5変形判、432ページ

　三値の最大値を求める初歩的なアルゴリズムに始まって、探索、ソート、再帰、スタック、キュー、線形リスト、2分木などを、学習するためのテキストです。
　アルゴリズムの動きが手に取るように分かる〔アルゴリズム体験学習ソフトウェア※〕が、学習を強力にサポートします。数多くの演習問題を解き進めることで、学習内容が身につくように配慮しています。
　C言語プログラミング技術の向上だけでなく、**情報処理技術者試験対策**のための一冊としても最適です。

※購入者特典として、出版社サポートサイトからダウンロードできます。

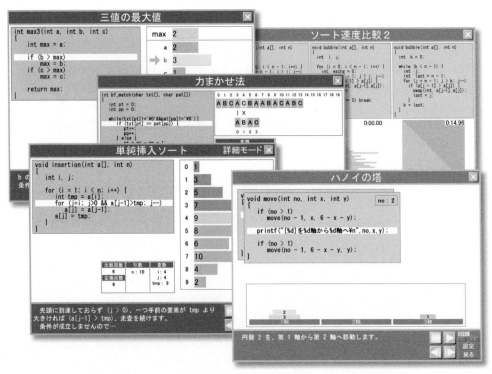

《アルゴリズム体験学習ソフトウェア》の実行画面例

SBクリエイティブの柴田望洋の著作

実践力まで身につく本格入門書の決定版!!
新・明解 Python 入門 第2版

Pythonの基礎を徹底的に学習するための
プログラムリスト327編　図表180点　6色版

B5変形判、440ページ

数多くのプログラムリストと図表を参照しながら、プログラミング言語Pythonと、Pythonを用いたプログラミングの基礎を徹底的に学習するための入門書です。6色によるプログラムリスト・図表・解説は、すべてが見開きに収まるようにレイアウトされていますので、『読みやすい。』と大好評です。全編が語り口調ですから、著者の講義を受けているような感じで、読み進められるでしょう。

入門書ではありますが、その内容は本格的であり、中級者や、JavaやC言語などの、他のプログラミング言語の経験者にも満足いただける内容です。

独習用としてはもちろん、大学や専門学校の講義テキストとして最適な一冊です。

Pythonで学ぶアルゴリズムとデータ構造入門書の決定版!!
新・明解Pythonで学ぶアルゴリズムとデータ構造

基本アルゴリズムとデータ構造を学習するための
プログラムリスト136編　図表213点　2色刷

B5変形判、376ページ

三値の最大値を求めるアルゴリズムに始まって、探索、ソート、再帰、スタック、キュー、文字列処理、線形リスト、2分木などを、明解かつ詳細に解説します。難しい理論や概念を視覚的なイメージで理解できるように、213点もの図表を提示しています。

本書に示す136編のプログラムは、アルゴリズムやデータ構造を紹介するための単なるサンプルではなく、実際に動作するものばかりです。すべてのプログラムを読破すれば、かなりのコーディング力が身につくでしょう。

初心者から中上級者まで、すべてのPythonプログラマに最良の一冊です。もちろん、情報処理技術者試験対策のための一冊としても最適です。

SBクリエイティブの柴田望洋の著作

C++ 入門書の最高峰!!（バイブル）
新・明解 C++ 入門

C++ とプログラミングの基礎を学習するための
プログラムリスト 307 編　図表 245 点　**3色刷**

B5 変形判、544 ページ

　C言語をもとに作られたという性格をもつため、ほとんどの C++ 言語の入門書は、読者が『C 言語を知っている』ことを前提としています。
　本書は、プログラミング初心者に対して、段階的かつ明快に、語り口調で C++ 言語の基礎とプログラミングの基礎を説いていきます。分かりやすい図表や、豊富なプログラムリストが満載です。
　全 14 章におよぶ本書を読み終えたとき、あなたの身体の中には、C++ 言語とプログラミングの基礎が構築されているでしょう。

C++ を使いこなして新たな飛躍を目指そう!!
新・明解C++で学ぶオブジェクト指向プログラミング

オブジェクト指向プログラミングを学習するための
プログラムリスト 271 編　図表 132 点　**2色刷**

B5 変形判、512 ページ

　本書は、C++ を用いたオブジェクト指向プログラミングの核心を学習するための教科書です。
　まずは、クラスの基礎から学習を始めます。データと、それを扱う手続きをまとめることでクラスを作成します。それから、派生・継承、仮想関数、抽象クラス、例外処理、クラステンプレートなどを学習し、C++ という言語の本質や、オブジェクト指向プログラミングに対する理解を深めていきます。
　さらに、最後の三つの章では、ベクトル、文字列、入出力ストリームといった、重要かつ基本的なライブラリについて学習します。

SBクリエイティブの柴田望洋の著作

最高の翻訳で贈る C++ のバイブル!!
プログラミング言語 C++ 第4版

著者：ビャーネ・ストラウストラップ
翻訳：柴田 望洋

2色刷

B5 変形判、1360 ページ

とどまることなく進化を続ける C++。その最新のバイブルである『プログラミング言語 C++』の第 4 版です。C++ の開発者であるストラウストラップ氏が、C++11 の言語とライブラリの全貌を解説しています。

翻訳は、名著『新・明解 C 言語 入門編』『新・明解 C++ 入門』の著者 柴田望洋です。本書を読まずして C++ を語ることはできません。

すべての C++ プログラマ必読の書です。

最高の翻訳で贈る C++ の入門書!!
C++ のエッセンス

著者：ビャーネ・ストラウストラップ
翻訳：柴田 望洋

2色刷

B5 変形判、216 ページ

とどまることなく進化を続ける C++。C++ の開発者ストラウストラップ氏が、最新の C++ の概要とポイントをコンパクトにまとめた解説書です。

ここだけは押さえておきたいという C++ の重要事項を、具体的な例題 (コード) を通してわかりやすく解説しています。

すべての C++ プログラマ必読の書です。

SBクリエイティブの柴田望洋の著作

Java 入門書の最高峰(バイブル)!!
新・明解 Java 入門 第2版

Java の基礎を徹底的に学習するための
プログラムリスト 302 編　図表 268 点

3色刷

B5 変形判、520 ページ

　数多くのプログラムリストと図表を参照しながら、Java 言語の基礎とプログラミングの基礎を学習するための入門書です。
　プログラムリスト・図表・解説は、すべてが見開きに収まるようにレイアウトされていますので、『読みやすい。』と大好評です。学習するプログラムには、数当てゲーム・ジャンケンゲーム・暗算トレーニングなど、たのしいプログラムが含まれています。全編が語り口調ですから、著者の講義を受けているような感じで、読み進められるでしょう。
　独習用としてはもちろん、大学や専門学校の講義テキストとして最適な一冊です。

たくさんの問題を解いてプログラミング開発能力を身につけよう!!
新・解きながら学ぶ Java

作って学ぶプログラム作成問題 202 問!!
スキルアップのための錬成問題 1115 問!!

B5 変形判、512 ページ

　「Java のテキストに掲載されているプログラムは理解できるのだけど、どうも自分で作ることができない。」と悩んでいませんか？
　本書は、『新・明解 Java 入門』の全演習問題を含む、全部で 1317 問の問題集です。教育の現場で学習効果が確認された、これらの問題を制覇すれば、必ずや、Java を用いたプログラミング開発能力が身につくでしょう。
　少しだけ Java をかじって挫折した初心者の再入門書として、Java のサンプルプログラム集として、**あなたの Java プログラミング学習における、頼れるお供となるでしょう。**

SBクリエイティブの柴田望洋の著作

Java で学ぶアルゴリズムとデータ構造入門書の決定版 !!

新・明解 Java で学ぶアルゴリズムとデータ構造 第2版

基本アルゴリズムとデータ構造を学習するための
プログラムリスト 102 編　図表 217 点　**2色刷**

B5 変形判、376 ページ

　Java によるアルゴリズムとデータ構造を学習するためのテキストの決定版です。三値の最大値を求めるアルゴリズムに始まって、探索、ソート、再帰、スタック、キュー、文字列処理、線形リスト、2 分木などを、明解かつ詳細に解説します。

　本書に示す 102 編のプログラムは、アルゴリズムやデータ構造を紹介するための単なるサンプルではなく、実際に動作するものばかりです。スキャナクラス・列挙・ジェネリクスなどを多用したプログラムを読破すれば、相当なコーディング力が身につくはずです。

　もちろん、情報処理技術者試験対策のための一冊としても最適です。

・・　ホームページのお知らせ　・・・・・・・・・・・・・・・・・・・・・・・・・・

　ご紹介いたしました、すべての著作について、本文の一部やソースプログラムなどを、インターネット上で閲覧したり、ダウンロードしたりできます。

　以下のホームページをご覧ください。

　柴田望洋後援会オフィシャルホームページ
　　https://www.bohyoh.com/